De pijnstiller-leugen

POB ERPE MERE

EM0794147

www.ankh-hermes.nl

Dr. Berndt Rieger

De pijnstiller-leugen

Uitgeverij Ankh-Hermes bv – Deventer

Oorspronkelijke titel: *Die Schmerzmittellüge – Das Märchen von der allzeit wirksamen Pille*, uitgegeven door F.A. Herbig Verlagsbuchhandlung GmbH, München

Vertaling: Gerard Grasman
Tekeningen: Theiss Heidolph

De uitgever aanvaardt geen enkele aansprakelijkheid voor de aanbevelingen die in dit boek worden gedaan. Hij adviseert de lezer bij serieuze klachten in eerste instantie zijn arts te raadplegen.

CIP-gegevens
ISBN: 90 202 4400 0
NUR: 870
Trefwoord: pijnstillers / pijnbestrijding

2006 / 2271 / 604.3

© 2004 F.A. Herbig Verlagsbuchhandlung GmbH, München
© 2006 Nederlandse vertaling Ankh-Hermes bv, Deventer

Openbare Bibliotheek Erpe-Mere
Oudenaardsesteenweg 458 - 9420 Erpe-Mere - 053/60.34.70

Uit deze uitgave mag uitsluitend iets verveelvoudigd, opgeslagen in een geautomatiseerd gegevensbestand en/of openbaar gemaakt worden door middel van druk, fotokopie, microfilm, opnamen, of op welke andere wijze ook, hetzij chemisch, elektronisch of mechanisch, na voorafgaande schriftelijke toestemming van de uitgever.

Any part of this book may only be reproduced, stored in a retrieval system and/or transmitted in any form, by print, photoprint, microfilm, recording, or other means, chemical, electronic or mechanical, with the written permission of the publisher.

Hoe onaangenaam kritiek ook moge zijn, toch is zij noodzakelijk. Haar taak komt overeen met die van fysieke pijn: ze maakt ons attent op onhoudbare situaties.

Winston Churchill

Inhoud

Inleiding

Wie vandaag met pijn naar de dokter gaat, moet weten dat teleurstellingen als het ware al 'voorgeprogrammeerd' zijn. Dit heeft te maken met de vele televisiereclames die hoge verwachtingen wekken en eigenlijk nog worden gekenmerkt door het enthousiasme van na de Tweede Wereldoorlog. Voor problemen werden er steeds meer machines ontwikkeld, zodat je maar op de knop hoefde te drukken – de rest werd door de technologie opgelost. Sinds we in het computertijdperk leven, hebben we begrepen dat machines vaak niet werken als je knoppen indrukt. Ze willen niet opstarten of ze crashen, en als je er de expert bij haalt, krijg je na langdurig uitproberen en omvangrijke reparaties vroeg of laat te horen: 'Eigenlijk zou dat ding nu toch moeten werken.' Dat doet het dan helaas niet.

Je zou dit kunnen vergelijken met pijnbehandeling, een therapie die ook vaak na langdurig uitproberen van succes verstoken blijft. Daarnaast is er nog het brede spectrum van bijwerkingen en onvoorziene reacties. De klachten worden nog erger, of de situatie wordt complexer als gevolg van nieuwe aandoeningen.

Als je bij de doorsnee-huisartsenpraktijk het advies van al die reclames in praktijk brengt door 'naar de risico's en bijwerkingen' van pijnstillers te vragen, zul je niet zelden de ervaring opdoen dat de arts om zich heen gaat kijken, op zoek naar iemand die hem kan verlossen van de gek die dat soort vragen stelt. En als je hem vertelt dat een pijnstiller niet in het minst soelaas heeft geboden, wordt hij/zij ongeduldig of zelfs kwaad omdat je zo 'lastig' bent.

Pijnbehandeling, een therapie die ook vaak na langdurig uitproberen van succes verstoken blijft

11

**Als pijnstillers
niet helpen, is
dat de 'schuld'
van de patiënt**

Dus stap je naar een chiropractor, homeopaat, enzo-voort of natuurgenezer. Daar betaal je de nota's welis-waar vaak zonder aanspraak te kunnen maken op ver-goeding door je ziektekostenverzekering, maar toch wordt je pijn zelden effectief behandeld. Dit is deels een uitvloeisel van de opleiding die de therapeut heeft gehad. Ook na een studie van acht tot tien jaar heeft de geneeskundige over pijnbehandeling meestal slechts in de marge iets vernomen. Wat natuurgenezers betreft: zij hebben soms een opleiding van slechts drie jaar achter de rug en mogen dan – al naargelang het oplei-dingsinstituut – examen doen (soms zelfs al na een be-perkt aantal weekeindcursussen!). Dit betekent in feite dat zij zich wat hun kennis betreft nauwelijks van de leek onderscheiden. Ze worden geschoold in uiteenlo-pende behandelmethoden, maar niet specifiek in de be-handeling van pijn.

In beide gevallen is het dus afhankelijk van het per-soonlijk engagement van betrokkene of hij/zij door ge-stage inspanning en het opdoen van ervaring bedreven raakt in effectieve pijnbehandeling. Er is echter geen enkele garantie dat je als patiënt zo'n geëngageerde therapeut treft.

Een tweede moeilijkheid komt voort uit het feit dat de eerdergenoemde hulpverleners zich heel vaak in slechts één geneesmethode hebben gespecialiseerd en daardoor algauw niet verder kijken dan hun neus lang is. Natuurlijk kan ook het tegendeel voorkomen, zodat ze de patiënt allerlei geneesmethoden bieden, die ze echter geen van alle werkelijk meester zijn.

**Therapeuten en
ook natuur-
genezers hebben
zich heel vaak
op slechts één
geneesmethode
gespecialiseerd**

Als je met je pijnklachten ook op deze klip bent gelo-pen, ontwikkel dan zelf initiatieven en ga informatie verzamelen. Om te beginnen zijn er de brochures van patiëntenverenigingen en andere instituties die de me-ning van de reguliere geneeskunde vertegenwoordigen, welke uiteindelijk de mening van de farmaceutische industrie weerspiegelt, afgestemd op de beste manier om haar producten aan de man te brengen. Er is nauwelijks een beroepsgroep te vinden waarvan de beloning de afgelopen decennia zo achtergebleven is als die van de huisartsen. Voor het tarief dat hij voor een huisbezoek mag vragen, komt een loodgieter of slotenmaker vaak niet eens voorrijden; en binnen de geneeskunde in het algemeen is er geen enkele beroepsgroep die er zo op achteruit is gegaan als de hoogleraar aan een medische faculteit. Zijn onderzoeken worden vaak gefinancierd door de farmaceutische industrie, zodat hij onderzoeksresultaten produceert die de belangen van deze industrie dienen; en hij maakt reizen naar internationale congressen om zijn collega's gemanipuleerde resultaten, gebrekkig geteste stoffen en onbeproefde concepten voor te schotelen die als 'wetenschap' worden verkocht. Hij neemt zitting in tuchtcommissies om weerspannige collega's, die aandringen op meer vrijheid van behandeling, te dwingen zich te conformeren. Hoewel we dergelijke manipulaties slechts van een deel van de opinievormers mogen veronderstellen, verhinderen ze in de praktijk toch vaak een meer effectieve pijnbehandeling.

Als je geen vertrouwen meer hebt in de reguliere geneeskunde en tijdschriften over natuurgeneeswijzen begint te lezen, zul je op den duur moeten vaststellen dat ook hún opinievormers concrete commerciële belangen behartigen en het vrije veld van de talrijke geneeswijzen slechts benutten om nauwelijks verholen propaganda voor zichzelf en hun eigen kliniek te maken. De middelen die niet zelf worden gemaakt, worden niet eens genoemd. En wat ze zelf niet kunnen, wordt afgekraakt.

Het vergaat je nóg erger als je de propagandistische verhalen in *glossy magazines* serieus neemt. Vaak maken ze in het begin melding van 'nieuwe geneeswij-

Er is nauwelijks een beroepsgroep te vinden waarvan de beloning de afgelopen decennia zo achtergebleven is als die van de huisartsen

Ook in de natuurgeneeskunde worden vaak concrete commerciële belangen behartigd

13

zen', veelal zelfs 'zonder operatie' – maar uiteindelijk stuit je toch op de nieuwste producten van de farmaceutische industrie en voorstellen van 'specialisten' die zeggen jouw pijn met wortel en tak te zullen uitroeien – bijvoorbeeld door het gewricht dat jou zoveel pijn bezorgt domweg te verwijderen. Dan is er geen sprake meer van een individuele behandeling, van natuurgeneeswijzen of genezing op zich. Het maakt niet uit om wat voor pijn het gaat: waar het de oorzaken van pijn betreft, is het menselijk lichaam in de optiek van deze 'specialisten' een gebrekkige constructie die met grof geweld kan worden gecorrigeerd. Bij voorkeur wordt het feit dat we rechtop lopen als de boosdoener aangewezen. Als de mens miljoenen jaren geleden niet op deze manier van lopen was gekomen, zouden we nu geen pijn in de knieën, heupen, schouders of rug hebben en hoefden we niet geopereerd te worden. Kortom, kruip voortaan over de grond óf laat, als je volwassen bent, meteen al je gewrichten vervangen door protheses.

Is het menselijk lichaam een gebrekkige constructie die met grof geweld kan worden gecorrigeerd?

Ten einde raad werp je je op de boeken over pijnbehandeling waarmee de markt wordt overstroomd. Ze zijn meestal geschreven door medische journalisten die zelf nog geen patiënt hebben gezien. Toch geven ze zeer gedetailleerde en vaak gemakkelijk leesbare samenvattingen van bepaalde geneeswijzen of behandelingsstrategieën die feitelijk ontleend zijn aan medische brochures of boeken. Vaak nemen ze er uit onwetendheid en gebrek aan eigen medische ervaring behandelconcepten, onbewezen beweringen en allang weerlegde theorieën klakkeloos uit over.

Met boeken over pijnbehandeling schiet je niet altijd iets op

Dit is het wespennest rond boeken van patiënten of therapeuten die óf zelf een uitweg uit een pijnprobleem hebben gevonden óf er al jaren mee bezig zijn pijn te verlichten zonder gehinderd te worden door ideologische oogkleppen. De moeilijkheid is natuurlijk vaak dat juist een betrokkene slechts één persoonlijke geschiedenis uit vele kan vertellen. Hem of haar ontbreekt het aan de ervaring die ten grondslag ligt aan het overzien van het totaalbeeld. Echter, de therapeut die zich toelegt op pijnbehandeling, kan gemakkelijk de fout maken dat hij de weinige kneepjes die hij zelf heeft ontdekt gaat overschatten. Bovendien zal een boek dat hij over dit thema schrijft niet zelden mank gaan aan hetzelfde gebrek als dat van publicaties van de opinievormers uit de natuurgeneeskunde: het forum dat hun in de vorm van zo'n boek ter beschikking staat, misbruiken om propaganda voor zichzelf te maken.

In dit warnet van halve waarheden, verkooptrucs en geheimzinnig gedoe zal de patiënt die geplaagd wordt door pijn zelf zijn weg naar gezondheid moeten zoeken. Dit is alleen mogelijk als hij, na een korte uiteenzetting van de verschillende behandelmethoden, in de gelegenheid is om een methode na een eenvoudige bespreking van de procedure zonder risico's en bijwerkingen voor zichzelf te proberen. In dit boek heb ik mij vooral beperkt tot behandelmethoden waarmee ik als patiënt en therapeut zelf ervaringen heb opgedaan. Daarom maakt dit boek geen aanspraak op volledigheid, want iedere ervaring is begrensd. Ook besteed ik aandacht aan ervaringen die mij zijn verteld door patiënten. Het accent ligt op de weinig besproken natuurgeneeskundige methoden voor pijnbehandeling, terwijl de mogelijkheden van de reguliere geneeskunde slechts in de marge worden besproken.

Voordat je overgaat tot het uitproberen van eenvoudige 'recepten voor pijnbehandeling' is het van belang, pijn in een grotere samenhang te leren zien. Want zodra je probeert er intensief aan te werken, zul je het grootste deel van alles wat er over pijn wordt beweerd overboord moeten zetten.

Zo zul je moeten erkennen dat pijn niet los van de pa-

De pijnlijder zal zelf een weg naar gezondheid moeten zoeken

Het accent ligt op de weinig besproken natuurgeneeskundige methoden voor pijnbehandeling

Pijn kan niet los van de patiënt worden gezien

tiënt kan worden gezien. Dat wordt er bedoeld, als je te horen krijgt dat chronische pijn altijd individueel is. Je bent het creatieve product van wat je van je levenssituatie hebt gemaakt. Dit is deels een gevolg van ziekte, maar komt ook door eigen toedoen. In gesprekken maken we elkaar meestal wat wijs als het om pijn gaat, maar dan draaien we vooral onszelf een rad voor ogen. Je hoeft maar de brochures van zelfhulpgroepen te lezen, om algauw te ontdekken dat er over van alles en nog wat wordt gesproken, behalve over de context waarin pijnklachten zijn ontstaan. Zo kan het gebeuren dat twintig tot dertig lijders aan fibromyalgie bijeenkomen die – behalve een overeenkomstige soort pijn – niets met elkaar gemeen hebben en zich er toch over verbazen dat ze ook in zo'n zelfhulpgroep geen verlichting van hun pijn ervaren.

Zelfhulpgroepen zijn niet altijd zinvol

Het waarom daarvan ligt voor de hand: de leden van de groep staren zich blind op het gemeenschappelijke *symptoom*, zoals een konijn door een slang wordt gebiologeerd, zonder in te zien dat dit symptoom niet echt iets is dat ze gemeen hebben. Het enig positieve dat je in een fibromyalgiegroep kunt ervaren, is wederzijds begrip, naast wat uiteenlopende informatie over dingen die tegen pijn zouden helpen, maar waar je persoonlijk waarschijnlijk weinig aan zult hebben. Vermoedelijk vermindert het echter ook de kans dat je doordringt tot jezelf en het eigenlijke innerlijke conflict waaronder je gebukt gaat.

Naar mijn ervaring is chronische pijn het resultaat van een langdurige ontwikkeling. Pijn kan weliswaar door onderdrukkende maatregelen tijdelijk worden verzwakt en soms zelfs tijdelijk opgeheven. Het symptoom blijft echter net zolang terugkomen totdat het 'werk aan de pijn', dat tot de ontraadseling en opheffing ervan leidt, volledig is gedaan. Als je bereid bent die weg te gaan, kunnen zelfs al een beetje psychotherapie en enkele, veelal bij toeval gekozen, homeopathische middelen afdoende zijn. Het bewandelen van de weg is altijd belangrijker dan de hulpmiddelen die je daarbij ondersteunen.

Een andere valse mythe over pijn is de idee dat je iemand anders nodig zou hebben om je pijn te verdrijven, zo niet een zelfhulpgroep, dan toch een genezer of wijsgeer. Het is en blijft een waarheid als een koe dat iedere pijn die vanzelf is gekomen, ook vanzelf weer kan weggaan. Dat heeft niets van doen met spontane genezing, want de pijn verdwijnt pas als zij daar reden toe heeft. Ook heeft het niets te maken met een placebo-effect, want geen enkele pijn laat zich om de tuin leiden. Pijnen verdwijnen pas als de patiënt ze loslaat; en heel vaak kan hij dat pas als hij het conflict waaruit de pijn is voortgekomen heeft doorgewerkt.

Pijnen verdwijnen pas als de patiënt ze loslaat

Veelal laat een conflict dat ons ziek maakt zich slechts oplossen in een ontmoeting tussen therapeut en patiënt die ver boven de klassieke patiënt-therapeutrelatie uit stijgt. Zo'n relatie is noodzakelijk als de pijn is ontstaan als de afspiegeling van een conflict met iemand anders. In dat geval ben je alleen werkelijk te helpen als die ander de rol van de pijnveroorzaker op zich neemt. Dit vereist echter dat de therapeut bereid is deze projectie toe te laten en op intelligente manier probeert haar te benutten voor heling. Een pijnpatiënt heeft niets aan symptoombestrijding; hij is als mens belast met zijn totale bestaansgeschiedenis, die vaak vanaf zijn geboorte wortelt in het spanningsveld van zijn ouderlijk thuis. Soms sorteert pijnbehandeling pas effect als er in de loop van een reeks van vijf tot tien behandelsessies een verzoening – met zichzelf of anderen – in het innerlijk van de patiënt tot stand komt. Dat kan impliceren dat je troost nodig hebt. Meestal wil het echter zeggen dat je je met zonden moet verzoenen die je zelf hebt begaan.

17

Als pijn niet uit zichzelf is weggegaan – doordat datgene wat de pijn heeft veroorzaakt niet te 'verteren' valt – zal er eerst een keerpunt in het leven van de patiënt moeten komen. Anders is er geen echte heelwording mogelijk, ondanks alle goede geneeswijzen die een pijn-verlichtende werking hebben. Dit is iets waarvan de pijnpatiënt zich bewust moet zijn. Hij zal eerst met zichzelf in het reine moeten komen. Hij zal de kracht moeten ontwikkelen die nodig is om datgene wat hem kapotmaakt stuk te slaan. Hij moet mensen die hem slecht hebben behandeld vergiffenis schenken, maar ook zichzelf als hij zelf schuld op zich geladen heeft.

De pijnpatiënt moet met zichzelf in het reine komen

Genezers hebben al sinds mensenheugenis pogingen gedaan anderen te helpen dit innerlijke conflict op te lossen, en ze zijn er vaak ook in geslaagd. Zij deden dit door 'boven' de patiënt rituele handelingen te verrichten, zoals we dat kennen van de biechtvader in de rooms-katholieke Kerk. Zij wilden helpen, en alleen al daardoor hielpen ze werkelijk. Ook nu nog ligt het geheim van succesvolle behandelmethoden in deze traditionele rol besloten: een therapeut moet *willen* helpen.

Een arts moet *willen* helpen

Als de patiënt deze behoefte bij zijn arts bespeurt, zal hij op bijna alle behandelmethoden positief reageren. Therapieën kunnen tot bewustwording leiden. Ze kunnen verdrongen dingen aan het licht brengen en conflicten blootleggen die dan niet zelden door een eenvoudig gesprek, of alleen al door te luisteren en vragen te stellen, op te lossen zijn. In de menselijke interactie hebben we daar geen speciale opleiding voor nodig. Als menselijke conflicten naar de oppervlakte komen, heeft de patiënt niet zozeer behoefte aan de arts als therapeut, als wel aan de mens die in hem steekt. Hiervoor zijn geen eenduidige regels te geven, behalve factoren als empathie, eergevoel en normaal fatsoen. Het spreekt wel vanzelf dat ook andere mensen – vrienden, familieleden – op deze manier therapeutisch kunnen werken.

Pijn is iets persoonlijks en vereist daarom een persoonlijke weg naar heelwording. Pijn is een waarschuwing, een teken van het lichaam dat zelf niet spreken kan. Alleen zij die zich vertrouwd maken met deze taal kunnen heel worden. Dit boek pretendeert niet kant-en-klare recepten te leveren, maar is een poging om de individuele patiënt die met pijn worstelt ook buiten de relatie therapeut-patiënt vertrouwd te maken met de eerste beginselen van de taal der pijn. Daarnaast wil het je attent maken op wat kneepjes die je je snel eigen kunt maken.

Pijn is iets persoonlijks en vereist daarom een persoonlijke weg naar heelwording

19

De 'zegeningen' van de reguliere geneeskunde

Door één tabletje binnen enkele seconden vrij van pijn?

In een recente televisiereclamespot heeft een jonge, knappe vrouw hevige hoofdpijn. Ze neemt dan een klein, wit tabletje, slikt het door en kan enkele seconden later alweer onbekommerd lachen en zich aan haar dagelijkse bezigheden wijden. Geloofwaardig? Realistisch? Dat lijkt me niet. En de aan het eind van de spot afgeraffelde raad om 'je arts of apotheker naar de zogenaamde risico's en bijwerkingen te vragen' is niet eens op te volgen. Zeker, je kunt ernaar vragen, maar of je er ook antwoord op krijgt? Als patiënt weet je maar al te goed met wat voor blik de apotheker of arts je aan zou staren als je nog een vraag hebt. En des te meer als je soms kritiek op zijn behandeling mocht willen uiten.

Daarom op deze plaats een paar feiten waarop ik de vinger heb gelegd tijdens het volgen van een drie maanden durende cursus in pijnbehandeling (georganiseerd door een bekend Duits pijnbehandelingsinstituut) die recht geeft op de titel 'gespecialiseerd pijntherapeut'. Hierdoor worden namelijk alle illusies die iemand nog over de effectiviteit van conventionele behandelmethoden tegen pijn zou kunnen hebben onherroepelijk van tafel geveegd.

Over de geringe werking van veel pijnstillers

Wist je bijvoorbeeld dat een dikwijls voorgeschreven middel als Tramadol slechts bij éé023nderde van alle mensen enige pijnstillende werking heeft? Waartoe het echter veel vaker en bij een veel groter aantal mensen kan leiden, zijn duizelingen, misselijkheid, verwardheid en moeheid. Per slot van rekening is het een opiumderivaat en ontleent het diverse karakteristieke kenmerken aan dit narcoticum uit de papaver. Het heeft één groot voordeel: het werkt niet verslavend. Helaas is het echter ook niet erg pijnstillend. De oorzaak? Men heeft ontdekt dat opiaten in het zenuwstelsel diverse receptoren activeren, waarvan de μ- en κ-receptoren verband houden met pijnsignalen. De μ-receptor elimineert pijnprikkels volledig, maar veroorzaakt tegelijkertijd euforie en leidt onder meer tot slaperigheid, verslavingsgedrag, verwijde pupillen en constipatie. Wie opium rookt heeft geen pijn, maar is in de waaktoestand versuft tot comateus, *gevoelloos*, traag en bleek. Daarentegen veroorzaakt stimulering van de μ-receptor door een opiaat als Tramadol geen euforie of verslaving en daarom kan dit zonder bezwaar worden voorgeschreven.

Het beste niet-verslavende middel tegen pijn is vermoedelijk Diclofenac, dat tot de groep van de zogeheten non-steroïdale antireumatica (NSAR) behoort. Overigens schijnt dit middel slechts bij vier van de vijf mensen inderdaad een pijnstillende werking te hebben. Eenvijfde van de mensheid mag echter ook van zelfs dit sterkste middel uit de meest verbreide groep van analgetica – waarvoor via de televisie voortdurend reclame wordt gemaakt – geen soelaas verwachten. Overigens neemt het middel slechts bij zeer weinig mensen de pijn volledig weg. Meestal wordt de pil meermalen

Tramadol – vaak voorgeschreven, maar heeft slechts een geringe pijnstillende werkzaamheid

21

per dag geslikt en wacht de patiënt dan een of twee dagen, namelijk de tijd die vaak nodig is om een pijn vanzelf over te laten gaan ...

Acetylsalicylzuur (aspirine) in plaats van de goede oude wilgenbast

Het feit dat men voor de NSAR-groep geen populaire naam heeft kunnen bedenken, aangezien de 'kenmerkende eigenschap' er slechts uit bestaat dat het geen cortisonderivaat betreft en deze middelen worden gebruikt bij de behandeling van reuma, geeft al aan wat je er bijvoorbeeld bij migraine van mag verwachten – namelijk weinig. Aan de omslachtige aanduiding NSAR kunnen we echter ook zien hoe de farmaceutische industrie doelbewust onduidelijkheid laat bestaan, aangezien zij zich niet graag in de kaart laat kijken. Als er eenvoudigweg van salicylaten zou worden gesproken, zou het mysterie eraf zijn. Salicylzuur, gewonnen uit de wilgenbast, is namelijk geen verworvenheid van de reguliere geneeskunde en evenmin een product van onze moderne beschaving, maar een middel tegen pijn dat in alle culturen bekend is. Zelfs uit de spijkerschrifttabletten uit Mesopotamië blijkt dat het gebruik van salicylzuur als pijnstiller een van de oudste artsenijen van de mensheid is.

Salicylzuur is geen verworvenheid van de reguliere geneeskunde

Er wordt liever gesproken over de synthese van acetylsalicylzuur door het farmaceutische concern Bayer, eind 19e eeuw. Aspirine is een mondiaal begrip en de naam is bijna synoniem met pijnbehandeling geworden. Dat aspirine – anders dan salicylzuur – in veel gevallen maagklachten veroorzaakt die vrij vaak tot dodelijke maagbloedingen leiden, is een regelrecht taboe. In Duitsland sterven jaarlijks volgens een officiële statistiek circa 2000 mensen aan de bijwerkingen van salicylaten en hun derivaten. Daarentegen worden chiro-

Talloze doden per jaar als gevolg van bijwerkingen van salicylaten

22

practische behandelingen, die in veel gevallen pijn op welhaast wonderbaarlijke manier wegnemen, aan de ene kant niet serieus genomen. Aan de andere kant worden ze gedemoniseerd, omdat ze incidenteel tot een tragisch sterfgeval of hersenbloeding kunnen leiden, iets dat vermoedelijk ook zonder chiropractische behandeling zou zijn gebeurd. Het woord chiropraxie is ontleend aan het Grieks en betekent ongeveer 'met de handen behandelen'. Het gaat verder dan handoplegging of massage, aangezien de chiropractor probeert om slecht uitgelijnde lichaamsdelen door middel van duw-, trek- of draaibewegingen weer 'in lijn' te brengen. De Duitse arts Karl Sell was in het begin van de 20e eeuw een pionier in deze in de volksgeneeskunst door leken toegepaste methode. Hij knielde met zijn volle lichaamsgewicht op zijn patiënten, liet zich met kracht boven op hen vallen en verheugde zich als hij in de gewrichten iets hoorde kraken, in de mening dat er dan werkelijk iets van stand veranderde. Tegenwoordig wordt de wat eleganter klinkende term 'segmentale stoornissen' gebezigd, past de chiropractor verfijndere grepen toe en streeft hij met het toedienen van impulsen niet meer naar het van stand veranderen van botten, maar naar het losmaken van verkrampingen en zwellingen. Tot nu toe zijn er wereldwijd volgens een regelmatig bijgewerkte statistiek ongeveer vijftig sterfgevallen bij chiropractische behandeling geteld. Daarentegen veroorzaken salicylaten jaarlijks wereldwijd tienduizenden sterfgevallen ten gevolge van bloedingen in het maag-darmkanaal. We hebben het dus over massa's sterfgevallen, die qua aantal niet onderdoen voor de aantallen verkeersdoden die jaarlijks te betreuren zijn. Pijnbehandeling met behulp van deze salicylaten lijkt ons even onvermijdelijk als het verkeer, dat tenslotte een essentieel bestanddeel is van onze westerse beschaving. Per slot van rekening werkt het effectief en snel en het leven wordt nu eenmaal gekenmerkt door allerlei risico's, nietwaar?

Laten we deze waanzin nog even nauwkeurig op een rijtje zetten, zonder ironie: aan de ene kant wereldwijd vijftig sterfgevallen, en aan de andere kant wereldwijd tienduizenden sterfgevallen als gevolg van salicylaten. In het eerste geval wordt met chiropractische behandeling bereikt dat pijnen bij iedere patiënt worden verlicht, onmiddellijk en zonder bijwerkingen. In het tweede geval neemt de pijn bij velen af, maar wel ten koste van andere klachten. In het ene geval wordt slechts een deel van het lichaam behandeld en in het andere geval moet het hele lichaam de stof uit de pil opnemen en verwerken, hoewel slechts een klein, pijnlijk lichaamsdeel er baat bij heeft. Wat zou jij doen als je op zekere dag wakker wordt met een stijve nek?

Het is waanzin de voorkeur te geven aan pijnstillers ten opzichte van een chiropractische behandeling

Gevaarlijke combipreparaten

Nierfalen door het gebruik van combipreparaten

Extra perfide is de in Duitsland populairste pijnstiller, een combipreparaat van aspirine, paracetamol en cafeïne. Het gecombineerd toedienen van de twee eerstgenoemde NSAR's – aspirine en paracetamol – zou op zichzelf niet zo'n gekke gedachte zijn, vooral met het oog op de verschillende reactiegradaties van mensen. Gebleken is echter dat juist deze combinaties in de loop van jaren tot nierfalen leiden. Naast de chronische diabetici heeft een groot deel van de mensen die tegenwoordig nierdialyse behoeven dergelijke middelen ingenomen tegen hoofdpijn, zonder er een flauw vermoeden van te hebben dat ze daardoor vroeg of laat afbreuk doen aan het vermogen om urine uit te scheiden. Deze pijnstillers – én hun makers – zijn verantwoordelijk voor de eeuwige kwelling van veel dialysepatiënten, waardoor zij medeverantwoordelijk zijn voor de hoge premies voor een ziektekostenverzekering die de

24

gehele bevolking moet betalen, die immers opdraait voor de behandeling van honderdduizenden dialysepatiënten. Tussen twee haakjes, dit middel behoorde in het Duitse ziektekostenbudget tot de meest voorgeschreven medicamenten, tot op de dag dat de patenten verliepen en kleine firma's zelfstandig pijnstillers mochten gaan fabriceren. Uit kostenoogpunt én medisch inzicht beperkten zij zich namelijk tot de enkelvoudige preparaten, waarmee de gevaarlijke effecten van combipreparaten werden vermeden.

Het hierboven genoemde combipreparaat (aspirine, paracetamol en cafeïne) is vooral ook gevaarlijk vanwege de cafeïne erin. De pijnstillende werking daarvan is in de regel te verwaarlozen, zoals iedere koffiedrinker weet. Cafeïne werkt verslavend en zou deze of gene ertoe kunnen verleiden om meer tabletten in te nemen dan hij of zij tegen de pijn nodig zou hebben. Daar komt nog bij dat het afkicken van cafeïne vaak gepaard gaat met … hoofdpijn!

In feite betreft het een tamelijk absurde combinatie van medicamenten. Hoewel deze taxatie voor de hand ligt, is het aankaarten ervan wellicht al een schending van het erop rustende taboe. De verdere vervaardiging ervan verbieden is kennelijk onmogelijk. Het blijven produceren ervan getuigt echter van onwetendheid of, erger, een gebrek aan geweten.

'Nutteloos' en 'gevaarlijk' zijn kwalificaties die we liever niet in verband brengen met de reguliere geneeskunde, ook al zijn er genoeg mensen die daartoe uit eigen bittere ervaring geneigd zijn. Veel pijnpatiënten ervaren geen enkel effect van pijnstillers; andere ervaren slechts bijwerkingen. Overigens is het een kenmerk van de reguliere geneeskunde dat zij de potentie heeft om alles nog slechter te maken dan het al was, of zelfs om totaal nieuwe aandoeningen te veroorzaken die niet te genezen zijn. Het beoefenen van de reguliere ge-

Reguliere geneeskunde – nutteloos of gevaarlijk?

25

Het beoefenen van de reguliere geneeskunde heeft weinig van doen met mensen echt helpen genezen

Natriumkanaalblokkers: twijfelachtige medicamenten

neeskunde heeft dan ook weinig van doen met mensen echt helpen genezen. Wie met conventionele methoden geneest, heeft werkelijk geluk gehad. De arts kan er een ziekteverloop vaak slechts mee tot staan brengen.

Natriumkanaalblokkers, tranquilizers, antidepressiva & co

Tot de groep twijfelachtige pijnstillers behoren ook de zogeheten natriumkanaalblokkers. Ze sluiten in de celwanden kanaaltjes af die niet alleen in dienst staan van de doorgifte van pijnsignalen, maar daarnaast nog andere belangrijke functies hebben, zoals de uitwisseling van vochten. Als je zo'n tablet slikt (bijvoorbeeld tolperison, verhandeld als Mydocalm), worden deze functies overal in het lichaam geremd. Dit betekent dat dit middel, dat als spierontspanner wordt aangeboden, niet mag worden voorgeschreven aan mensen die lijden aan *myasthenia gravis*, een prikkelingszwakte van de musculatuur. Echter, ook bij gezonde mensen ontstaan er vaak klachten als spierzwakte, lage bloeddruk en duizelingen, omdat zij de negatieve gevolgen van de geblokkeerde natriumkanalen niet alleen in de spieren, maar ook overal elders in het lichaam ervaren.

Nog twijfelachtiger acht ik de vaak gedane aanbeveling om tranquilizers als diazepam (Valium®) als een onderdeel van de pijnbehandeling te gebruiken. In feite bestaat de werking van dit slaap- en kalmeringsmiddel vooral uit het verminderen van angsten door middel van versuffing. Ook ontspant het de spieren, hetgeen pijn kan verlichten. Wie deze therapie ondergaat, is natuurlijk niet meer rijvaardig. Echter, met een daadwerkelijke pijntherapie heeft het weinig uitstaande.

Ook antidepressiva en neuroleptica – die voor andere therapeutische doeleinden zijn bedoeld – worden gretig voor pijnbehandeling gebruikt. Omdat pijn in de

26

hersenen wordt waargenomen, is het niet verwonderlijk dat middelen die een krachtige uitwerking in bepaalde delen van de hersenen hebben, tot op zekere hoogte ook pijn kunnen verminderen. Dergelijke therapeutische uitwassen roepen bij mij het beeld op van een garage die een kapotte automotor probeert te repareren door een fiets tegen het rechter voorspatbord te lassen. Wie geleerd heeft de pedalen rond te krijgen, komt wat vooruit met de auto, maar de prijs die hij ervoor betaalt is hoog.

Dan probeert men het met ontstekingsremmers als Kineret®, Remicade® en Humira®, middelen die oorspronkelijk tegen reumatische ontstekingen werden aangewend, terwijl deze klacht slechts bij een fractie van het totale aantal pijnpatiënten voorkomt. Nauwelijks uitgeteste pijnstillers met een onbekend risicopotentieel en bovendien schreeuwend duur – en naar alle waarschijnlijkheid voorgeschreven aan pijnpatiënten voor wie ze niet zijn ontwikkeld – ziedaar de realiteit van een 'wetenschap' die pretendeert zich op de meest moderne stand te bevinden.

De moderne reguliere geneeskunde staat dan ook een eind buiten de realiteit. We zijn al heel lang gewend dat medische studenten op de universiteit het ene leerden, maar in de praktijk het andere. Tussen de 'reguliere' geneeskunde en medische realiteit van alle dag bestond een soort vreedzame coëxistentie. De oude hoogleraren – zo werd dat ervaren door veel studenten die uit een artsengezin kwamen of al in deze of gene kliniek praktische ervaring hadden opgedaan – waren van de praktijk vervreemd, maar dan op een zo hoog niveau, dat zij desondanks werden gerespecteerd. De laatste decennia is de reguliere geneeskunde echter in toenemende mate gedegenereerd tot een soort farmaceutische geneeskunde, voortdurend experimenterend met recentelijk ontwikkelde, door de farmaceutische industrie slechts

Antidepressiva en neuroleptica – die voor andere therapeutische doeleinden zijn bedoeld – worden gretig voor pijnbehandeling gebruikt

Nauwelijks uitgeteste pijnstillers met een onbekend risicopotentieel en bovendien schreeuwend duur – dat is vaak de realiteit

vluchtig uitgeteste medicamenten. Hiervoor bestaat geen scholing, zelfs geen scholing in de zin van een denkraam waarin deze medicamenten op de een of andere manier in een meer omvattend geneeskundige concept zouden zijn opgenomen. Met de term 'reguliere' geneeskunde wil men aangeven dat men de chaos nog enigszins denkt te beheersen. In dit verband is er nog een ander goed begrip dat de situatie kan verduidelijken: *eclecticisme* – een term die aangeeft dat men uit alle mogelijkheden de beste kiest, zonder aandacht te schenken aan de innerlijke logica. Per slot van rekening kan iemand die anderen wil helpen genezen, niet willekeurig middeltjes uitzoeken die al eens iemand hebben geholpen. In plaats daarvan behoort hij een geneeskundig concept uit te werken dat het hem mogelijk maakt de zieke te begeleiden totdat hij of zij weer gezond is. Die traditie is in de reguliere geneeskunde ver te zoeken. Wie pijn heeft, krijgt een pil of injectie. Wat er verder met de patiënt gebeurt, wordt niet gecontroleerd.

Wie pijn heeft, krijgt een pil of injectie. Wat er verder met de patiënt gebeurt, wordt niet gecontroleerd

Reguliere geneeskunde = farmaceutische geneeskunde?

De reguliere geneeskunde is een specialiteit, als we daar nog van mogen spreken. Eerlijk gezegd is het eenvoudigweg het uitproberen van dingen. Uiteraard in het laboratorium, maar ook in de praktijk. Blijkbaar wordt het een of andere chemische 'mechanisme' door een nieuwe stof beïnvloed, dus laten we deze stof eerst maar eens gaan fabriceren. Er zijn aanwijzingen dat de stof in een bepaalde richting werkt, maar het zou ook anders kunnen zijn. Laten we dus maar eens kijken hoe dat op de langere termijn uitpakt. Ziedaar de moderne reguliere geneeskunde. We zouden zelfs van chaostherapie kunnen spreken.

Deze geneeskunde wordt niet werkelijk onderricht. De enigen die er onderricht in geven, zijn de artsenbezoekers die de farmaceutische industrie in dienst heeft. Zij heeft de 'onderwijsplicht' op zich genomen en leidt er lesgevend personeel voor op. Op de universiteiten noemt men een variant op deze beroepsgroep 'hoogleraar' – althans, zij die zich ervoor laten betalen om zich op congressen en bijscholingscursussen in vertegenwoordigers te veranderen teneinde hun jongere collega's nieuwe producten door de strot te wringen. In de artsenpraktijk zijn het meestal collega-artsen zonder enige ervaring, of biochemici of biologen die zelf nog nooit een patiënt hebben gezien, maar die de jonge arts beknopte boodschappen overbrengen, welke zich als volgt laten samenvatten: 'Dit middel is *beter*, ook al is het *duurder*. Maar *duurder* is *beter*, daarom verdient het de voorkeur boven gebruikelijke producten van de afgelopen jaren of het afgelopen seizoen.' Als de arts met bezwaren komt, worden die onmiddellijk in de volgende dagen of weken van tafel geveegd doordat zijn patiënten dezelfde farmacieschool hebben doorlopen, die immers ook greep heeft op de media. Wat iedereen wil, móet wel beter zijn. Het kan dan ook voorkomen dat een patiënt zich zo opwindt over de onbereidwilligheid van zijn arts, dat hij woedend op het bureau slaat waarachter de arts zich pleegt te verschansen en op hoge toon dit *nieuwe, betere en duurdere* medicament eist.

Een arts kan deze farmacieschool eigenlijk alleen maar buiten de deur houden, als hij een spijbelaar wordt. Als dan uiteindelijk de staat met hulp van een instantie die moet toezien op de kwaliteit van medische zorg een eind maakt aan de therapievrijheid, loopt de arts – als hij blijft weigeren zich door de farmaceutische industrie te laten 'voorlichten' – de kans zijn vergunning tot het uitoefenen van de geneeskunde te verliezen. Zo is

Artsenbezoekers zijn degenen die in de huidige geneeskunde lesgeven

29

het gesteld met de moderne geneeskunde – een harde leerschool. Wie eenmaal deze school doorlopen heeft, zal onherroepelijk op zoek gaan naar andere geneeswijzen.

Dan stuit hij op akelige begrippen als 'onwerkzaam' en 'gevaarlijk'. Dit zijn kwalificaties waarmee de 'serieuze geneeskunde' alle alternatieve methoden de grond in wil boren. Zoiets is voor een arts die mensen wil helpen genezen een hoge drempel. Per slot van rekening wil hij niemand schade berokkenen en al helemaal niet als 'charlatan' worden betiteld. Als dan een patiënt om een alternatieve geneeswijze vraagt, voelt de arts zich zo geremd dat hij zegt dat hij hem zoiets niet kan aanraden. Het is immers veel gemakkelijker om je op de vlakte te houden en de dingen op hun beloop te laten. Dus geeft hij zijn patiënt de raad zich niet bloot te stellen aan dit riskante spel, om zich niet de ergernis van de farmaceutische industrie op de hals te halen. 'Dan kunt u net zo goed meteen een natte handdoek op uw voorhoofd leggen', krijgt de patiënt – die ergens iets heeft gelezen – te horen. En het is bedoeld zoals het klinkt: ironisch. Overigens weten veel lijders aan hoofdpijn dat een verkoelende omslag enigszins kan helpen. Misschien zullen ze hun dokter, die hun zo lichtvaardig met een kluitje in het riet heeft gestuurd, ooit dankbaar zijn dat hij hun attent heeft gemaakt op deze heelmethode van de oude pastoor Kneipp.

Ook het opbrengen van pepermuntolie op pijnlijke plekken aan het hoofd werd heel lang tot de zogeheten 'nutteloze methoden' gerekend. Het werd al door de oude Romeinen toegepast, maar tot in onze tijd werd het geridiculiseerd. We mogen de pijnkliniek in Kiel dankbaar zijn, want deze instelling heeft enkele jaren geleden serieus onderzoek gedaan waarvan de resultaten tegen alle aanvallen bestand zijn gebleken. De uitslag van dit onderzoek: het opbrengen van pepermunt-

Als een patiënt om een alternatieve geneeswijze vraagt, voelt de arts zich zo geremd dat hij zegt dat hij hem zoiets niet kan aanraden

Iets wat door de reguliere geneeskunde belachelijk wordt gemaakt, kan niettemin heel effectief zijn

30

olie op pijnlijke plaatsen aan het hoofd heeft een even sterke uitwerking als aspirine of paracetamol. En dat *zonder* de nieren of de maag te schaden! In feite valt er tegen behandeling met pepermuntolie niets in te brengen, behalve dat het wat omslachtiger is dan een tabletje slikken. Waarschijnlijk komt het door dat laatste dat niet al miljoenen hoofdpijnlijders dagelijks pepermuntolie zijn gaan gebruiken. We accepteren kennelijk liever een groot aantal sterfgevallen ten gevolge van 'werkzame' medicamenten, dan het ongemak van een even werkzaam middel – dat als 'onwerkzaam' werd verdoemd – voor lief te nemen.

Overigens is het niet mijn bedoeling om de farmaceutische industrie – dit bolwerk van economische kracht en een groot vernieuwer van de medische wetenschap – in haar geheel te verketteren door te generaliseren. Een wijze arts zal ook van haar medicamenten gebruik blijven maken. Bijvoorbeeld als er spoed geboden is, maar niet alleen dan; ook als de patiënt het verlangt, en dan meer uit respect voor zijn wensen dan uit gemaksoogpunt. Ook zal hij niet wachten totdat hij met alternatieve geneeswijzen 'aan het eind van zijn Latijn' is gekomen, om dan met de staart tussen de benen terug te keren tot de wijsheid van de farmaceutische industrie; integendeel, hij zal van begin af aan in zijn geneeskundige concept rekening houden met haar mogelijkheden. Niettemin mogen we – op grond van een duizenden jaren oude traditie in het beroep van geneesheer – van een arts genoeg innerlijke vrijheid, innovatiebereidheid en voorzichtigheid verlangen als het leven van een medemens op het spel staat.

Ik wil de farmaceutische industrie niet in haar geheel verketteren door te generaliseren

31

Hoe oud is de reguliere geneeskunde?
Nemen we bijvoorbeeld de non-steroïdale antireumatica
(NASR):
Op kleitabletten van de *Assyriërs en Babyloniërs* (2000 v.Chr.):
pijnstillers uit wilgenblad
In het oude *Egypte* (Nieuwe Rijk: 1551-1070 v.Chr.): preparaten
uit delen van de wilg
Hippocrates (460-377 v.Chr.): aftreksel van wilgenbast tegen ar-
tritis, pijn en koorts
Hildegard von Bingen (1098-1179 n.Chr.): aftreksel uit wilg en
populier tegen pijn en koorts
Felix Hoffman (1897, Bayer): synthetische aspirine (acetylsali-
cylzuur). Begin van farmaceutische geneeskunde op het gebied
van pijnbehandeling

'Ziekte operatief wegnemen': chirurgie

Een ander omvangrijk arbeidsterrein van de reguliere
geneeskunde is de uit de traditie van geneeskrachtige
baden overgenomen neiging om ziekten uit het lichaam
te verdrijven door een en ander operatief weg te
nemen. De 'chirurgie' wordt door velen gezien als de
'kroon' op de medische wetenschap. Wie net als ik enkele jaren op operatieafdelingen werkzaam heeft
mogen zijn, zal altijd een zeker basisrespect voor deze
methode behouden. Soms is er geen betere uitweg dan
iemands buik opensnijden om tumoren of afgestorven
of ontstoken organen weg te nemen, gebroken botten
vast te schroeven tegen een metalen plaat of bloedstolsels uit slagaderen te verwijderen. Wie dat niet wil erkennen, heeft er niets van begrepen.
Aan de andere kant kan de chirurgie niet bestrijden dat
zij voortkomt uit beroepen als steensnijder en barbier
(chirurgijn). Zij onderneemt dan ook geen pogingen
om haar smalle kennisbasis te verloochenen en ziet in

Soms is er geen betere uitweg dan iemands buik opensnijden

32

de regel af van het opzetten van wetenschappelijke onderzoeken volgens de criteria van de reguliere geneeskunde. Zij weet maar weinig van de oorzaken van ziekte, en bijna niets van de genezende krachten van het lichaam zelf. Als een procedure naar de mening van een
pleitbezorger haar waarde heeft bewezen, wordt deze
in praktijk gebracht totdat er een andere pleitbezorger
komt die met een andere methode bewijsbaar meer
succes heeft. Chirurgie is een praktijk die meer gemeen
heeft met een ambacht dan met wetenschap.

Tegenover alles wat chirurgen over het onderwerp
'pijn' te berde brengen is voorzichtigheid geboden. Zij
hebben de neiging met hun scalpel delen van het lichaam definitief te verwijderen, met de belofte dat dit
de oplossing zal zijn. Dit leidt vaak tot verminkingen
en littekenweefsels die nieuwe pijnen veroorzaken.

Toen ik begin jaren tachtig assisteerde bij de eerste herniaoperatie, werd deze ingreep gezien als een geniale
doorbraak in de behandeling van pijn. Toen ik midden
jaren negentig in een orthopedische rehabilitatiekliniek
werkzaam was, had ik er dagwerk aan mensen te helpen zich te verzoenen met de gevolgen van een herniaoperatie. Destijds betekende het volgens statistieken
dat een herniaoperatie eenderde deel van de patiënten
zou genezen, dat eenderde er geen baat bij zou hebben
en dat eenderde deel erdoor werd geschaad. Als gevolg
van het ontstaan van littekenweefsel werden er in de
laatste categorie van gevallen vaak nieuwe operaties
nodig, die tot nog meer littekenweefsel, instabiliteit en
soms volslagen immobiliteit leidden. Deze patiënten
waren dan menselijke wrakken, gekweld door pijn,
woede en teleurstellingen. In veel gevallen hadden ze
aanvankelijk relatief weinig pijn geleden en zich – in
het kader van de operatiehausse – met een gerust hart
aan de gretig opererende chirurg toevertrouwd. Anders
dan bij sommige bedriegers en charlatans in de wereld

Tegenover alles wat chirurgen over het onderwerp 'pijn' te berde brengen is voorzichtigheid geboden

Herniaoperaties kunnen de pijn vaak verergeren

der natuurgeneeswijzen waren ze met hun herniaklacht op een therapeut gestuit die de mogelijkheid had om hun leven onomkeerbaar te verwoesten.

Aan de andere kant zal niemand betwijfelen dat ernstige situaties soms drastische maatregelen vereisen. Wanneer iemand bij een ongeluk met zijn motorfiets een arm werd afgerukt, zal hij zich dankbaar toevertrouwen aan de handen van een chirurg die hem niet alleen provisorisch weer in elkaar zal zetten, maar soms ook op oordeelkundige manier een zenuw doorsnijdt. Als het ruggenmerg is aangetast door een tumor, zal in sommige gevallen het doorsnijden van alle verbindingen met de hersenen de enige oplossing zijn.

Daarentegen sta ik kritisch tegenover achterhoornstimulatie, een procedure waarbij een elektrode in het wervelkanaal wordt geïnserteerd om contact te maken met de achterhoorn van het ruggenmerg. Stoutmoedige neurochirurgen deinzen er ook niet voor terug elektroden in de hersenen te inserteren om contact te maken met het pijncentrum, de thalamus (de grijze stof van de tussenhersenen). De eerste stap in die richting wordt meestal gezet door anesthesisten, die de patiënt met behulp van een canule tussen de wervellichamen een ruggenmergprik toedienen om een zogeheten periduaalcatheter aan te leggen. Vrouwen die tijdens een bevalling **Vaak slechts** soms ondraaglijke pijn lijden, weten vaak uit ervaring **symptoom-** hoe weldadig deze maatregel kan zijn. Het probleem in **therapie** de dagelijkse pijnbehandeling is alleen dat we in geen geval met kortstondige pijntoestanden te maken hebben, maar met de symptomen van een ziekte die elders zetelt en door een dergelijke symptoomtherapie niet wordt genezen. Bovendien leiden zulke invasieve ingrepen tot gewenning, hetgeen gepaard gaat met allerlei stagnaties, weefselmisvormingen in de rug en een geleidelijk afnemende effectiviteit, om van het gevaar van infecties maar te zwijgen. Het is te vergelijken met het bestrijden van honger door iemand steeds kunstmatig in slaap te brengen om het hongergevoel weg te nemen, in plaats van hem iets te eten te geven. Effectief – maar is het ook zinvol?

'Ineffectief en gevaarlijk' – natuurlijke pijnbehandeling in het perspectief van de reguliere geneeskunde

Oost en West – verschillende tradities op het gebied van de behandeling van pijn en waaktoestandsstoornissen

Japanse soldaten stimuleerden een acupunctuurpunt op de buitenzijde van de knie tegen slaperigheid en uitputting

Toen Amerikaanse soldaten tijdens de Tweede Wereldoorlog in het Verre Oosten de lijken van Japanse soldaten borgen, troffen zij bij sommigen van hen aan de buitenzijde van beide knieën cirkelvormige brandsporen aan. Er was geen logische verklaring voor, maar zo te zien moesten ze door brandende sigaretten zijn veroorzaakt. Maar als dit juist was, waarom zouden deze mannen dat dan hebben gedaan?

Het heeft een tijd geduurd voordat er een verklaring werd gevonden. De brandsporen bevonden zich boven een groot acupunctuurpunt op de maagmeridiaan dat in het Chinees de bijnaam 'hemelse gelijkmoedigheid' heeft. De ergste vijanden van soldaten zijn slaperigheid en onoplettendheid, en het prikkelen van deze acupunctuurpunten hielp niet tegen nervositeit en angst, maar vooral tegen dergelijke uitputtingstoestanden. De stimulatie is het effectiefst als dit punt niet met een naald wordt geprikkeld, maar direct wordt verwarmd, bijvoorbeeld door middel van moxabranden met wat bijvoet. Een sigaret bewerkstelligt hetzelfde ...

Moxabranden was bij de oude Grieken een populaire behandelmethode die in de Europese volksgenees-kunst tot op de huidige dag in gebruik is gebleven. Het gebruik van vuur tegen ziekten in de Chinese ge-neeskunst lijkt nog ouder te zijn, zoals uit vondsten van duizenden jaren oud is gebleken. In beide bescha-vingsgebieden werden bijvoetbladeren vlak boven of op de huid verbrand. In China wordt dit gedaan om de vurige hitte in het lichaam te laten doordringen ten-einde de vitale energie (chi) te stimuleren of een sur-plus aan yang-energie te doen afvloeien. Hiertoe wor-den acupunctuurpunten gekozen die op de 'energie-banen' (meridianen) zijn gelegen. In Europa werd moxabranden rechtstreeks toegepast op de huid boven pijnlijke plaatsen: de huid werd geacht door het vuur 'doorlaatbaar' te worden gemaakt om giftige stoffen een uitweg naar buiten te bieden.

Moxabranden

De Japanners wisten dat er tegen oververmoeidheid en uitputting iets kon worden gedaan, ook al moest de sti-mulering met grof geweld (brandende sigaretten) wor-den verwezenlijkt. Hun westerse tegenstanders hadden de gewoonte om zich moed in te drinken. Als het even mogelijk was, namen ze een forse 'hartversterker' uit de whiskyfles, waarbij ze de vermindering van hun doodsangst betaalden met meer slaperigheid en onver-schilligheid.

We zien hier twee verschillende tradities in de behan-deling van waaktoestandsstoornissen aan het werk, die van het Oosten en die van het Westen. De westerling zoekt naar de snelste en meest pijnloze behandeling, bij voorkeur een aanpak waarbij een geheimzinnig,

Verschillende tradities in Oost en West

door vreemde krachten gecreëerd medicament moet worden geslikt. Hij is bereid om voor deze tovenarij en de bijbehorende beloften te betalen, maar de hoofdzaak is dat hij onmiddellijk kan bespeuren dat hij er baat bij heeft en er zich zelf het hoofd niet over hoeft te breken. Hij voelt er niets voor over zijn ziekte na te denken of er zelf verantwoordelijkheid voor te nemen. Voor hém is de kunst van het genezen een aangelegenheid van wijze druïden, die hem met de vruchten van onbegrijpelijke inzichten helpen beter te worden.

'Soms helpt het wel iets, dokter', hoor je patiënten in de spreekkamer vaak zeggen. Of met een mengeling van verwijt en hoop: 'Het heeft bijna een beetje geholpen', of 'Het is bijna wat beter geworden'. De gedachte die er achteraan komt, luidt: *en ga nou eindelijk eens door, zodat het zoden aan de dijk gaat zetten.* De patiënt ziet zijn lichaam welhaast als een proefterrein. Wie als arts als het ware de bevoegdheid heeft eraan te dokteren, mag zijn gang gaan. De deelname van de patiënt aan dit spel blijft dan beperkt tot de gedachte: 'Hopelijk maakt hij niets kapot.'

In mijn jonge jaren heb ik twee jaar Engels en Frans gestudeerd aan het City College van Los Angeles, een tamelijk vervallen onderwijsinstituut in een van drugsdealers en misdadigersbenden vergeven deel van die stad. Op zekere dag viel het me op dat de jongeman uit de Filippijnen die naast mij in de collegebank zat de spierbobbel tussen duim en wijsvinger (Dikkedarm 4; in de hoek tussen de eerste twee middenhandsbeentjes, vert.) masseerde. Op mijn vraag wat hij deed, zei hij dat hij hoofdpijn had.

Tegenwoordig weet ik dat het desbetreffende acupunctuurpunt in het Chinees 'Het gehemelte van de Tijger' wordt genoemd en het voornaamste punt tegen pijn in de bovenste lichaamshelft is. Daarom helpt het ook het beste tegen hoofdpijn, vooral achter het voorhoofd, on-

> De patiënt ziet zijn lichaam welhaast als een proefterrein.

geacht of deze pijn een gevolg is van migraine of een voorhoofdsholteontsteking. Mijn buurman in de collegebank werkte overdag net als ik op kantoor en had met de geneeskunde niets van doen. Zijn moeder had hem echter als kind uitgelegd wat hij tegen hoofdpijn kon doen; als het weer eens zover was, masseerde hij eenvoudigweg het 'Gehemelte van de Tijger' omdat hij had ontdekt dat de oorzaak een energieblokkade in de desbetreffende meridiaan was; als hij die blokkade kon opheffen, kon hij van zijn hoofdpijn genezen. Hoe gaan wij op onze breedten om met pijn? Er wordt óf helemaal niet over gepraat, óf alleen op klagende toon alsof het om een onvermijdelijk noodlot gaat. 'Ik heb weer eens koppijn' komt bij ons zo ongeveer overeen met 'Vandaag regent het'. We zien de pijn als iets dat volledig buiten onszelf staat. We zijn een speelbal van hogere machten, en pas als we via de televisie horen dat er een tovermiddel in de vorm van een tabletje tegen deze willekeur bestaat, krijgen we nieuwe hoop. Onze beschaving moet met het merkwaardige verschijnsel leven dat we weliswaar exact weten hoe we iemand pijn kunnen bezorgen, maar dat het elimineren van pijn nog in de kinderschoenen staat. De middeleeuwse martelkamer was het resultaat van een uitgekiende wetenschap, die zich in de totalitaire systemen van de westerse wereld zo sterk heeft ontwikkeld dat de expertise van uit westerse geheime diensten afkomstige beulen ook nu nog aftrek vindt in landen uit de Arabische wereld.

Descartes heeft ons met zijn *Cogito, ergo sum* een identiteit geschonken. Aan de andere kant meende hij echter dat dieren geen pijn konden voelen. Toen hij op een dag attent werd gemaakt op het gekrijs van pijn van een kat, die tussen een van zijn experimentele machines klem was geraakt, zei hij dat het dier slechts het 'gepiep en geknars van een slecht geoliede machine

Hoe gaan we op onze breedten om met pijn?

39

imiteerde'. Deze uitlating doet mij denken aan de knorrige reactie van moderne artsen die, als patiënten niet tevreden zijn over de werkzaamheid van een door hem voorgeschreven analgeticum, uitspraken doen als: 'Daar moet u mee leren leven' of: 'Deze pijn is volkomen normaal; per slot van rekening bent u al een dagje ouder.' Want als pijn niet meer als een ziektesymptoom kan worden geïnterpreteerd, dus niet langer wordt beschouwd als een probleem dat de arts kan verhelpen, verliest zij haar oorspronkelijke betekenis en krijgt in feite de status van 'achtergrondruis' die de arts kan en mag negeren. Pijn is echter geen gebrek aan smeerolie in een scharnier, maar een taal die moet worden vernomen en begrepen als we grotere schade willen voorkomen. Dat heeft niets te maken met ouderdomsverschijnselen of 'slijtage'.

Pijn is geen gebrek, maar een taal die moet worden vernomen en begrepen

Overigens heeft dit betrekking op de huidige stand van het onderzoek naar pijn. De medische wereld wordt tamelijk nerveus van de miljoenen patiënten die niet te helpen zijn en komt daarom, gebruikmakend van alle retorische en argumentatieve hulpmiddelen, met het volgende verhaal: er is acute pijn, het soort pijn dat we kunnen opheffen. Er is ook chronische pijn, maar die kan pas worden geëlimineerd als we de hersenen amputeren.

De redenering luidt als volgt: pijn die langdurig heeft bestaan, verandert de hersenen. Gebieden die tot dusverre totaal andere functies uitoefenden, interpreteren nu hun informatie alleen nog als pijn, totdat uiteindelijk alles wat in de bovenkamer arriveert als pijn wordt ervaren, zelfs de tederste kus van een minnaar op de voetzolen. Dit proces is uit eigen kracht volstrekt onomkeerbaar. De hersenen kunnen, aldus deze redenering, informatie wel transformeren tot pijn, maar niet omgekeerd. Daarom zou ons niets anders overblijven dan – naast andere chemische stoffen – dagelijks een

groot aantal van de een of andere kanaalblokker te slikken, in de hoop dit proces tenminste enigermate tegen
te houden.

Deze uitspraak klinkt nu misschien wetenschappelijk
onderbouwd, maar zal waarschijnlijk niet bestand zijn
tegen de tand des tijds, want ze is in strijd met alle logica en de dagelijks levenservaring. Tja, 'wetenschap'
is in onze tijd feitelijk weinig meer dan een term voor
de interpretatiemacht van de grote industrie. Het draait
niet meer om kennis, maar om de vraag wie in staat is
de vrije markt zijn mening op te leggen.

> **Het draait niet meer om kennis, maar om de vraag wie in staat is de vrije markt zijn mening op te leggen**

Over de vermeende ineffectiviteit van acupunctuur

Er gaat geen jaar voorbij waarin er niet een of ander
onderzoeksverslag wordt gepubliceerd dat weer eens
de ineffectiviteit van acupunctuur moet aantonen. Eigenlijk zouden we daar trots op moeten zijn, want het
maakt deel uit van een lange traditie. Ongeacht het feit
dat Hippocrates al ruim voor het begin van onze tijdrekening gewag maakt van ooracupunctuur (*auriculaire
acupunctuur*), en dat reizigers naar het morgenland in
de 17e en 18e eeuw hun eerste ervaringen opdeden met
acupunctuur, kwam er bij ons pas een doorbraak naar
grotere bekendheid dankzij televisiereportages in het
begin van de jaren zeventig van de vorige eeuw. Er
werden mensen getoond in wier huid allerlei naalden
staken; zij werden zonder andere narcosetechnieken bij
volledig bewustzijn geopereerd. Destijds ging een chirurg uit mijn geboorteplaats naar het Oosten om deze
methode van de Chinezen te leren. Na zijn terugkeer
kon hij de juistheid van deze kennis in ons gemeente-
lijke ziekenhuis aantonen. Hij voerde onder anesthesie
met acupunctuur grote galblaasoperaties uit en vestig-
de daarmee zijn reputatie. Toen ik hem jaren later

vroeg waarom hij ermee was gestopt, zei hij dat het allemaal toch te tijdrovend was. Bovendien was het niet mogelijk, zei hij, om de pijn volledig uit te schakelen, alleen te verminderen.

Op een ochtend voelde ik bij het opstaan een plotselinge schok en een los gevoel in mijn rug. Er kraakte iets, en daarna voelde ik een vlijmende pijn. Ik kon niet meer rechtop lopen. Ik zat erg krap in mijn tijd: ik moest over een halfuur beginnen in het ziekenhuis, en wel gedurende een periode die tot de volgende namiddag zou duren en mij overdag nauwelijks tijd liet om even te rusten. Ik moest patiënten langs en endoscopische onderzoeken doen, waarbij ik gebogen over het lichaam van de patiënt zou staan.

Dat alles zou door deze pijn worden verijdeld. Ik had kunnen bellen, maar wist dat ik wegens het personeelsgebrek deerlijk zou worden gemist. Ik kon het tegenover mijn overgebleven collega's niet maken mij ziek te melden. Zo kwam het dat mijn vrouw, zelf arts, een naald in mijn oor stak. Seconden later was de rugpijn zo sterk verminderd dat ik weer rechtop kon lopen. Ik

Acupunctuur ineffectief? reed naar mijn werk en kwam de dag door, weliswaar niet zonder pijn, maar toch. Tot zover de 'volslagen ineffectiviteit' van acupunctuur. En de geloofwaardigheid van onderzoeken naar de effectiviteit ervan …

Er zijn trouwens niet veel voorwerpen van onderzoek die zo omgeven zijn door een waas van geheimzinnigheid als pijn. Pijn is onzichtbaar en al evenmin meetbaar – ziedaar de voornaamste moeilijkheid. In pijnklinieken is het gebruikelijk dat een patiënt de arts een uitschuiflineaal of meetschijfje voorhoudt waarop hij de gradatie van zijn pijn op een schaal van 0-10 kan aangeven. De behandeling is erop gericht de wijzer van dit 'meetinstrument' terug te brengen naar een waarde 0. Dit is logica die ook door de patiënten wordt begrepen, want tegen het eind van de behandeling zijn ze geneigd het meetinstrument dicht naar de 0 te verschuiven om niet negatief op te vallen.

Indien een pijnbehandeling heeft geholpen, is dat – als het gaat om een nieuwe, door de farmaceutische industrie ontwikkelde pil – het objectieve resultaat van een effectief medicament. Bij alle overige methoden wordt ervan uitgegaan dat de patiënt liegt. Hij bedriegt niet alleen zijn arts, maar ook zichzelf. Per slot van rekening is 'aangetoond' dat de desbetreffende methode niet kan helpen. Als dan het tegendeel blijkt, is het de patiënt die de kluit beduvelt.

Er wordt alleen geloofd aan het succes van pijnstillers

Over de 'gevaren' van chiropraxie

Indien een natuurgeneeswijze iemand effectief heeft geholpen, bijvoorbeeld chiropraxie, kan het voorkomen dat dit als 'zeer gevaarlijk' wordt betiteld. De chiropractor vertaalt de naam van zijn beroep daarom vaak graag in het Latijn door van 'manipulatietherapie' te spreken en zo het stigma enigszins af te wentelen. Naar mijn mening is dat volstrekt overbodig. Chiropraxie heeft zich al duizenden jaren bewezen en is hoe dan ook een van de oudste behandelmethoden. Als de staat deze methode ooit zou verbieden, zou ze door 'bottenkrakers' desondanks verder worden beoefend in achterkamers. Dat heeft maar één reden: chiropraxie helpt.

Het succes van natuur-geneeswijzen wordt met scepsis en argwaan bekeken

Het volgende geval deed zich voor: een jongeman had de nacht met zijn vriendin in de natuur bij een meer doorgebracht. De volgende ochtend had hij een stijve, pijnlijke nek. In de vroege ochtenduren was het koud en klam geweest, terwijl de isomat tamelijk hard was. Hij had verkeerd gelegen en zijn nek had op de tocht gelegen, waardoor dit lichaamsdeel stijf en pijnlijk was geworden.

43

Chiropraxie bij een stijve en pijnlijke nek

Zijn eerste gang is die naar de praktijk van een chiropractor, die aan zijn hoofd trekt en het met een kleine ruk verdraait, waarbij een krakend geluid is te horen. Meteen daarna kan hij zijn hoofd weer vrij bewegen en neemt de pijn af. Daarnaast zijn er nog andere positieve gevolgen te melden: in het begin voelde de patiënt zich beroerd, want hij was niet echt uitgerust en daardoor prikkelbaar. Het was alsof hij zich innerlijk voor de wereld had afgesloten. Hij leed niet alleen aan stijfheid in het bovenste deel van zijn wervelkolom, maar feitelijk aan een aandoening die zich meester had gemaakt van zijn hele organisme – met inbegrip van zijn geest en ziel. Na het krakende geluid merkt hij dat hij zich weer vrij voelt. Zijn slechte humeur ebt weg en hij kijkt optimistisch naar de nieuwe dag.

Technisch gesproken zetelde het probleem in een klein gedeelte van de wervelkolom en kon het door een korte ruk, die de weefsels even uitrekte, worden opgelost. Tegelijkertijd omvatte deze 'gespannenheid' ook alle overige aspecten van zijn gewaarwording, wat een acute psychische stoornis uitlokte. Logisch, zullen sommigen nu zeggen, per slot van rekening had hij pijn! Desondanks was het niet de reactie op het verminderen van de pijn die zijn gewaarwording verbeterde: de pijn was een bestanddeel van de blokkade die hij ervoer; en zodra deze blokkering was opgeheven, voelde hij zich ook psychisch bevrijd.

Hoe gevaarlijk is chiropraxie?

Er zijn echter hoogleraren die voor de televisiecamera's met kunststof-skeletten aan het jongleren slaan om de gevaarlijkheid van chiropractische manipulaties aan te tonen. Steeds als de gevaren van natuurgeneeswijzen ter sprake komen, wordt de chiropraxie er onveranderlijk met de haren bij gesleept. Er gaat geen jaar voorbij waarin er niet ergens verslag wordt gedaan van een onderzoek waarbij een beroerte bij een jongere persoon in verband wordt gebracht met een chiropractische be-

44

handeling. Het gaat echter in werkelijkheid om niet meer dan een handvol casussen waarbij een van de vier bloedvaten die voor de doorbloeding van het hoofd moeten zorgen zou zijn gescheurd.

Er wordt glashard gesproken over vaatwandscheuringen door toedoen van een chiropractor, zonder dat er ook maar een gedachte wordt gewijd aan de omstandigheid dat zelfs de enorme mechanische krachten die bij verkeersongevallen hele borstkassen verbrijzelen en halswervels breken, geen gescheurde wervelvaatwanden veroorzaken, zoals bij sectie keer op keer blijkt. Kennelijk zijn bloedvaten verbazingwekkend stabiel, voorzover hun wand niet ten gevolge van een innerlijk defect, aangeboren zwakte of arteriosclerotische verandering inscheurt.

De arts met wat meer ervaring weet dat scheurtjes in de binnenwand van de bloedvaten in keel en nek bij jonge mensen allesbehalve zeldzaam zijn. Zoiets gebeurt kennelijk spontaan bij het verdraaien van de nek als gevolg van zwakte in de bindweefsels. Op de hierdoor ontstane wondjes kunnen innerlijke bloedstolsels ontstaan; en het is uiteraard best denkbaar dat zo'n bloedstolsel bij iemand die in deze toestand bij de chiropractor komt ten gevolge van een rukkende beweging los kan komen. Deze bloedprop schiet dan door naar de hersenen en kan daar een kleiner bloedvat verstoppen, waardoor het deel van de hersenen dat door dit bloedvat wordt doorbloed te weinig zuurstof krijgt. Het gevolg: een beroerte.

Wie dagelijks halsslagaders met behulp van de Doppler/duplexmethode onderzoekt, weet dat het onmogelijk is het ontstaan van bloedstolsels in de achterste bloedvaten, die voor een deel door gaatjes in het zijuitsteeksel lopen, uit te sluiten. Een scheurtje in deze bloedvaten veroorzaakt pijn in het achterhoofd of nekpijn, en de chiropractor die het ongeluk heeft eraan te

Voor iedere chiropractische ingreep de slagaders in de nek onderzoeken met de Doppler/duplexmethode?

trekken, zal – in zeldzame gevallen – inderdaad een beroerte veroorzaken. Is het daarom nuttig om voor iedere chiropractische ingreep de slagaders in de hals en nek met de Doppler/duplexmethode te onderzoeken? In principe ja. De vraag geeft echter meteen ook de grenzen van het mogelijke aan: een miljoen onderzoeken die miljoenen euro kosten, terwijl desondanks niet uit te sluiten valt dat een zeer zeldzaam geval over het hoofd wordt gezien.

De meeste chiropractors zullen zo'n geval in de loop van hun tientallen jaren durende praktijk nooit meemaken, omdat het zo extreem zeldzaam is. Er zullen zich altijd en overal merkwaardige incidenten en verschijnselen blijven voordoen, zoals de geboorte van een tweekoppig kalf of een bezoek van mensen aan de maan. Echter, omdat het *in principe* mogelijk is, beweren wetenschappers en artsengenootschappen dat de chiropractor *altijd* van behandelingen in het gebied van de nek moet afzien.

Als dat zo is, dienen we ons ook te verdiepen in de alternatieven die deze deskundigen ons kunnen bieden. Het inmiddels al bejaarde *Phase Scheme* van de Wereldgezondheidsorganisatie (WHO) is nog altijd geldig. Hierin wordt, als eerste en vermeend onschuldigste behandelfase, de aanbeveling gedaan medicamenten te slikken die in toenemende mate via de televisie worden aangeprezen als hoofdpijnbestrijders.

Terecht zal een door pijn geplaagde patiënt zich afvragen waarom hij bij een chiropractor het risico van een beroerte zou moeten nemen, als hij het probleem ook met een onschuldig tabletje uit de supermarkt op elegantere manier kan oplossen. Hij ziet mensen die naar een 'bottenkraker' lopen als volslagen getikt. Zij roepen triomfantelijk: 'Ha, ik heb het horen kraken!', in plaats het van angst in hun broek te doen omdat hun laatste uur weleens zou hebben geslagen.

De eerste stap die ik in de richting van chiropraxie zette, deed ik op een dag dat ik dienst deed op Spoedgevallen en een schoonmaakster, die zich, na zich te hebben gebukt, niet meer kon oprichten vanwege de pijn in haar onderrug niet kon helpen. Ik had haar (onoirbaar, maar dagelijkse praktijk) in het zitvlak geïnjecteerd met Diclofenac en Dexamethason (een cortisonpreparaat). Daarnaast had ik haar met een ruggenprik plaatselijk verdoofd. Dit laatste was eigenlijk een stoutmoedige maatregel, die ik eerder in de orthopedische kliniek had geleerd. Alleen werd de injectie daar eigenlijk uitsluitend onder röntgenologische controle op het beeldscherm gegeven, omdat op die manier de weg die de canule volgt kan worden gezien. Desondanks kon deze vrouw vanwege de pijn niet zelf van de behandeltafel komen. Daarom sloeg ik van voren mijn armen om haar heen en tilde haar met een ruk op. Op hetzelfde moment hoorde ik een krakend geluid ter hoogte van de lendenwervels en hijgde de patiënte van schrik. Toen echter verscheen er een gelukzalige glimlach op haar gezicht; ze stond op en liep heen en weer door de behandelkamer, volkomen tevreden. Ze had nog wel wat pijn in het bewuste gebied, maar kon weer rechtop lopen. Ze overlaadde me na deze behandeling met dankbetuigingen.

Hierbij moet worden aangetekend dat de tussenwervelschijf in geval van een hernia door onoordeelkundige manipulaties kan worden verschoven, wat in incidentele gevallen verlammingen kan veroorzaken. Er zijn ontstekingen van de wervellichamen of tumoren die niet mogen worden blootgesteld aan verdraaiing of harde rukken. Dergelijke risico's worden gereduceerd door nauwkeurig lichamelijk onderzoek, scherpe waarneming en het stellen van vragen, in combinatie met een voorzichtige aanpak bij de toepassing van chiropractische grepen. In deze context is de spreuk 'Wie

Chiropraxie in geval van hevige pijn in de onderrug

Risico's kunnen worden verminderd, maar niet volledig geëlimineerd

niet waagt, die niet wint' volkomen onterecht. Niets doen is echter – goddank – voor de patiënt zelf niet altijd de beste oplossing. De Engelse volkswijsheid: *If you can't stand the heat, get out of the kitchen* geeft de situatie van de chiropractor nog nauwkeuriger weer. Hij mag geen fouten maken, hetgeen betekent dat hij de angst ervoor moet overwinnen. Het vuur van de geneeskunst verwarmt, maar het kan ook bij onachtzaamheid onschuldigen verbranden. Dat betekent echter niet dat vuur altijd gevaarlijk is. Het is hiermee net als met autorijden: wie defensief rijdt, heeft minder risico's. En wie pleit ervoor om het verkeer met automobielen te verbieden, hoewel het deel uitmaakt van de grote vermijdbare gevaren voor lijf en leden in onze tijd?

'Wonderbaarlijke genezingen' dankzij het opheffen van blokkades

Er zijn legio verhalen over 'wonderbaarlijke genezingen' als gevolg van het opheffen van blokkades. Ik denk bijvoorbeeld aan een zeventigjarige Italiaan die vanuit zijn land naar Duitsland kwam om verlost te worden van de pijn in zijn hartstreek. Ik stuurde hem een week lang naar verscheidene specialisten om hem eerst de Duitse *Gründlichkeit* te demonstreren. Na deze rondreis zat hij met zijn pijn en talrijke onderzoeksuitslagen die geen enkele afwijking vermeldden tegenover mij in de spreekkamer. Ik vroeg hem of hij weleens had gehoord van chiropraxie. Mijn Italiaans was net voldoende om hem duidelijk te maken waarom het in de chiropraxie draait.

Mijn beheersing van die kunst verkeerde toen nog in het beginstadium en ik had een voorkeur ontwikkeld voor een greep die ik tegenwoordig nog maar zelden in praktijk breng, wellicht omdat een leraar mij eens spottend betitelde als *Bamberger Bauernfänger*. Ik tilde de kleine Italiaanse grootvader hoog in de lucht en we hoorden hoe diverse wervels kort na elkaar duidelijk kraakten. Toen ik mijn patiënt weer op de grond zette, was hij om diverse redenen opgelucht: voor 5 procent omdat hij deze merkwaardige Duitse behandeling achter de rug had, en voor de overige 95 procent omdat het inwendige drukgevoel waardoor hij al weken was geplaagd en dat hij heimelijk in verband had gebracht met longkanker (hij was kettingroker) onmiddellijk verdwenen was.

Pijn van het ene moment op het andere verdwenen

Overeenkomstige verhalen zou ik kunnen vertellen over patiënten met hoofdpijn, gepaard gaande met duizelingen en buik- en nierkolieken. Ik wil hiermee echter niet beweren dat dit een therapie is voor het grootste deel van allerlei pijnsyndromen. In feite zal slechts een minderheid van alle patiënten met deze klachten er baat bij hebben. Dat neemt niet weg dat ik in de loop der jaren getuige ben geweest van een groot aantal genezingen die eenvoudig, snel en goedkoop tot stand zijn gekomen, en tot dusverre zonder enigerlei bijwerking zijn gebleven.

Neuraaltherapie met procaïne

Als we het over 'wonderbaarlijke genezingen' hebben, mogen we op het gebied van pijnbehandeling niet voorbijgaan aan de neuraaltherapie van de gebroeders Huneke, want het feit dat deze behandelmethode al na enkele decennia bijna weer in vergetelheid is geraakt, is in dit geval een duidelijk voorbeeld van kwaliteit die geen veld kon winnen. Ik ben de overtuiging toegedaan dat er in iedere eeuw duizenden schitterende ideeën en briljante geneeskundige concepten verloren gaan omdat ze moeilijker te begrijpen zijn en de toepassing ervan wat complexer is dan deze of gene minder effectieve, maar erop gelijkende methode.

De neuraaltherapie volgens Huneke was sinds 1958 een begrip en heeft niets van doen met *quaddeln* (ongeveer 'blaasjesprikken'), zoals veel huisartsen en artsen in de ziekenhuizen haar vaak denigrerend betitel-

Neuraaltherapie volgens Huneke

49

den. Bij 'quaddeln' wordt er wat procaïne (een middel dat plaatselijk verdooft) in de bovenste huidlaag geïnjecteerd, in de hoop op die manier een reflexmechanisme in dieper gelegen weefselstructuren te activeren. Deze vorm van neuraaltherapie is – afgezien van incidenteel optredende reacties in de bloedsomloop – zonder risico toepasbaar en vereist geen expertise. De techniek is slechts een fractie van de neuraaltherapie volgens Huneke, waarbij procaïne meestal diep in het lichaam wordt geïnjecteerd of zelfs rechtstreeks in de zenuwvlechten, een invasieve therapie die eerst moeizaam onder de knie moet worden gekregen. Belangrijker is echter dat we bij de Hunekes een afgerond en logisch geneeskundig concept vinden, op basis van de idee dat je door middel van doelgerichte verdovende injecties 'stoorvelden' kunt losmaken, waardoor ook hun uitstraling naar andere lichaamsdelen wordt verhinderd.

'Stoorvelden' door middel van doelgerichte procaïne-injecties opheffen

Zulke stoorvelden bevinden zich meestal in het hoofd en de nek, maar ze hebben vaak effect op andere lichaamsgebieden. Soms komt ook het omgekeerde voor, waarbij bijvoorbeeld een litteken dat is ontstaan na een bot-ettering aan de voet, verantwoordelijk kan zijn voor pijn in de schouders. Dit is in 1940 aangetoond door Huneke, toen hij na het inspuiten van procaïne onder het litteken bereikte dat de pijn in de schouders ogenblikkelijk sterk verminderde.

Iets goeds lijkt pas kans te maken op een doorbraak als het ook gemakkelijk te begrijpen en toe te passen is

Als de neuraaltherapie volgens Huneke zo doeltreffend is, waarom heeft deze methode dan niet allang dusdanig ingang gevonden dat zij door alle pijntherapeuten wordt toegepast? Enerzijds is dat een filosofische vraag. Iets goeds lijkt pas kans te maken op een doorbraak als het ook gemakkelijk te begrijpen en toe te passen is. Anderzijds doen er zich ook bij ervaren neuraaltherapeuten genoeg gevallen voor waarin zij met de eigen methode niet verder komen. Ook heeft de wetenschap nog geen ondubbelzinnige definitie gevonden voor wat 'stoorvelden' nu eigenlijk zijn. In veel pijnlijke lichaamsgebieden stuiten we weliswaar op zwellingen en ontstoken cellen. Echter, vaak helpt het injecteren van gevoelloze gebieden veel beter en effectiever zonder dat dit effect aan de hand van zenuwverbindingen te verklaren is. Ook hier grijpt men – zoals vaak bij natuurgeneeswijzen – graag naar de kwantummechanica. En anders worden er energetische modellen uitgedacht die een meer speculatief karakter hebben.

De ervaring heeft mij geleerd dat het onder een litteken inspuiten van procaïne vooral helpt indien dat litteken de middellijn tussen de beide lichaamshelften doorkruist. Littekens die lang na een operatieve ingreep nog gezwollen of verkleurd zijn, lenen zich uitstekend voor neuraaltherapie. Na een hartoperatie waarbij het borstbeen is doorgezaagd en vervolgens weer met metaaldraad aan elkaar is gezet, klagen patiënten vaak over pijn in de ribbenkast of de hartstreek. Volgens de neuraaltherapie betreft het een stoornis in de omgeving van het litteken over de middellijn van het lichaam.

Littekens die lang na een operatieve ingreep nog gezwollen of verkleurd zijn, lenen zich uitstekend voor neuraaltherapie

Hierbij moet een injectie in de bovenste huidlaag ('quaddeln') nooit achterwege blijven, daar hier de zenuwuiteinden van de pijnreceptoren samenkomen en het gevoelloos worden van de huid via een reflexmechanisme snel wordt doorgegeven aan dieper gelegen structuren; alleen daardoor al wordt pijnvermindering bewerkstelligd.

Ook 'quaddeln' kan helpen tegen pijn

Deze procedure heeft niets uitstaande met de Dawos-methode die bij het quaddeln wordt toegepast; hierbij wordt DA geïnjecteerd in WO's die pijn veroorzaken. In feite betreft het hier een vorm van segmenttherapie: de 'bevriezing' van huid en onderhuid werkt via de segmentaalzenuw in op naburige weefsels en kan, bijvoorbeeld, succes hebben bij maagpijn. Meestal is dat bij deze methode echter niet het geval.

51

Een patiënte met pijn in de hiel

Eens zag ik een patiënte die al langere tijd pijn in de hielen had. Omdat ik een privé-praktijk heb, hebben er in de regel al collega's wier behandeling door de verzekering wordt vergoed pogingen gedaan om de patiënt te helpen. Van de pijnstillers die de patiënte te slikken had gekregen had zij haar bekomst, omdat ze haar nauwelijks hielpen en sterke bijwerkingen veroorzaakten. De procaïne-injecties in haar hielen waren pijnlijk en leidden niet tot verdwijning van de klacht. Daarom probeerde ik het met segmenttherapie en behandelde haar voorts met acupunctuur en chiropraxie, maar zonder positief gevolg.

Een gelukkig toeval wilde dat ik in het daaropvolgende weekeinde aan een cursus neuraaltherapie deelnam. Ik legde de cursusleider het probleem voor, en hij zei: 'Ik heb het weliswaar zelf nooit geprobeerd, maar ik heb eens van een beroemde neuraaltherapeut gehoord dat een blokkade van de *ganglion sfenopalatinum* (een zenuwknoop bij de schedelbasis) in zo'n geval kan helpen.' De kwestie is dat een injectie in de schedel achter de ogen, tot een diepte van ruim vier centimeter bij de schedelbasis, geen kleinigheid is. Deze ingreep is technisch glashelder en het risico is gering, maar het vereist van de patiënt stalen zenuwen en een positieve instelling van vertrouwen, om niet te zeggen een zekere onverschilligheid. En de therapeut zelf zal een niet geringe innerlijk weerstand moeten overwinnen. De patiënte werd echter opgeroepen en vervolgens van weerskanten in de desbetreffende zenuwknoop geïnjecteerd. Twee dagen later belde ze mij op om te zeggen dat de pijn die haar al meer dan een halfjaar had gemarteld volledig was verdwenen.

De basis voor de neuraaltherapie werd gelegd door Bayer

Het Duitse farmaceutische concern Bayer, dat zijn reputatie op het gebied van pijnbehandeling al in 1897 heeft gevestigd op grond van de synthese van aspirine, komt de eer toe dat het in 1905 de basis heeft gelegd

Reactievormen na een procaïne-injectie

Verergering in het begin. De bestaande pijn wordt tijdelijk heviger, waarna een blijvende verbetering optreedt die opweegt tegen de pijn van de injectie.

Retrograde reactie. Het stoorveld verraadt zijn lokatie. De patiënt is bijvoorbeeld aan de schouder gequaddeld en maakt daarna melding van pijn in het gehemelte. In dat geval is het gehemelte het stoorveld, dat vervolgens wordt geïnjecteerd.

Reacties. Na een injectie in het gebied van het stoorveld treedt hierin een tot twee dagen meer pijn op, waarna het oorspronkelijke pijnniveau zich herstelt. Dit doet vermoeden dat het eigenlijke stoorveld elders ligt.

voor de neuraaltherapie door van het verslavingsnarcoticum cocaïne een derivaat te synthetiseren dat niet giftig noch verslavend is: procaïne.
Echter, ook op dit gebied ging het zoals zo vaak het geval is in de farmaceutische geneeskunde. Er was iets nuttigs ontdekt, maar het patent verliep. Hierdoor moest er net zolang worden geëxperimenteerd totdat de kas weer klopte. Het accent lag hierbij op een langere werkingsduur van het middel voor plaatselijke verdoving; alle andere eigenschappen werden verwaarloosd. De reden daarvan was dat er alleen via anesthesisten winst kon worden gemaakt; per slot van rekening zijn er veel meer anesthesisten dan neuraaltherapeuten. In elk ziekenhuis worden operaties verricht en daarbij heb je voor plaatselijke ingrepen of plexusblokkades een verdovend middel nodig dat langer dan tien minuten, maar het liefst een uur of nog langer werkzaam blijft.

> ### De uitwerking van procaïne
>
> Verhoging van de pijndrempel
> Subklinische anesthesie
> Inductie van neuraaltherapeutische effecten
> Stabilisering van de zurenhuishouding
> Verbeterde doorbloeding
> Regulering van de *nervus sympathicus*
> Ontstekingremmende werking
> Verhoogde immuniteit

Anesthesie en pijnbehandeling

Anesthesie gebruikt pijnbehandeling

Toen anesthesisten op zoek gingen naar nieuwe arbeidsterreinen, kwamen ze uit bij pijnbehandeling, een methode die ze nog steeds gebruiken. Dit komt ook tot uiting in de behandelingsconcepten tegen pijn. De anesthesist verdient zijn geld door een patiënt na het inspuiten van middelen binnen enkele seconden buiten westen te helpen. Hij kan bewusteloosheid en totale spierverslapping bewerkstelligen. Als hij de patiënt dan ook nog een opiaat inspuit, is de narcose volmaakt. Ook in de praktijk van pijnbehandeling is de patiënt in een onmondige positie: hij is weinig meer dan een pop die door de pijntherapeut wordt gemanipuleerd. Het liefst bevrijdt hij deze 'pop' binnen enkele seconden volledig van alle pijn door het pijnlijke lichaamsgebied als het ware te doordrenken met medicamenten. Niet voor niets spreken de Amerikanen van *pain killers*: de pijn wordt eenvoudigweg om zeep gebracht. '*Nuke it!*' roepen ze – 'Gooi een kernbom op de pijn!' Deze 'methode' van pijnbehandeling heeft niets met het terugdringen van pijn door middel van chiropractische grepen te maken. De zenuwcellen worden niet geprikkeld, maar slapen in.

Een 'methode': het pijnlijke gebied eenvoudigweg doordrenken met medicamenten

Anesthesisten en pijntherapeuten staan er ook om bekend dat zij bij chronische pijnen graag grote delen van de wervelkolom in slaap brengen door middel van spinaalanesthesie ofwel de ruggenprik, waarbij een langwerkend plaatselijk anestheticum in het ruggenmerg wordt gespoten. Ook deze therapie heeft haar eigen plaats, maar het is zeker geen poging om de patiënt te helpen *genezen*.

Casusvoorbeeld van buikpijn: genezing door neuraaltherapie

Nu we het toch over genezen hebben, moet ik melding maken van het geval van een twintigjarige ijshockeyer die met buikkrampen van de ene arts naar de andere liep. Hij had stekende pijnen in het rechterdeel van zijn onderbuik, waarbij hij zich dubbelvouwde van pijn. Hij had eerst de hulp van een internist ingeroepen, die hem na wat laboratoriumonderzoeken en een echo-onderzoek gezond verklaarde. Toen de pijnlijke buikkrampen toch aanhielden, werd hij verwezen naar een gastro-enteroloog, die een maag- en een darmspiegeling verrichtte. Beide onderzoeken leverden geen afwijkingen op.

Aangezien de pijn voortduurde, verwees de gastro-enteroloog de patiënt naar een kliniek, waar een laparoscopie werd verricht. Hierbij wordt de navel onder volledige narcose met een holle naald doorstoken, waarna de buik wordt opgepompt met een gas. Met behulp van kleine tangen, die zijdelings in de buikwand worden gestoken, is het dan mogelijk de buikinhoud van alle kanten te bekijken. In de rechter onderbuik werd de ene darmkronkel na de andere omgelegd, maar er werd niets anders gevonden dan de gevoelloze stomp van een jaar eerder – eveneens via een laparoscopie – operatief verwijderde blindedarm.

Met buikkrampen van arts naar arts

55

De patiënt kreeg
te horen dat hij
volkomen
gezond was

De patiënt kreeg te horen dat hij volkomen gezond was. De pijn zou in geen geval afkomstig kunnen zijn uit de buik. Na te zijn verwezen naar een neuroloog, die tot de diagnose 'somatische depressie' kwam en de patiënt met een antidepressivum behandelde, raakte hij uiteindelijk bij mij verzeild. Hij was niet gek en evenmin depressief, zei hij. Ook beeldde hij zich de pijn niet in. Of ik hem niet eens wilde onderzoeken. Zijn huisarts had hem de raad gegeven nog eens een laparoscopie te laten doen – misschien was er iets over het hoofd gezien, zoals een pluk watten na de blindedarmoperatie. In die tijd beschouwde ik mezelf voornamelijk als neuraaltherapeut en wist ik dat littekens vaak stoorvelden zijn. Ik had al eens door een injectie onder een litteken in de keel na een schildklieroperatie ademnood of afwijkende bloeddrukwaarden kunnen verhelpen. Ook had ik door een injectie onder een buiklitteken spijsverteringsstoornissen kunnen verhelpen. In het geval van deze patiënt was het litteken echter zo miniem dat ik er eigenlijk weinig van verwachtte. De littekens waren keurig genezen en kruisten niet de middellijn van het lichaam.

Bovendien had ik met een jongeman te maken die bang was voor iedere injectie. Toen ik hem voorstelde de huid onder het litteken in te spuiten, werd hij lijkbleek en staarde me aan alsof ik gek was geworden. Aan de andere kant had hij al erger meegemaakt en was de pijn folterend. Dus strekte hij zich op de behandeltafel uit en stond toe dat ik zijn litteken inspoot met procaïne. Aan de roodverkleuring van het omliggende weefsel was dadelijk te zien dat hij sterk reageerde op het middel door een sterkere doorbloeding.

Ik vertelde hem nog dat de gevoelloosheid in het desbetreffende gebied over een minuut of tien zou verdwijnen, omdat zijn weefsels de procaïne dan volledig zouden hebben afgebroken. De sterkere doorbloeding zou nog enkele uren aanhouden. Als de behandeling hem had geholpen, moest hij over een paar dagen terugkomen.

De volgende avond stond hij alweer op de stoep. Hij keek nu met heel andere ogen naar mij. Het wantrouwen had plaatsgemaakt voor nauwelijks verholen geestdrift. Voor het eerst in lange tijd had hij 's avonds geen pijn meer gehad. De pijn zou nu echter terugkomen. Of ik hem nog eens wilde inspuiten.

Zo gezegd, zo gedaan. De volgende keer kwam hij pas na een week. Al die tijd was hij volkomen vrij geweest van pijn, maar nu begon de klacht weer. Na een derde injectie duurde de klachtenvrije periode drie weken; en na de vierde acht weken. Daarna is hij niet meer bij me teruggekomen. Ik veronderstel dat het stoorveld toen was opgeheven, zodat de patiënt geheel genezen was. Het was ontstaan door het proces van littekenvorming na de operatieve verwijdering van de blindedarm. Het was daarna nog versterkt als gevolg van de onderzoeken die waren verricht. De klachten waren niet verminderd vanwege de zogeheten 'therapeutische plaatselijke verdoving' door respectievelijk de anesthesist en de orthopeed, maar door een helende stimulering via het injecteren van een kortwerkend plaatselijk anestheticum waarmee het ontstane litteken weer in het lichaam werd 'geïntegreerd'. We zouden ook kunnen zeggen: 'Het stromen van de energie in een meridiaan werd weer mogelijk doordat de blokkade in dit gebied werd opgeheven.' Dit is iets heel anders dan het 'doden van pijn'; het is een maatregel die spontane genezing bevordert. De strategie van de 'verbrande aarde', in het kader van een veldtocht die de aandoening moet 'vernietigen', maakt hierbij plaats voor vreedzame reparatiewerkzaamheden.

Voor het eerst in lange tijd had hij 's avonds geen pijn meer gehad

Het stromen van de energie in een meridiaan werd weer mogelijk doordat de blokkade in dit gebied werd opgeheven

Geschiedenis van de neuraaltherapie

1843 Uitvinding van de injectiespuit door Pravaz, alsmede de holle naald of canule door Wood

1880 De verdovende werking van cocaïne werd onderkend door de Weense oogarts dr. Koller

1904 Synthetisering van novocaïne (procaïne)

1925 Bij migraine blokkering van het *ganglion stellatum* door Leriche

1941 Ontdekking van het 'retrograde fenomeen' door de gebroeders Huneke – infiltratie van een litteken na osteomyelitis (ontsteking van het beenmerg waarbij het bot etter afscheidt) aan de rechter tibia (scheenbeen) verminderde schouderpijn

1941 Ontdekking van het 'secondefenomeen' door de gebroeders Huneke: na injectie verdwenen de klachten op slag en volledig, wat ten minste 20 uur aanhield

Pijnen zelf bestrijden – een inleiding

Met welke stof kunnen pijnen worden geëlimineerd? Blussen pijnstillers de pijn zoals water een vuur? Is effectieve pijnbehandeling vergelijkbaar met een chemische reactie die steeds op andere omstandigheden stuit?

Met welke stof kunnen pijnen worden geëlimineerd?

De dagelijkse praktijk wijst uit dat het niet altijd een kwestie is van het prikkelen of blokkeren van receptoren.

Zo heb ik eens een patiënte neuraaltherapeutisch behandeld met procaïne – zonder al te veel effect. Nadat zij erop aangedrongen had om een eenvoudige fysiologische zoutoplossing te gebruiken, quaddelde ik daarmee het pijnlijke deel van haar rug – en boekte een geweldig resultaat. Hoe valt een dergelijke uitwerking te verklaren? Je zou het deels kunnen uitleggen als suggestie of een soort placebo-effect. Een andere interpretatie: water en zout zijn in het lichaam regulerende stoffen die doorbloedingsstoornissen opheffen en slakken kunnen verwijderen. Bovendien behoorde de patiënte homeopathisch gezien tot het type van de keukenzoutconstitutie en was in haar wens een onbewuste 'schreeuw' om het juiste middel te beluisteren. Hiermee zijn we op het terrein van de homeopathie beland.

Rug- en gewrichtspijnen: wat de homeopaat, de orthopeed of een psychosomatische benadering kan bewerkstelligen

De overvloed van boeken over het onderwerp homeopathie in de winkels bewijst dat de weerstand van het grote publiek tegen deze al ongeveer 200 jaar geleden door Samuel Hahnemann ontwikkelde geneeswijze begint te tanen. De natuurkunde van de 19e eeuw, die het verdunnen en 'potentiëren' van artsenijen de grond in boorde als een 'zakkenrollerstruc', wordt thans langzaam verdrongen door de natuurkundige inzichten van de 20e en 21e eeuw, die erkennen dat materie geen eenvoudige opeenhoping van atomen is, maar uit energiecomplexen bestaat. Wie geneeskrachtige stoffen schudt, fijnwrijft of fijnstampt, verandert deze energietoestanden. Het geniale van Hahnemann schuilt in het feit dat hij dit inzicht al ruim honderd jaar eerder verkondigde.

In principe laten de hedendaagse pleitbezorgers van homeopathie en hun tegenstanders zich in twee groepen verdelen: of men de methode al eens met succes heeft uitgeprobeerd, of niet. De moeilijkheid om tot algemene erkenning van de homeopathie te komen, moet ook nu worden gezocht in het feit dat complexe waarheden moeilijk dóórbreken. Als ze toch een poosje worden erkend, gebeurt dat meestal alleen door een kleine groep opinievormers. Helaas is het bij complexe geneeswijzen vaak zo dat ze, in ongeacht welk tijdsgewricht, door een groot deel van de toepassers onjuist en ineffectief worden gehanteerd, hetgeen hardnekkige twijfel aan hun werkzaamheid veroorzaakt.

Dat doet echter niets af aan de omstandigheid dat juist de homeopathie een wonderbaarlijke therapie bij pijn

60

kan zijn, zoals ik uit eigen ervaring weet. Toen ik werd geplaagd door een hernia en ondanks alle zegeningen van de reguliere geneeskunde niet voldoende werd behandeld, nam ik – die uiterst sceptisch stond tegenover alle natuurgeneeswijzen – op een gegeven moment een dosis *Rhus toxicodendron D12* in en was binnen enkele seconden van mijn pijn verlost! Ik voelde nog wel de stijfheid in mijn rug en kon nog niet rechtop staan, maar ik had gedurende enkele heerlijke uren geen last meer van pijn.

Juist homeopathie kan een wonderbaarlijke therapie bij pijn zijn

Laten we eens kijken hoe het iemand vergaat die pijn in de rug of in de gewrichten heeft. Eerst stapt hij naar de huisarts, die hem verwijst naar de orthopeed, omdat hij zelf geen röntgenapparaat heeft en geen tijd heeft om zich met dit soort dingen bezig te houden. Een orthopeed is een chirurg die een poosje in een orthopedische kliniek werkzaam is geweest, meer niet. Daar heeft hij weliswaar de effecten van de gebruikelijke pijnstillers in grafieken aangetekend, maar hij was er meestal op uit om zoveel mogelijk te opereren om zich orthopeed te mogen noemen. Nu oefent hij een eigen praktijk uit en heeft hij eigenlijk alleen dingen geleerd die hij daar niet kan gebruiken. Hij weet meer over de juiste omgang met verpleegkundigen, afgunstige collega's en het uitstallen van operatie-instrumenten en hechtdraad dan over mensen met pijn.

Wat de orthopeed doet

Hoe het ook zij, hij kán iemand onderzoeken. Dus betast hij de pijnlijke lichaamsdelen en draait ze alle kanten uit. Dan maakt hij een röntgenfoto, zet er een voor het lichtscherm en bekijkt de voor hem zichtbare, maar meestal niet ongewone veranderingen. Als het om de rug gaat, valt vaak het woord 'hernia'; als er pijnlijke heup- of kniegewrichten in het spel zijn, het woord 'artrose'. Hierop volgt een spijtig schouderophalen. Het lichaam is voor hem in principe niets anders dan een voertuig dat roestig en versleten is geworden of be-

61

Er wordt vaak
beweerd dat
'slijtage' de
wortel van de
pijn is

schadigd is. De 'slijtage' is de wortel van de pijn en deze zou in feite alleen nog kunnen worden gedempt, maar niet weggenomen.

Dit soort fatalistische ideeën hebben in de geneeskunde, die streeft naar het helpen van mensen en hen zeker niet wil ontmoedigen, niets te zoeken, maar afgezien daarvan zijn ze onjuist en doen afbreuk aan iedere poging tot genezing. Uiteraard treden er in het menselijk lichaam onder invloed van de leefwijze en omstandigheden in de omgeving allerlei veranderingen op. Zo is van jonge topsporters bekend dat hun wervelkolom al op twintigjarige leeftijd op de röntgenfoto's eveneens sterke 'slijtageverschijnselen' blijkt te vertonen. Deze 'slijtagesporen' zijn overigens eerder ontstaan doordat de botten ten gevolge van de enorme spierspanningen verstevigingsbruggen vormen. Daarnaast kennen we ook de wervelkolom van oude mensen, die op de röntgenfoto ernstige slijtage laat zien, zonder dat dit enigerlei pijn veroorzaakt.

We weten ook dat artrose in het kniegewricht, indien deze aandoening geprononceerde vormen aanneemt, gewoonlijk gepaard gaat met zichtbare vervormingen van de knie. Dit kan zowel een passief (geen pijn) als een actief karakter hebben. In het laatste geval veroorzaakt artrose pijn en ontstaat er vocht in de knie, hetgeen al spoedig tot een vervorming van de knieholte leidt, de zogeheten Baker-cyste. De orthopeed begint deze cyste te puncteren, maar hoe vaker hij dat doet, des te sterker de vochtvorming wordt. Het gaat hier dus kennelijk niet om een lichaamsvocht dat wil worden verwijderd, maar om een middel dat het gewricht moet smeren! En het is hoe dan ook een poging van het lichaam zelf om het probleem op te lossen. Dit geldt eveneens voor de pijn die in deze fase optreedt.

Wat te doen bij
artrose in het
kniegewricht?

Als het lukt deze prikkelfase te boven te komen, verdwijnt het vocht vanzelf en neemt ook de pijn af.

Wanneer er behalve het aftappen van vocht verder niets gebeurt, leidt artrose er vroeg of laat toe dat het kniegewricht stijf wordt, of zo instabiel dat de patiënt(e) niet meer kan lopen. Dankzij de toegenomen chirurgische mogelijkheden wordt het probleem tegenwoordig veelal opgelost door het plaatsen van een kunstknie. Soms heeft deze maatregel ook het gewenste effect. Het gebeurt echter vaker dat het lichaam zich deze mogelijkheid om iets tot expressie te brengen niet laat ontnemen en eenvoudigweg weigert de prothese te accepteren. Het gevolg: problemen met de wondgenezing en slecht functioneren van de prothese.

Blijkbaar is 'slijtage' als verklaring onvoldoende. Er zal weliswaar altijd wel een reden zijn waarom er zich in de omgeving van de wervelgewrichten botknobbels vormen die soms zelfs tot 'fusie' (aaneengroeien) van een of meer rugwervels leiden. Ook kunnen de gewrichtsranden zich verdikken, soms zelfs zozeer dat dit leidt tot gewrichtsverstijving. Dit is echter niet zozeer een gevolg van mechanische slijtage, want in dat geval zouden skiërs nagenoeg allemaal moeten lijden aan artrose van het kniegewricht. Ook zal het niet veroorzaakt worden door stofwisselingsstoornissen, want het is opmerkelijk hoe zelden artrose in de knieën optreedt bij overgewicht of eenzijdige voeding. Het heeft er feitelijk alle schijn van dat we hier te maken hebben met erfelijke aanleg, maar ook dat is niet bewezen.

Graag wil ik hier mijn eigen kijk op de zaak toevoegen, als voorbeeld van de complexe samenhangen tussen artrosevorming en de levenssituatie. We kunnen de zaak ook uitleggen als een psychosomatisch proces, of als een voorbeeld van de vorming van een homeopathisch geneesmiddelbeeld. De natuurgenezer zal geneigd zijn geest en ziel als uitgangspunt van iedere manifestatie van een aandoening ergens in het lichaam te beschouwen, namelijk als de creatieve, concrete uiting van een

Slijtage als verklaring schiet tekort

toestand die aanvankelijk onzichtbaar in iemands denk- en gevoelsleven heeft bestaan.

Het was mij bijvoorbeeld al dikwijls opgevallen dat artrose in de knieën vooral voorkomt bij vrouwen, die metaforisch gesproken het gewicht van het gezin dragen. Hoewel zij vaak al behoorlijk op leeftijd zijn en meestal minder robuust zijn gebouwd, zijn zij de spil van het gezin en zorgen als zodanig voor geborgenheid en stabiliteit.

Waarom komt artrose in de knieën vooral voor bij vrouwen?

Nu is het zo dat de homeopaat artrose in de knieën graag behandelt met *Calcium fluoratum* (vloeispaat). Het psychische probleem waarbij dit middel even goed werkt, is de ongegronde angst om het eigen thuis en de grondslag van het eigen leven te verliezen. Ik heb het nu over mensen die, hoewel hun maandelijkse inkomsten hun uitgaven overtreffen, zich voortdurend zorgen maken over de kans dat ze arm zullen worden.

In de homeopathie is het *calcium-type* iemand die vóór alles waarde hecht aan geborgenheid en stabiliteit en daar behoefte aan heeft. Zolang deze beschermende muur er is, voelen deze mensen zich prettig en kunnen zij anderen overvloedig liefde en warmte schenken. Als deze muur echter begint te wankelen, verliezen zij zelf ook hun stabiliteit. De inspanningen die zij zich getroosten om zich weer te ommuren en voor geborgenheid te zorgen, leidt tot ziekmakende overbelasting. Het kan niet toevallig zijn dat in deze situatie de kniegewrichten – die het lichaam overeind houden en onze mobiliteit waarborgen – aan overdreven verstevigingsprocessen beginnen die we later 'artrose' noemen.

Hier komen disciplines als de fysiologie, de biochemie en de psychologie samen. Calcium zorgt in ons lichaam in de botten voor stabiliteit. Een overmaat aan calcium in de kniegewrichten is verantwoordelijk voor het ontstaan van artrose. Als homeopathisch geneesmiddel bevordert *Calcium* ons gevoel van stabiliteit,

vooral in situaties waarin de maatschappelijke zekerheid wordt ondergraven.

Pijn als gevolg van overbelasting of gebrek aan vrijheid

In een dergelijk spanningsveld heeft pijn bijvoorbeeld
tot taak de patiënte er attent op te maken dat zij hulp
nodig heeft. Ze begint dan over haar knieën te klagen,
bijvoorbeeld tegen haar man, wiens houding de toestand in feite heeft doen ontstaan. Haar klagen helpt
niet, niet alleen omdat hij haar naar de orthopeed zal
sturen (die artrose als een onontkoombaar lot betitelt
en de aandoening met cortison of analgetica behandelt), maar ook omdat meer begrip en bereidwilligheid
te helpen van haar man het ontstaan van de artrose hadden kunnen verhinderen, of op zijn minst vertragen.
Het gebrek aan bescherming – iets dat gevoelsmatig of
verstandelijk voor de patiënte onbereikbaar lijkt te zijn
geworden – komt dan tot expressie in het lichaam.

Wat is de functie van pijn?

Ongeveer hetzelfde geldt voor de rugpijn waarmee nagenoeg ieder van ons vertrouwd is. De een voelt deze
pijn in de lendenwervels, de ander in de borstwervels,
maar de meesten ervaren de pijn vooral in het laatste
segment van het beendergestel dat ons lichaam overeind houdt, de nek.

Wie het 'niet meer uithoudt', 'het niet meer kan
(ver)dragen' en 'zich overbelast voelt' heeft op drie
verschillende manieren duidelijk gemaakt dat de
draagfunctie van de wervelkolom ook verband houdt
met psychische belasting.

In tegenstelling tot de heupen en knieën mist de wervelkolom de mogelijkheid om problemen te ontlopen.
Hij moet het lichaam dragen en dingen verdragen,
waardoor er veel vaker defecten aan ontstaan. Als het
over rugpijn gaat, kunnen we niet meer over een volks-

ziekte praten, want in onze westerse wereld zouden we het welhaast als de normale toestand gaan beschouwen.

Wie rugpijn serieus wil behandelen, zal zich daarom bij voorbaat moeten afvragen hoeveel iemand eigenlijk kan dragen. Welke dingen belasten hem? Als we dan kijken naar de overmaat aan verantwoordelijkheid die moet worden gedragen, en naar het stompzinnige, zielloze werk dat dikwijls moet worden verricht om onze samenleving enigermate in stand te houden, kunnen we ons er alleen maar over verbazen hoe dit alles ook nog maar bij benadering kan worden gedaan.

Het is een publiek geheim dat vrouwen veel vaker en meer pijn hebben dan mannen

Het is een publiek geheim dat vrouwen veel vaker en meer pijn hebben dan mannen. Als we een vrouw vergelijken met een man, valt ons dadelijk op dat vrouwen meestal kleiner en minder robuust gebouwd zijn. Daar komt bij dat hun lichaam kinderen moet baren en ze een tijdlang voeden. Dat wil zeggen dat zij gedurende een wat langere periode niet kunnen werken. We behoren het dan ook volkomen normaal te vinden dat de man een flink deel van alle voorkomende werkzaamheden voor zijn rekening neemt.

De werkelijkheid is echter dat vrouwen juist vaak twee keer zo hard en lang werken als mannen. Naast de hoofdverantwoordelijkheid voor de kinderen oefent zij een beroep uit én zorgt voor het huishouden. Als een doorsnee-echtpaar gedurende enkele dagen op de voet zou worden gevolgd door een televisiecamera, zou die eenvoudige waarheid op overdonderende manier aan het licht komen.

De bijzondere belasting van de vrouw

Daarnaast kennen we het voorbeeld van de carrièrevrouw die deze oude rolverdeling tussen de seksen doorbreekt en alleen datgene doet wat ze van zichzelf kan verlangen, waarbij ze de rol van broedkip en nestbouwer links laat liggen. Echter, ook deze weg kan gepaard gaan met pijnen. Zij kan – als een eenzame taboebreekster die alles verkeerd heeft gedaan – vaak gebukt gaan onder een innerlijk conflict. Dat is een belasting die niet onderdoet voor die van de vrouw die nooit een taboe heeft doorbroken en zich in de schoot van het gezin doodwerkt.

Afgezien van het fysieke vlak heeft de vrouw in onze samenleving ook nog eens de voornaamste verantwoordelijkheid op het emotionele vlak. Zij zorgt voor de sociale contacten: zonder deze contacten zou ons alledaagse leven onderhevig zijn aan nóg meer sleur. Haar overige bezigheden variëren van het maken van kerstversieringen, het bakken van koekjes of taarten tot het inrichten van vrolijk gekleurde, gezellige speelplekjes voor de kinderen. Met haar make-up, kleding en houding geeft zij glans aan feestelijke bijeenkomsten. Zij schrijft gewetensvol gelukwenskaarten, onderhoudt de contacten met vrienden en bekenden en houdt familiebanden in stand.

De tegenstelling tussen haar schijnbaar zwakkere lichaamsbouw en haar overbelasting door al deze taken is alleen te verklaren aan de hand van het concept van de zichzelf hernieuwende energie. De vrouw is een *perpetuum mobile* dat zichzelf voortdurend oplaadt met nieuwe energie. Als dit tere gestel in zwaar weer belandt en er steeds moeilijker kan worden voldaan aan alle behoeften en eisen van de omgeving, vestigen toenemende pijnen in het hoofd, het lichaam en de ledematen de aandacht op het feit dat deze 'machine' zo maar uiteen kan vallen. Bij rugpijn lijkt ook een variant van de wet van Murphy een rol te spelen, namelijk het *Peter Principle*: in onze samenleving worden mensen zolang bevorderd totdat ze een positie hebben bereikt die hun competenties te boven gaat, waardoor ze overbelast raken. Dit geldt vooral voor het bedrijfsleven, als iemand last krijgt van rugpijn, 'toevallig' in situaties waarin een al te ijverige medewerker wat al te

67

Het verband tussen de levens- omstandigheden en het moment waarop mensen last krijgen van artrose of rugklachten komt te duidelijk naar voren om het te kunnen negeren

duidelijk laat blijken dat hij eigenlijk op de stoel van betrokkene wil zitten.

Het verband tussen de levensomstandigheden en het moment waarop mensen last krijgen van artrose of rug- klachten komt te duidelijk naar voren om het te kunnen negeren. Pijn wordt lichamelijk ervaren, maar ontstaat op het psychische vlak en moet daarom ook psychisch worden behandeld. Het zogeheten psychosomatische aspect is belangrijker en heeft meer betekenis dan het constateren en opsommen van organische veranderin- gen die ook bij andere mensen optreden, maar geen in- vloed op hen hebben.

Wat is psychosomatiek nu eigenlijk?

Volgens de gezondheidsleer uit de Oudheid hangen li- chaam en geest/ziel samen. Als er iets in het lichaam niet klopt, lijdt de ziel daaronder – en ook het omge- keerde is waar. Vandaar dat we van psychosomatiek spreken, een term die is samengesteld uit twee Griekse begrippen: *psyche* (ziel) en *soma* (lichaam). Wanneer we het echter hebben over pijn, is dat in de regel iets dat boven het zuiver persoonlijke uit stijgt omdat het vaak een reactie is op het gedrag van anderen. Arthur Schopenhauer definieerde 'lust' als 'vrijheid van een pijn', waaruit hij concludeerde: 'Overmatige vreugde en zeer hevige pijn bepalen elkaar.' De pijn houdt meestal verband met iemand anders en ontstaat in een sociale context. Het is dan ook in de meest ruime zin van dat woord een *sociaal* probleem.

De pijn houdt meestal verband met iemand anders en ontstaat in een sociale context

Aan de andere kant is pijn een individueel fenomeen. Friedrich Nietzsche scherpte Schopenhauers zienswij- ze dat pijn en lust twee kanten van dezelfde medaille zijn, verder aan door vrijheid van pijn gelijk te stellen aan onlust en te verklaren: 'Voordat de pijn van de mens kan verminderen, moet ook zijn vermogen tot

68

vreugde ervaren afnemen.' Wie hoe dan ook weinig gevoel heeft, zal ook weinig last hebben van pijn.

Het komt er aan de ene kant ook op aan wat voor soort
leven we willen leiden. Zijn we op zoek naar een op-
windend leven met sterke gevoelens, dan moeten we
ook de mogelijkheid van hevige pijn incalculeren. Het
draait hier namelijk om de intensiteit waarmee we lust
ervaren, de hevigheid van onze verlangens. De mogelijkheden van de samenleving om eraan tegemoet te
komen, staan daar tegenover. Als eraan wordt voldaan,
blijft de persoon vrij van pijn, anders zal hij of zij pijn
lijden.

Toch kunnen we de samenleving niet verantwoordelijk
stellen voor dit 'sociale' probleem. Want de mogelijkheid om je pijn te *laten* doen, ontstaat pas uit onze
eigen verlangens en aanspraken. Hoe meer we verlangen, des te meer zullen we lijden (als het spaak loopt).
Pijnpatiënten kampen met een innerlijk conflict dat zij
(onbewust) als onoplosbaar ervaren. De pijn is de vorm
waarin dit onoplosbare tot uiting komt.

Mensen die in de gelegenheid komen om hun individuele ambities waar te maken en hun verlangens in vervulling te doen gaan, kunnen hun pijn rechtstreeks
beïnvloeden. Dan kan één woord van hen al voldoende
zijn om de pijn te verdrijven. Zo iemand kan bijvoorbeeld de minnaar zijn, die in de behoefte aan liefde van
zijn partner voorziet, of de superieur die waardering
toont voor goed werk, of de priester die in Gods naam
zonden vergeeft.

De moeilijkheid in de praktijk van pijnbehandeling is
dat mensen die pijn lijden vaak als 'kankeraars' of
'zeurpieten' worden beschouwd. Zij lijken meer te verlangen dan hun toekomt – en is dat niet ook inderdaad
het geval? De mensen in de omgeving voelen intuïtief
dat de persoon die pijn lijdt, met zijn verlangens of be-
geerten (waarvan de pijn de keerzijde is) te hoge eisen

Pijnpatiënten kampen met een innerlijk conflict dat zij (onbewust) als onoplosbaar ervaren

De moeilijkheid in de praktijk van pijn-behandeling is dat mensen die pijn lijden vaak als 'kankeraars' of 'zeurpieten' worden beschouwd

aan hen stelt, waaraan zij onmogelijk kunnen voldoen. Het sociale probleem in de pijnbehandeling is dan het gevoel van familieleden of vrienden dat de patiënt de genegenheid die hij nodig heeft niet verdient.

Meestal wordt hier niet graag over gepraat. Want vaak is de pijnpatiënt iemand die altijd voorbeeldig heeft gepresteerd, bijvoorbeeld een vrouw die heeft gejongleerd met haar taken als huisvrouw, beroepsbeoefenaarster en opvoedster van kinderen. Dat deed ze aanvankelijk graag, en later tegen wil en dank, maar altijd in de hoop erkenning te krijgen voor haar prestaties. In werkelijkheid worden haar prestaties gemakshalve maar als vanzelfsprekend beschouwd. Op deze manier ontstaat er een soort medeplichtigheid tussen de patiënte en haar familie. Het kan beide partijen goed uitkomen om de artrose in de knieën, de rugpijn, de verkrampte nek of de buikkrampen te interpreteren als door het lot gewilde organische gebreken. De ene partij doet dit uit gemakzucht, de andere op grond van de hoop dat het gezin zich rekenschap zal geven van haar grote bijdrage nu er een ernstige situatie is ontstaan. Iemand die in deze situatie verkeert, is er niet mee gebaat om haar (of zijn) pijn als 'psychosomatisch' uit te leggen. De pijn is weliswaar in de eenheid van lichaam en ziel ontstaan, maar heeft haar betekenis en zin alleen in de sociale omgeving; zonder die omgeving zou de pijn in een vacuüm belanden.

Een ander belangrijk aspect is vrijheid. Pijn treedt dikwijls pas op als iemand zichzelf begint te beroven van zijn vrijheid, zonder dat dit gebeurt vanuit een innerlijke drang. Dit leidt tot gewetensnood of het onvermogen om zelf knopen door te hakken. Hieruit ontstaat een aanhoudend conflict, waarbij de vrijheid die betrokkene zichzelf gunt slechts een schijnbare vrijheid blijft. Omdat hij met deze 'vrijheid' slechte ervaringen heeft opgedaan en daardoor het idee heeft gekregen dat

Pijn treedt dikwijls pas op als iemand zichzelf begint te beroven van zijn vrijheid

vrijheid het allemaal alleen maar erger maakt, wil hij er het liefst weer vanaf door zijn juk weer op te nemen. De moeilijkheid is echter dat een eenmaal begonnen vrijheid onomkeerbaar is, zodat de oude stand van zaken niet kan worden hersteld. Betrokkene moet als het ware het eigen thuis ontwrichten, hoewel hij of zij niets heviger vreest dan dat. Per slot van rekening weet zo iemand dat een revolutie voor menige betrokkene eindigt met de dood. Omdat dit risico te groot lijkt, terwijl de oorzaak – het onvermogen echte vrijheid te verwerven – als te onbeduidend wordt ervaren, neemt menigeen de pijn van een vage toestand tussen hangen en wurgen voor lief.

In een dergelijk ziekteverloop heeft de therapeut de mogelijkheid om de patiënt sociaal en psychologisch te begeleiden. De pijnpatiënt heeft al veel aan de wetenschap dat hij over alles wat er gebeurt met iemand kan praten die hij op regelmatige tijdstippen ontmoet. Daarnaast kan een geneeswijze als homeopathie helpen. Zoals bekend functioneert zij op basis van het grondbeginsel dat het gelijkende met het gelijkende kan worden genezen. Als je dan iemand die dreigt zijn thuis te verliezen *Calcium fluoratum* geeft, een middel dat bij gezonde mensen juist deze gewaarwording van dreigend gevaar uitlokt, ervaart de patiënt onder invloed van dit geneesmiddel iets waarmee hij vertrouwd is, iets dat hij al kent en hem gevoelens van geborgenheid en veiligheid schenkt.

Deze pijnbehandeling richt zich niet op 'bestrijding' van een artrose of fysieke pijn, maar op óf een constitutionele zwakte van de patiënt, óf een levenscrisis waarin deze verkeert. In beide gevallen gaat het om versterking van het gevoelsleven en de wil tot leven. Op basis van de herwonnen levenswil kan de patiënt zowel de ziekte als ook de sociale crisistoestand meester worden. Beide aspecten gaan immers hand in hand.

De pijnpatiënt heeft al veel aan de wetenschap dat hij over alles wat er gebeurt met iemand kan praten

Bij deze vorm van pijnbehandeling gaat het om versterking van het gevoelsleven en de wil tot leven

71

Als we ons alleen focussen op de pijn, gaat dat ten koste van het andere.

Een manager die wordt geplaagd door rugpijn en stijfheid, heeft veelal baat bij een middel als *Rhus toxicodendron*, het extract van een plant waarvan het gif juist deze klachten kan veroorzaken. Het gif van overbelasting op het sociale vlak wordt geneutraliseerd door de energiesignatuur van het gif uit de plant, die is opgeslagen in het medium waarin het is verdund. Ook in dit geval leidt de overeenkomst tot een herkenningseffect, dat tot nieuw vertrouwen in de eigen krachten leidt.

Vaak ook is er als het ware maar één woord nodig om de eigen sociale omstandigheden te herschikken en een pijnklacht die als 'ongeneeslijk' werd gezien te elimineren. Voordat dit woord echter kan worden gesproken, moet betrokkene daartoe in staat worden gesteld – een psychisch fenomeen dat door niets beter wordt geïnduceerd dan door de zachte kracht van een homeopathisch middel, zoals de ervaring mij heeft geleerd.

Pijnbehandeling – valstrikken vermijden, grondbeginselen in acht nemen

Voordat we ook maar aan zelfbehandeling dénken, dienen we te weten te komen wie we zijn. *Ken uzelve*, zeiden de oude Grieken al. Je dient te weten hoe het met je gesteld is – wat je nu eigenlijk bent. Anders gezegd, je moet ontdekken waarom je bestaat en wat je in je leven wilt bereiken.

Het eerste aspect dat we onder ogen moeten zien, is ons egoïsme. Aan de ene kant is men het erover eens dat egoïsme af te leren is, maar aan de andere kant weten we dat je zonder egoïsme in onze samenleving niet ver komt. In feite wordt hij die eerlijk is vaak voor dom versleten. Wie talmt, vist achter het net; wie zich terughoudend opstelt, wordt de verliezer. Hoewel vrijheid van pijn niet per se verband hoeft te houden met succes, is die toestand toch alleen te verwezenlijken door boven onszelf uit te groeien, onze doelen te bereiken en ons plaatsje te vinden. Voor dat alles hebben we egoïsme nodig, namelijk de kracht om zelf doelstellingen te bepalen en ze na te streven, zelfs als anderen daar onder lijden. Egoïsme is de polsstok bij de hoge sprongen die we maken. Zonder dat ding komen we nooit zo hoog dat we over de meetlat heen springen. Uiteraard is egoïsme geen doel op zichzelf. Om hoge prestaties te leveren en te komen waar we willen zijn, zullen we dit hulpmiddel ook weer moeten loslaten en achter ons laten vallen, net als de polsstok die nodig was om over de meetlat te komen. Als we ons er vlak voor het doel nog aan blijven vastklampen, draait het op een mislukking uit. Daarom hebben we, als we ons uit een drijfzand omhoog willen werken, aanvankelijk zelfzucht nodig, desnoods een genadeloos egoïsme. Hoe verder we daarmee komen, des te belangrijker wordt het dat we ons ook oefenen in nederigheid en bescheidenheid, eigenschappen die niet alleen van goede manieren getuigen, maar ook van de kunst om te leven. Hoe bescheidener je wordt, hoe minder pijn je lijdt. En hoe nederiger je wordt, hoe sterker je zult zijn.

> **Egoïsme is de kracht die nodig is om zelf je doelstellingen te bepalen en ze na te streven**

Zelfs als je niet het ultieme mysterie van het bestaan – 'Waar zijn we vandaan gekomen en waar gaan we heen?' – voor jezelf kunt oplossen, kun je ontdekken welke dingen je bevallen. Want iets dat je bevalt, kan jou ook genezen. Een nuttige stap in die richting is een onderzoek van de fysieke constitutie. Misschien heb je weleens gehoord van de constitutietypen in de leer van de Duitse psychiater en neuroloog Ernst Kretschmer, die mensen in drie categorieën indeelde: rondlijvig, dunlijvig en dysplastisch (spierloos of zwak). Op het eerste gezicht lijkt deze typologie een vrij oppervlakkig concept. In werkelijkheid gaan er tal van interes-

> **Wat je bevalt, kan je ook genezen**

sante inzichten achter schuil. Als we namelijk in de moederschoot als embryo het stadium van een vormloze klomp cellen achter ons hebben gelaten, maar nog voordat we in onze persoonlijke fysieke ontwikkeling de totale filogenetische evolutie van vis tot zoogdier hebben doorlopen, worden er drie kiembladen gevormd: het ectoderm, het mesoderm en het entoderm. Kretschmers constitutietypen – respectievelijk de *asthenicus* (zwakke of spierloze), de *atleticus* (dunlijvige) en de *pycnicus* (rondlijvige) – zijn dan te interpreteren als eenzijdig ontwikkelde expressievormen van deze verschillende kiembladen. In overeenstemming met het type dat in onze volwassen vorm de boventoon voert, hebben we uiteenlopende voorkeuren. Uit het ectoderm ontwikkelen zich de huid en de zintuiglijke organen, en in overeenstemming daarmee leeft de asthenicus vooral via zijn zintuiglijke gewaarwordingen en waarnemingen. Uit het mesoderm worden de binden steunweefsels gevormd, maar vooral de spieren; en inderdaad is er voor de atleet niets mooiers dan sportbeoefening, die hem de kans geeft deze lichaamsbestanddelen te gebruiken. Uit het ectoderm komt, tot slot, de pycnicus tot ontwikkeling, die als het ware voor zijn ingewanden leeft. Hij eet en drinkt naar hartenlust, hetgeen er vroeg of laat toe leidt dat hij ook het uiterlijk van de pycnicus krijgt, gekenmerkt door een kogelronde buik en dunne armen en benen, alsof die ledematen er alleen toe dienen om deze buik mobiel te maken. Het was deze neuroloog uit de 19e eeuw opgevallen dat de asthenicus tot schizofrenie neigt, een splitsing van de persoonlijkheid die voortkomt uit een overmaat aan zintuiglijke prikkels. De atleticus is – als hij al zenuwziek is – gevoelig voor krampaanvallen, waarbij de spieren zich tot het uiterste samentrekken. Daarentegen ontwikkelt de pycnicus gemakkelijk emotionele stoornissen. Gevoelens associëren we vaak met

De constitutietypen volgens de typologie van Ernst Kretschmer: *asthenicus*, *atleticus* en *pycnicus*

74

het hart of de onderbuik, maar in elk geval met de ingewanden. De manisch-depressieve symptomen die de pycnicus vaak vertoont, doen denken aan de veelvuldig veranderende toestanden waaraan ingewanden onderhevig zijn.

Deze uiteenzetting is slechts bedoeld om het belang van zelfobservatie te verduidelijken. Immers, de concepten uit de praktijk van pijnbehandeling hebben in de regel het nadeel dat iedere patiënt dezelfde adviezen krijgt, ondanks al het gefilosofeer over 'op het individu afgestemde therapie'. Neem bijvoorbeeld sport. Rugpijnpatiënten krijgen de raad om door middel van gerichte rugoefeningen hun rugspieren te versterken. De artrosepatiënt moet zijn beenspieren ontwikkelen om de gewrichten te ontzien. Zo'n advies zal de atleticus aangenaam in de oren klinken, want hij heeft met zijn constitutie toch al de neiging de sportschool op te zoeken. Daarentegen zal de pycnicus, voor wie dit juist buitengewoon nuttig zou zijn, zulke oefeningen voor de rug niet lang volhouden. Hij heeft er domweg geen zin in. Zo zei eens een pycnische patiënt in de pijnbehandelingskliniek, die ik vermaande omdat hij tijdens de oefeningen voor de rug schitterde door afwezigheid, tegen mij: 'Dokter, dat gespring en gehos is mij te belachelijk. Dan heb ik nog liever mijn pijn.' De pycnicus zal liever iets willen doen voor het voedingsaspect van zijn pijn. Het advies om af te slanken is dan echter niet op zijn plaats, want dat komt voor de pycnicus overeen met zeggen dat hij moet doodgaan. Eten is zijn lust en zijn leven en zijn gewicht is hem heilig. Hij enige wat hij kan doen, is anders gaan eten, smakelijker en interessanter en, misschien, ook gezonder. En zonder emotie kan er bij hem niets gebeuren, want hij *is* emotie en kan slechts via zijn gevoelens een uitweg vinden uit zijn pijn. Als hij wordt gefrustreerd, is dat schadelijker voor hem dan voor een atleticus die te horen krijgt dat

Zelfobservatie is belangrijk

Je kunt niet iedereen dezelfde raad meegeven

75

hij dik is. Zoiets weet hij immers zelf allang, en hij is bereid er iets aan te doen.

Helaas is het juist de asthenicus die bij voorkeur het advies krijgt om te gaan sporten en een dieet te volgen om gezond te worden, een raad die hij gretig opvolgt. Want asthenici zijn weer vanwege hun kracht op het gebied van de gewaarwordingen en waarnemingen geneigd iedere vorm van advies uit te proberen en in de daad om te zetten. Hij is mager en kan dan ook moeiteloos joggen. En eten doet hij toch al niet graag; hij hecht er weinig waarde aan en kan daarom zelfs het meest smakeloze en armzalige voedsel naar binnen werken zolang hij ervan overtuigd is dat het gezond is. Op dit niveau zal hij echter zelden bevrijd worden van pijn. Hij reageert het beste op zintuiglijke prikkels, en daarom zijn massages, geurige oliën, aangename muziek, meditatie en dergelijke voor hem van grote betekenis. Voor de asthenicus is het echter het beste als je hem bevrijdt van een overmaat aan zintuiglijke stimuli. Oefeningen in een stil en rustig vertrek zijn voor de asthenicus welhaast een panacee. Zolang hij goed kan slapen is alles voor hem dik in orde.

Wie dus de talrijke mogelijkheden voor pijnbehandeling die er worden aangeboden op een rijtje zet, om te beoordelen welke voor zijn of haar persoonlijke geval het meest geschikt zijn, zou eerst moeten nagaan tot welk constitutietype hij of zij behoort, om er vervolgens naar te handelen.

Begin een pijndagboek!

Als volgende stap zou je een pijndagboek kunnen beginnen. Want de schaduwzijde van veel zelfzorgmethoden bestaat uit tot in het oneindige te blijven proberen, totdat uiteindelijk het gevoel ontstaat dat er niets is wat kan helpen. Als je een geschikte geneeswijze wilt vinden, schrijf je vooraf op hoe vaak je pijn hebt en hoe hevig die is; ook noteer je in je dagboek alle schadelijke invloeden, ingrijpende veranderingen in je levensomstandigheden en dergelijke (uiteraard wanneer ze zich voordoen). Na een paar weken kun je dan de balans opmaken door na te gaan wat er nu eigenlijk is gebeurd. Per slot van rekening wil je jezelf geen rad voor ogen draaien.

Met betrekking tot al deze maatregelen en overwegingen acht ik het van groot belang om geneeswijzen zo logisch mogelijk uit te leggen en ze zo gemakkelijk en aangenaam mogelijk te schetsen. Per slot van rekening is het bij zelfbehandeling het voornaamste dat je jezelf belangrijk genoeg vindt om de beste therapievorm te kiezen die je op eigen kracht kunt toepassen. Daarmee zet je de eerste stap op de weg naar mondigheid als patiënt en bevrijd je jezelf uit de passiviteit die met de pijnstiller-leugen hand in hand gaat.
In het volgende hoofdstuk zal ik de beschikbare geneeswijzen bespreken aan de hand van casusvoorbeelden, waarna ik ze in het daaropvolgende hoofdstuk stuk voor stuk uitvoeriger zal doornemen.

Constitutietypen volgens Kretschmer

Asthenicus	*Atleticus*	*Pycnicus*
Klein, tenger en geneigd tot zwakte	Gespierd en sterk, met brede schouders	Gedrongen bouw, met ronde vormen
Ontstaan uit ectoderm	Ontstaan uit mesoderm	Ontstaan uit entoderm
HUID EN ZINTUIG-LIJKE ORGANEN	BIND- EN STEUN-WEEFSELS	INGEWANDEN
Bouwt een kleine wereld voor zichzelf en zal haar tegen de buitenwereld verdedigen. Kan hierbij van grote emotionaliteit vervallen tot onbuigzame onverstoorbaarheid	Epilepsie en algemene spierkrampen	Cyclothym karakter, d.w.z. onderhevig aan stemmingswisselingen van grote vrolijkheid tot diep verdriet
Als dit abnormale vormen aanneemt, komen er schizoïde ziektesymptomen aan het licht		Dit kan verergeren tot manisch-depressieve ziekten
Is geneigd zichzelf te overprikkelen	*Is geneigd tot krampachtigheid*	*Is geneigd zichzelf in onmogelijke situaties te brengen*

Wat is pijn in feite?

Pijnen nauwkeuriger definiëren – ontstekingspijnen, zenuwpijnen, pijn als gevolg van regulatiestoornissen

Als gevolg van blauwe plekken en builen, schaafwonden, brandwonden en ander door onoplettendheid ontstaan letsel, leren we in onze kinderjaren allemaal dat we pijn kunnen voorkomen door voorzichtigheid en dat pijn je eigen schuld kan zijn. Wie te gulzig heeft gegeten, krijgt buikpijn. De pijn is als het ware de straf voor een onjuiste gedraging.

Overdrijving lijkt zelfs de oorzaak van de meeste pijnen te zijn. Wie te lang of te intensief sport heeft beoefend, klaagt de volgende ochtend over pijn in gewrichten of spieren of ontwikkelt een peesschedeontsteking. Wie zichzelf te langdurig blootstelt aan koude, kan soms een ontstekingsreactie in het borstvlies krijgen waardoor hij pijn heeft bij het ademen, en anders speelt zijn ischiaszenuw wel op.

Overdrijving lijkt de oorzaak van de meeste pijnen te zijn

Bij ontstekingspijnen helpen vaak de ontstekingsremmende middelen van de reguliere geneeskunde, zoals salicylaten of corticoïden. De kans op succes daarmee is echter klein bij zenuwpijnen, van ischias tot fantoompijn in geamputeerde ledematen. De conventionele geneeskundige schrijft dan tricyclische antidepressiva voor, waarvan de voornaamste werking – naast een zekere stemmingsverlichting – eruit bestaat dat ze de patiënt 'dik, lui en vraatzuchtig' maken, zoals een collega het eens strijdlustig formuleerde. Er worden echter ook remmend werkende anti-epileptica voorgeschreven, of er wordt overgegaan tot elektrotherapie, met als voornaamste eigenschap dat de zenuw door overbelasting zo moe wordt gemaakt dat hij minder pijnsignalen kan doorgeven – dus in feite een echt paardenmiddel. Nog geringere kansen op succes heeft de reguliere geneeskunde op het gebied van pijn ten gevolge van regulatiestoornissen, een breed veld dat loopt van segmentale blokkades tot psychische basisconflicten. De middelen die haar ter beschikking staan, zijn hier qua werking meestal inferieur aan die van de natuurgeneeswijzen.

Wie pijn heeft, zal dus in de speurtocht naar een doeltreffende therapie eerst antwoord moeten geven op de vraag: 'Gaat het om ontstekingspijn, pijn als gevolg van een regulatiestoornis of zenuwpijn?' Ontstekingspijn ontstaat bij weefselbeschadiging, waarbij een ontstekingsreactie optreedt. Zenuwpijn ontstaat door beschadiging van een zenuw als gevolg van overstrekking of uitrekking, röntgenstraling, chemotherapie en infecties van zenuwen. Regulatiestoornissen komen verreweg het vaakst voor en ontstaan als gevolg van verkramping, overmatige spanning (stress), een slechte lichaamshouding of psychische (innerlijke) conflicten. Het is de moeite waard na te denken over de plaats waar de pijn ontstaan is. Weefselpijnen treden bliksemsnel op, uiteraard meestal op de plaats van een verwonding. Als het pijnlijke lichaamsdeel wordt vastgehouden, zal de pijn minder worden. Ingewandspijnen zijn moeilijker te lokaliseren en ook minder goed te beïnvloeden. Pijn in de hartstreek straalt meestal uit naar de schouder en/of de rug en wordt niet minder door van lichaamshouding te veranderen. Pijnen in de botten zijn meestal dof en exact te lokaliseren. Neuralgische pijnen hebben een vlijmend karakter, zoals bij een elektrische schok. Tot dusverre de essentiële weetjes die nuttig zijn bij de beoordeling van pijnen.

Geringere kansen op succes voor de reguliere geneeskunde bij pijn ten gevolge van regulatiestoornissen

Om wat voor soort pijn gaat het?

Casusvoorbeeld: regulatiestoornis, leidend tot de 'stijve nek' – oorzaken, verloop, geneesmethoden

Laten we terugkeren naar het voorbeeld van de jongeman die net een romantische nacht op de oever van een meer heeft doorgebracht. Hij zou eigenlijk geen psychische problemen hoeven te hebben, want hij is vrij van zorgen en voelt zich gelukkig. Bovendien is hij jong, zodat hij geen last kan hebben van jicht. Zijn botten en gewrichten zijn gezond en desondanks heeft hij pijn. Hij kampt met een segmentale stoornis. Zo'n segmentale stoornis, die de chirotherapeut met één ruk kan verhelpen, is opgestuwde energie. De neuroloog kan met dat begrip niet uit de voeten, hoewel hij grif zal toegeven dat de oorzaak van de pijn te vinden moet zijn in het gebied dat door een rugzenuw wordt verzorgd. Hij zal daar inderdaad verkrampte spieren en gezwollen bindweefsels aantreffen. Neurologen hebben het graag over reguleringscircuits, en in veel boeken over dat onderwerp wordt een beeld geschetst van verkeerde 'schakelingen' van zenuwcellen in het ruggenmerg die worden 'teruggekoppeld' naar de spieren en daardoor een toegenomen spierspanning creëren, wat de zenuwcellen dan weer een signaal geeft om nog sterkere spierspanningen teweeg te brengen. Nu leert de ervaring ons inderdaad dat een stijve nek steeds stijver wordt, maar ook dat dit concept op dit mechanistische niveau onmogelijk juist kan zijn.

Toch is het blijkbaar zo gesteld dat er een verstoord regelcircuit bestaat, maar dan op een hoger niveau. De afkoeling van de nek of de ongewoon harde ondergrond onder het hoofd heeft tot overmatige prikkels geleid, waartegen de regelmechanismen van de zenuwcellen in het ruggenmerg niet opgewassen zijn. Ze worden erdoor 'overstroomd' en werken daardoor niet ac-

Segmentale stoornissen zijn opeenhopingen van energie

81

curaat genoeg. Het resultaat van deze onjuiste interpretaties: verkeerde signalen aan de spieren, bloed- en lymfvaten en de bindweefsels in het desbetreffende gebied. De spieren verkrampen, de vaten worden niet meer voldoende doorbloed en het bindweefsel zwelt op vanwege een gestoorde afvoer in de lymfvaten.

Toen de jongeman 's morgens wakker werd, hielden deze sterke prikkels op. De kou van de vroege ochtenduren maakte plaats voor de warmte van een zonnige dag. De verkeerde houding van het hoofd tijdens het slapen op de harde ondergrond, nog versterkt door de normale verslapping van de spieren tijdens de slaap, maakt nu plaats voor de normale houding van het hoofd in de waaktoestand: rechtop. Nu komt er een eind aan de schadelijke prikkeling van de zenuwcellen in het ruggenmerg, maar het regelcircuit van de zelfgenezing werkt zo traag dat de jongeman twee tot drie dagen moest wachten voordat de 'bloklade' van dit zenuwsegment is opgeheven.

Het regelcircuit van zelfgenezing werkt vaak traag

We kunnen in zo'n geval proberen om door middel van warmteprikkels – zoals het gebruik van een verwarmend kussen of een warme (rubberen) kruik op de nek – de zenuwcellen tegengestelde signalen toe te voeren om het zelfgenezingsproces te bespoedigen. In de regel werkt dat prima, en het zal vooral ook snel de pijn verminderen. Hoe komt dat eigenlijk? Immers, de segmentale stoornis is nog niet opgeheven. Hoe kan de pijn dan zo gunstig reageren? Zij verdwijnt weliswaar niet helemaal, maar is wel sterk afgenomen.

Het antwoord wordt geleverd door een essentieel inzicht in de aard van pijn. Enerzijds blijkt dat de grote hersenen, de zetel van onze identiteit, invloed uitoefenen op de gewaarwording van pijn. Iets tegen de pijn doen, iets weldadigs zoals het 'gunnen' van meer warmte aan het pijnlijke gebied, is een van de diverse factoren die op de onjuist werkende zenuwcellen in het ruggenmerg van invloed zijn. Er bestaat een verbinding tussen 'boven' (het verstand, het denken) en de pijngewaarwording. Die verbinding komt echter zeker niet alleen op het mentale vlak tot stand. We kunnen pijn niet onze wil opleggen, maar we kunnen pijnprikkels op verschillende manieren verwerken.

De grote hersenen ontvangen de pijnimpulsen, maar kunnen ze op diverse manieren verwerken. Neem bijvoorbeeld een kind dat uitgelaten aan het spelen is, ten val komt en een schaafwond oploopt. Het voelt de pijn, kijkt op naar zijn moeder en onderzoekt hoe zij erop reageert. Het is altijd verbazingwekkend om te zien hoe sterk de reacties van elkaar verschillen, en daarmee ook de reactie van het kind op de pijn. Als de valpartij nuchter en terloops wordt behandeld, zal het kind zijn aandacht weer op andere dingen richten; het wordt daardoor afgeleid en negeert de pijn. Indien er meewarig op de val wordt gereageerd, zal het kind eens flink uithuilen. Als het kind een uitbrander krijgt, kan het deze boze uitval en de pijn samen zo verwerken dat de pijn als het ware wordt verborgen omdat het kind er zelf mee klaar moet zien te komen; en anders huilt het nog harder, deels van pijn en deels ook vanwege het onbegrip van de ouder.

Een kennis van mij, die in Japan op een school voor kinderen van diplomaten had gezeten, vertelde mij eens dat de andere kinderen zich in een dergelijke situatie terugtrokken in een hoekje, de pijnlijke plek koesterden en lijkbleek afwachtten totdat de pijn was verminderd. Voor hen was pijn blijkbaar iets waarvan ze wisten dat ze er zelf mee klaar moesten komen.

Een ander voorbeeld: in een oorlog maken soldaten er vaak melding van dat zij tijdens de spanning van een vuurgevecht niet eens hadden gemerkt dat ze een verwonding hadden opgelopen en zich er pas van bewust waren geworden toen de strijd luwde. De kogelwond

Er bestaat een verbinding tussen 'boven' en de pijngewaarwording

83

kon nog zulke hevige pijn hebben veroorzaakt, maar in de grote hersenen was eenvoudigweg geen ruimte voor de verwerking van pijnprikkels.

Zelf kennen we mensen wier lichaam een eenmaal opgelopen pijn jaren en jaren kon vasthouden. Zo zagen we in onze praktijk een jonge vrouw die jaren tevoren brandwonden had opgelopen. Het desbetreffende gebied van de huid bezorgt haar – hoewel het huidoppervlak genezen is – tot op de dag van vandaag pijn. Andere mensen met soortgelijke brandwonden ervoeren het als een bagatel dat ze al na enkele dagen waren vergeten.

Wij kennen mensen wier lichaam een eenmaal opgelopen pijn jaren en jaren kon vasthouden

Deze uiteenlopende reacties op pijn tonen aan dat wij géén machines zijn die reflexmatig reageren, maar prikkels die we uit allerlei lichaamsdelen ontvangen in de grote hersenen op een persoonlijke manier verwerken. De hersenen zijn doorslaggevend. Wie tijdens het basketballen een stomp tegen het hoofd heeft gekregen, zal die snel genoeg vergeten zijn als hij even later een beslissende dunk scoort.

Iedereen verwerkt prikkels op zijn manier

Als we een warme kruik op de stijve nek leggen, doen we iets weldadigs voor onszelf en bereiden onze grote hersenen erop voor dat ze de pijn draaglijk moeten vinden. Bovendien bezorgen we de pijnreceptoren in de nek een aangename warmtestimulus, die zich vermengt met de pijnprikkels die worden doorgegeven naar de grote hersenen en de boodschap ervan relativeert. Naargelang we het aantal aangename prikkels kunnen opvoeren, zal er vroeg of laat een overdekkingseffect optreden, zodat de pijnsignalen volledig worden opgeheven.

Als de chiropractor bij een segmentale stoornis door middel van een lichte ruk een kortstondige bewegingsprikkel in de weefsels veroorzaakt, wordt dit genezingsproces versneld. De gang van zaken is te vergelijken met een 'crash' bij een computer: je sluit alle sig-

Het genezingsproces kan door chiropraxie worden versneld

nalen (programma's) af en start de computer opnieuw. Dit is de reactie welke plaatsvindt in de nekspieren die het hoofd rechtop moeten houden. Ze worden gedurende een fractie van een seconde volledig verslapt, waardoor iedere spiervezel zijn spanning opnieuw moet opbouwen. Ook de signalen uit de bindweefsels aan het ruggenmerg worden door de rekbeweging (die in de wervelgewrichtkapsels zelfs een krakend geluid veroorzaakt), overdekt als door een soort lichtflits.

Na dit 'terugzetten op nul' luisteren de zenuwcellen naar signalen uit de weefsels en constateren dat er niets meer komt. Als er weefselbeschadiging is ontstaan ten gevolge van een stoot of verrekking (niet door toedoen van de chiropractor), of als er een ontstekingsreactie is opgetreden, zal de chiropractische behandeling slechts tijdelijk (misschien enkele seconden) de pijn verlichten. Als de weefsels echter gezond zijn en de stijve nek slechts een tijdelijk ongemak is, namelijk een reactie op een overmaat van onjuiste interpretaties van prikkels die er allang niet meer zijn, is de patiënt genezen. Tast, de eerstvolgende keer dat je hoofdpijn hebt, eens je hoofdhuid af om te zoeken naar puntvormige, buitengewoon pijnlijke plekken. Het zal je opvallen dat deze pijnpunten bijzonder actief zijn aan de kant waar de pijn wordt gevoeld. Probeer nu de pijn te bestrijden door deze pijnlijke punten te masseren. In het begin lijkt de pijn dan ondraaglijk te worden. Als je dit een paar minuten hebt gedaan, stop je ermee om kennis te nemen van het resultaat. Nu zul je tot je eigen verbazing constateren dat de hoofdpijn door de bank genomen minder is geworden.

Pijnlijke punten op de hoofdhuid een paar minuten masseren

De segmentale stoornis in de nekwervels die deze hoofdpijn in de regel bepaalt, is weliswaar niet opgeheven, maar blijkt via de acupunctuurpunten te kunnen worden beïnvloed: ze is als het ware 'af te tappen'.

Je verbazing zal nog toenemen als je een blik slaat in

85

een leerboek over acupunctuur of acupressuur. De punten die je op de tast hebt gevonden, zijn daar afgebeeld en liggen volgens de Chinese geneeskunst op een van de twaalf meridianen, energiebanen die in de lengterichting – dus van hoofd tot voeten – door het lichaam lopen, zodat ze de zenuwsegmenten als het ware 'kruisen'.

De punten die op de tast het pijnlijkst aanvoelen liggen – grof genomen – op de snijpunten tussen de meridianen en de welhaast schijfvormige uitstralingsgebieden van de segmentale zenuwen. Als we de pijnpunten van alle gestoorde segmenten aantekenen op een lichaamsmodel, ontstaat het meridianenschema. Uiteraard is er nooit volmaakte overeenstemming, en uiteraard kende men in het oude China nog vele andere acupunctuurpunten die voor de opbouw van het meridianenschema werden gebruikt. Toch blijkt uit dit voorbeeld dat pijn in China al ver voor onze tijdrekening serieus werd genomen.

De geschiedenis van pijn – over de verschillende manieren om met pijn om te gaan

Op onze breedten is pijn heel lang *niet* serieus genomen. In de periode van de kruistochten werd op geneeskundig gebied in Europa nog de toon aangegeven door geneesheren die 'pychotherapie' praktiseerden door de levende patiënt te onderwerpen aan 'trepanatie' (het openhakken van de schedel), of door hem een kruis in de hoofdhuid te snijden. Daarnaast pasten zij aderlating toe of gingen bij etterende wonden over tot amputatie. Over pijn werd echter niet gesproken. Als je oude folianten op dit gebied doorbladert, zal het je opvallen dat pijn tot in de moderne tijd nauwelijks een onderwerp was. Er wordt veel gesproken over kiespijn

Over pijn werd vroeger nauwelijks gepraat

86

en 'hartzeer' (bij verliefdheid). We kennen allemaal de afbeeldingen van gezwollen kaken die met een hoofddoek werden verbonden. Of van het gebaar waarbij de hand op het hart werd gelegd. Het was een tijdperk waarin de mensen zich eerder dubbelvouwden van de honger dan door buikpijn.

De islamitische geleerde Avicenna maakte al in 1000 n.Chr. onderscheid tussen vijftien verschillende soorten pijn, die hij bestreed met opium, een middel dat in het middeleeuwse Europa nog onbekend was. Hierdoor was de Arabische geneeskunst honderden jaren lang superieur aan de Europese. Volgens een uitspraak van de profeet Mohammed was genezing uitsluitend afhankelijk van de wil van God. Wie tegen Allah's wil zondigde, leed ofwel zelf pijn óf veroorzaakte pijn bij anderen. Een 'rechtgeaard' leven behoedde de gemeenschap der gelovigen voor pijn; en wie desondanks pijn had, was vaak beducht voor een bezoek aan een arts om niet de schijn te wekken een zonde te hebben begaan.

Genezing was afhankelijk van Gods wil

Massagesalons zijn onveranderlijk in hogere beschavingen te vinden. Dat geldt al voor het oude Egypte, lang voor het begin van onze tijdrekening, en evenzeer voor het oude Griekenland en het Romeinse Imperium. Ook daar leed men aan rug- en hoofdpijn. Onze voorouders schijnen daarentegen nauwelijks rugpijn te hebben gekend. Warme bronnen begon men bij ons pas te benutten nadat de Romeinen de mensen op die mogelijkheid attent hadden gemaakt. In feite lijkt er in een door Gods genade geregeerde wereld, waarin de samenleving een strikte hiërarchie van standen kende, naar verhouding weinig pijn te zijn geleden; in elk geval is er ons weinig van overgeleverd.

Onze voorouders schijnen nauwelijks rugpijn te hebben gekend

Overigens moeten we er bij deze analyse rekening mee houden dat het lichaam in het christelijke Avondland slechts als een onbelangrijk omhulsel voor de onsterfelijke ziel werd beschouwd. Augustinus verklaarde dat het lichaam geen enkele betekenis bezat, toen hij zei: 'Er bestaat geen fysieke pijn, alleen pijn van de ziel. Want het is de ziel eigen om pijn te ervaren, en niet het lichaam.' Bovendien kon de ziel haar pijn te allen tijde overdragen aan God, want pijn kon slechts voortkomen uit zonde; wanneer de zonde eenmaal was gebiecht, kwam er ook een eind aan de pijn. Iets dat in onze oren ongeloofwaardig klinkt, kunnen we ook nu nog concreet waarnemen in andere culturen, wanneer jongemannen zichzelf op bepaalde feestdagen steek- of snijwonden toebrengen waarvan zij in hun euforische toestand niets voelen en waarover ze ook later niet klagen. Van migraine is bij ons pas sprake sinds er brede lagen van de bevolking in redelijke welstand leven. In de 19e eeuw hadden alleen de echtgenotes van welgestelde burgers last van migraine, een fenomeen dat onder invloed van de beide wereldoorlogen welhaast op slag verdween. In de 20e eeuw is migraine als veelvoorkomend verschijnsel pas in de jaren vijftig opgekomen – en tegenwoordig lijkt zelfs een fors percentage schoolkinderen er ervaring mee te hebben opgedaan. Het feit dat kinderen hoofdpijn kunnen hebben, is pas sinds enkele jaren bekend geworden. Een laat bewustwordingsproces, of bestonden deze pijnen vroeger werkelijk niet? Het draait hier naar alle waarschijnlijkheid om de eisen die we aan het leven stellen.

'Bottenkrakers' of zelfs 'bottenrichters', zoals moderne chiropractors dikwijls worden genoemd, lijken daarentegen op onze breedten al sinds onheuglijke tijden te hebben bestaan. Zij behandelden mensen die zich hadden 'vertild', maar voor hun burgerlijke beroep deden ze iets anders. Ik heb me al heel lang afgevraagd waarom het uitrichten van het beendergestel zo lang buiten de gevestigde geneeskunde is gehouden. Waarom bleef het een zaak van mensen die voor hun

De ziel kon haar pijn te allen tijde overdragen aan God

kunst – die zij meestal hadden afgekeken van een oudere leermeester – geen theorie ontwikkelden? Waarom voelde de adel, verschanst in haar burchten, zich te
hoog verheven om zich met dit soort kleine handgre-
pen te laten helpen? Zij hingen liever met een gezicht
als van een oorwurm in een soort rolstoel.

Het antwoord moet luiden dat de reguliere geneeskunde ervan uitging – een wijsheid die werd ontleend aan
in het Latijn vertaalde Griekse en Arabische werken –
dat alle ziekten en aandoeningen konden worden her-
leid tot stoornissen in het evenwicht tussen vier lichaamsvochten. Alle geneeswijzen stoelden op dit
principe. Het leidde ertoe dat voorname mensen zich
alleen wilden laten helpen door mensen die in de samenleving respect genoten. Uit deze methoden ontstond de leer der organen. Slechte lichaamsvochten
waren een gevolg van slechte organen. Deze geneesheren leerden hun patiënten het vocabulaire waarmee ze
over hun pijn konden spreken. Volgzaam spraken de
mensen dus van 'hartzeer', 'leverkolieken', 'galkolie-
ken' of 'nierkolieken'. Ze zouden nooit op het idee zijn
gekomen om leuterend over 'verrekkingen' naar een
'bottenrichter' te stappen.

Voorname mensen wilden zich alleen laten helpen door mensen die in de samenleving respect genoten

De organenleer is tot in onze tijd overeind gebleven.
Dit houdt verband met het gegeven dat er inderdaad
vormen van pijn zijn die van de organen uitgaan; en als
dat het geval is, hoort zo iemand in het ziekenhuis te
liggen. De realiteit leert echter dat er in 90 procent van
alle gevallen zelfs met de beste apparatuur geen ziekelijke afwijkingen aan een orgaan zijn te vinden. Kortom, de desbetreffende organen zijn gezond. Desondanks blijft de therapie stoelen op de gedachte dat het
toch om een stoornis in een of meer organen gaat of
kan hebben gegaan. Dus worden hartkransslagaderen
verwijd met middelen die uiteraard ook alle overige
vaten van het lichaam verwijden en daarom naast 'hart-

De organenleer

Vaak geen ziekelijke afwijkingen aan een orgaan

pijnen' ook hoofdpijnen veroorzaken. Of ingewandsspieren worden kunstmatig ontspannen, met middelen die *alle* gladde spierweefsels tot verslapping dwingen. Bij de ogen leidt dat tot gezichtsstoornissen, in de slokdarm tot slikstoornissen, in maag en darmen tot diarree of obstipatie. Met dit alles wordt echter niet de oorzaak van de pijn weggenomen; er wordt hooguit wat speelruimte voor spontane genezing gecreëerd. Soms zijn 'hartaanvallen' of 'nierkolieken' dan ook al na enkele dagen in het ziekenhuis 'opgeheven'.

Is een van de artsen echter toevallig ook chiropractor, dan is het mogelijk dat hij binnen enkele seconden verlichting verschaft. Dat doet hij overigens in weerwil van een hoog reputatierisico: hij lapt daarmee de organen- en lichaamsvochtenleer van de reguliere geneeskunde aan zijn laars en loopt dan het gevaar door zijn collega's over één kam te worden geschoren met timmerlieden of schaapherders, die in hun beroep ook de nodige kunstgrepen kennen. Daar komt bij dat hij voor dit soort ingrepen niet wordt betaald, terwijl ze toch niet helemaal vrij van risico's zijn. De patiënt – wiens leven op het spel staat – mag trouwens hoe dan ook verwachten dat de arts op voorhand een hartinfarct uitsluit of voorkomt, in plaats van 'aan zijn rug te morrelen'.

Shakespeare's
inzichten inzake
pijn zijn
verbazing-
wekkend actueel

Shakespeare's inzichten inzake pijn

1. Wie pijn heeft, wil goed worden begrepen.
Wie pijnpatiënten raad geeft, moet vaak op een reactie rekenen, zoals William Shakespeare zijn personage Leonato in de mond legt:
'Bespaar me je raad!
Die wordt me even vruchteloos in 't oor gegoten
als water in een zeef. O, geef me toch geen raad!

En laat geen trooster mij het oor verkwikken,
dan hij wiens pijn de mijne evenaart.'

Wie pijn ervaart, wil goed worden begrepen. Hij verwacht
slechts hulp van iemand die zijn pijn uit ervaring kent en deze al
heeft overwonnen.

2. Similia similibus curentur – *'het gelijkende geneest het gelijkende'.*
De Engelse dichter lijkt kennis te hebben bezeten op het gebied
van de pijnbehandeling. In *Romeo and Julia* komen de kruidengeneeskunst en een soort van homeopathie bij elkaar. Romeo
heeft liefdesverdriet, waarop Benvolio hem aanraadt 'het gelijkende met het gelijkende te genezen'. Dit zou hij moeten doen
door zijn liefdesverdriet af te zwakken door te flirten met een
ander: 'De ene gloed verdrijft de andere en de pijn van smart
wordt door een andere smart verminderd; als het je duizelt, kan
het helpen dat je je weer terugdraait; en je hopeloze liefde kan
niet beter worden verholpen dan door een nieuwe.'
Spottend zegt Romeo hierop: 'Weegbreebladeren zijn daar niet
mee te vergelijken.' Met andere woorden, je kunt je liefdesverdriet niet met een drankje of plantje verzachten. Daardoor neemt
de tragedie haar loop. Misschien zou hij er beter aan hebben gedaan Benvolio's advies ter harte te nemen.

3. *Pijnen ontstaan uit betrokkenheid.*
Pijn is altijd iets persoonlijks. Een pijn wordt echter pas echt
'gehoord' als je haar zelf ervaart. Dat wil echter niet zeggen dat
mensen die met je begaan zijn er niet ook onder lijden.
Waarschijnlijk is er geen groter ongeluk denkbaar dan dat van
de Schotse edelman MacDuff in *Macbeth*, die de jobstijding
ontvangt dat zijn hele familie is uitgemoord. De boodschapper
die hem dit bericht brengt, is zich ervan bewust dat deze boodschap pijn zal veroorzaken en leidt haar dan ook in door te zeggen dat hij 'liever in een troosteloze woestijn uiting zou geven
aan zijn innerlijke gevoelens'. Zijn heer vraagt hem dan of het

**Pijnen zijn altijd
persoonlijk**

91

'een bijzondere smart' betreft, die 'thuishoort in deze of gene borst', dus een verdriet dat zuiver persoonlijk is – niet van betekenis voor anderen. De ridder ontkent dit. Nee, het is een smart die hij de ander moet aandoen. Als hij zijn gebieder de jobstijding heeft overgebracht, is MacDuff met stomheid geslagen, en dat blijft hij totdat zijn neef Malcolm hem toebrult: 'Breng je smart onder woorden! Een stomme pijn perst zijn klacht terug in het hart en laat het breken!' Dit leert ons het volgende: een tragische gebeurtenis veroorzaakt pijn in het innerlijk van de mens, nadat deze het besef krijgt dat hij er zelf bij betrokken is. Door erover te praten, geeft hij deze pijn terug aan de buitenwereld en verschaft zichzelf daarmee een zekere verlichting.

De slaap verzacht pijn en smart

4. De slaap verzacht pijn en smart.
De slaap is een groot heelmeester. Als hij ontbreekt, komt alles voort uit het lot en is effectieve pijnbehandeling onmogelijk. Dit ervaart Macbeth, die door zijn slechte geweten over de moorden wordt gekweld, als hij tegen zijn vrouw klagend uitroept:

'Het was alsof ik hoorde roepen: Slaap niet langer!
Macbeth vermoordt de slaap, de onschuldige,
de argeloze, heilige slaap, de onbeschermde;
de slaap die de verwarde knoop der zorgen
ontwart; die dagelijkse smart en lust begraaft
om ze de volgende ochtend weer te wekken,
dit verfrissend bad voor de gewonde borst,
deze verzachtende balsem voor alle hartenpijn,
de heerlijkste spijs uit het maal des levens!'

5. Het besef van onze sterfelijkheid is onze grootste smart.
In zijn vierenzestigste sonnet gewaagt Shakespeare van het besef dat we zelf sterfelijk zijn en zegt dat al ons klagen en sidderen, deze 'dodelijke smart', nutteloos is. Het komt voort uit het besef dat de dood onvermijdelijk is.

Casusvoorbeeld: chiropractische maatregelen – het vermoeden van een acuut hartinfarct

Af en toe vervang ik een cardioloog in zijn praktijk. Op die bewuste dag werkten we zij aan zij toen een veertigjarige patiënt met de voorlopige diagnose 'hartinfarct' door brancarddragers als een spoedgeval bij ons werd afgeleverd. Hij was lijkwit, het koude zweet was hem uitgebroken en hij was zo onrustig dat hij niet stil kon liggen. Het elektrocardiogram (ECG) toonde de kenmerkende ritmestoornissen van een infarct in de binnenste spierlaag van het hart. De assistentes brachten mij de boodschap over dat ik alleen kort met het echo-apparaat het hart moest onderzoeken om vast te stellen hoe groot de schade was. Daarna zou de patiënt dadelijk worden overgebracht naar de afdeling Hartbewaking van het ziekenhuis. De brancarddragers stonden te wachten.

Omdat de patiënt vanwege de pijn weigerde op de onderzoektafel te gaan liggen, stelde ik hem voor eerst iets te ondernemen tegen de pijn, een kleine manipulatie aan de rug, in het middengebied van de borstwervels. Zo gezegd, zo gedaan. We hoorden enkele krakende geluiden en op hetzelfde moment ervoer de patiënt dat de pijn totaal verdwenen was. Zijn gezicht kreeg weer een rozige kleur en hij werd rustig. Hij depte het zweet van zijn gezicht en ging, terwijl hij me enthousiast over deze plotselinge verbetering vertelde, op de onderzoektafel liggen.

De echo gaf een normaal hartbeeld te zien: alle delen van het hart trokken zich krachtig en harmonisch samen. Op dat moment dook mijn collega in de onderzoekkamer op en vroeg: 'Waar is de patiënt?' Hij kon zich niet voorstellen dat de rustig op de tafel liggende man naast mij de patiënt was. Hij herkende de man –

> **Zelfs bij het vermoeden van een acuut hartinfarct kunnen chiropractische maatregelen soms helpen**

93

wiens ECG zo-even nog een gestoord hartritme had aangegeven – niet eens meer. Toen dat ECG werd gemaakt, had hij niet met de patiënt kunnen praten, omdat deze te veel pijn had. We maakten een nieuw ECG en zagen dat het hartritme weer normaal was.

Dit was het juiste moment voor een gesprek van arts tot arts. Mijn veel ervarener collega, een wijd en zijd gereputeerde hartspecialist, had moeite om de gang van zaken een plaats te geven. Hij vermoedde dat de bloedprop die een hartkransslagader had verstopt uit zichzelf was losgekomen. Dat ik toevallig op dat moment iets aan 's mans rug had gedaan, kon er misschien iets aan hebben bijgedragen, maar het kon onmogelijk de oorzaak van deze plotselinge genezing zijn. Ik knikte en zei hem dat we het reeds besproken vervoer naar het ziekenhuis toch maar door moesten laten gaan, en dat de al voorgenomen katheterisatie ongetwijfeld gerechtvaardigd was. Het betrof tenslotte een patiënt die op grond van zijn kenmerken tot de risicogroep van potentiële hartpatiënten behoorde, zodat de kransslagaderen nagekeken moesten worden.

De resterende verkramping van de vaten en ook de hevige pijn in de rug waren slechts symptomen van een segmentale stoornis

Er moest hoe dan ook een verkramping van de kransslagaderen zijn opgetreden, wellicht veroorzaakt door een kleine bloedprop die inmiddels al was opgelost. Dat moest overigens al gebeurd zijn vóórdat de patiënt bij ons werd gebracht; de resterende verkramping van de vaten en ook de hevige pijn in de rug waren slechts symptomen van een segmentale stoornis. Het was deze stoornis die door middel van een chiropractische greep kon worden verholpen. De situatie is vergelijkbaar met de stijve nek na op de tocht te hebben gezeten. De koudeprikkels zijn allang verdwenen, maar de stijfheid houdt nog aan.

Het is dus zeker mogelijk dat rugklachten een expressievorm zijn van doorbloedingsstoornissen in de hartspier. Omgekeerd is het ook mogelijk dat rugklachten doorbloedingsstoornissen in het hart veroorzaken. Beide behoren tot gemeenschappelijke segmenten. Als er echter aanwijzingen zijn dat de kransslagaderen verkalkt zijn, zal het altijd de taak van de cardioloog zijn om storende factoren in dit gebied uit te sluiten of ze binnen de perken te houden. Weliswaar was ik er door deze deblokkering in geslaagd tijdelijk gestoorde regelkringen van de doorbloeding in de borstkas en daarmee ook het hart te normaliseren, maar niettemin was een nieuwe blokkade als gevolg van een slechte doorbloeding van het hart welhaast voorspelbaar.

Dit vermoeden werd door de uitslag van de katheterisatie bevestigd. Dat neemt niet weg dat het – door een eenvoudige manipulatie die iedere arts met gemak kan leren toepassen – dikwijls mogelijk is om in noodgevallen ingrijpende medische interventies te voorkomen. Op die manier zouden we bovendien kosten besparen en terughoudender kunnen zijn met het geven van medicamenten die tot duizelingen, misselijkheid en slaperigheid leiden. Er worden wereldwijd jaarlijks honderden miljoen uitgegeven om hartkransslagaderen met medicamenten te ontspannen, maar daarmee wordt niets bereikt tegen de pijn van een segmentale stoornis die zonder kosten zou kunnen worden verholpen.

Door een eenvoudige manipulatie die iedere arts met gemak kan leren, is het vaak mogelijk om in noodgevallen ingrijpende medische interventies te voorkomen

Hoe we onze pijn 'hebben' en er vrij over kunnen beschikken

We komen nog even terug op de welgestelde lieden die in hun landhuizen liever in een rolstoel rondhangen dan een natuurgenezer in de arm te nemen die ze hun gezondheid door 'kraken' zou kunnen hergeven. Zoals gezegd heeft dit deels te maken met hun 'standbewustzijn'. Voor een ander deel houdt het echter ook verband met het zelfbewustzijn van de patiënt: hij 'heeft' de pijn en voelt er niets voor die zomaar over te dragen

95

aan iemand die even komt aanwaaien. De pijn maakt deel uit van het bouwwerk dat hij met zijn denken zelf heeft opgetrokken.

Zo kan hij zichzelf hebben ingebeeld dat hij een ongeneeslijke ziekte heeft, zodat hij zich op het 'ongeneeslijke' ervan blindstaart. Hiervan is de pijn slechts een aanhangsel. Of hij heeft zich ingebeeld een zo complexe ziekte te hebben dat zoiets alleen nog door een wijs man, een verlosser, kan worden doorgrond en genezen. Of hij wil de ziekte net zo 'bezitten' als zijn pijn en geeft daarom de voorkeur aan ziekte en pijn boven gezondheid.

Deze overweging brengt me bij de gedachte die in dit boek centraal staat: we zijn 'eigenaar' van onze pijn en kunnen er vrij over beschikken. Dit heeft niets te maken met ingebeelde pijn. Je kunt je geen enkele pijn inbeelden; je kunt pijn hoogstens voorwenden. Wie pijn heeft, bezit haar daadwerkelijk en kan haar niet eenvoudigweg weer kwijtraken. Dit gebeurt alleen door een genezingsproces en niet door willekeur. In principe is pijn een opgave die we tot een goed einde moeten brengen. Zoals ook voor andere terreinen van het leven geldt, lossen sommige opgaven zichzelf op. Je wacht rustig af, onder het motto: de ziekte is uit zichzelf gekomen en kan ook uit zichzelf weggaan. Overigens leert de ervaring ons dat een ziekte die zich eenmaal heeft 'ingekapseld' zelden weer vanzelf verdwijnt.

De kwestie is dat we tegenover onze pijn een welhaast kinderlijk-naïeve, door onwetendheid gekenmerkte houding plegen aan te nemen. Al als kind hebben we bepaalde pijnen ervaren, misschien als gevolg van uitwendig letsel of een organische stoornis in ons inwendige. Wat we als kind niet wisten, is dat we zelfs bij sterke orgaanveranderingen toch volledig pijnvrij kunnen leven.

We zijn 'eigenaar' van onze pijn en kunnen er vrij over beschikken

Zelfs bij sterke orgaan-veranderingen kunnen we toch volledig pijnvrij leven

96

Normaal gesproken gaan we ervan uit dat onze problemen teweeg worden gebracht door 'slijtageverschijnselen' in de wervelkolom. Iedere verstandige orthopeed die het over slijtageverschijnselen heeft, zal er bijna in één adem aan toevoegen dat de veranderingen aan de wervelkolom die hij aan de hand van röntgenfoto's beschrijft niet per se met de pijn zelf te maken hoeven te hebben. Zoals gezegd vinden we al bij topsporters van een jaar of twintig dergelijke verschijnselen, als gevolg van de zwaardere belasting van de wervelkolom door de spieren. Naarmate de spiermassa toeneemt, nemen ook de verstevigingen van de wervelkolom toe – en verder is er niets aan de hand.

Als de wervelkolom bij oudere mensen door 'slijtageverschijnselen' in toenemende mate inzakt en er twee of meer wervellichamen met elkaar 'fuseren' (vergroeien), komt dat doordat de afnemende spiermassa niet meer sterk genoeg is om de wervelkolom behoorlijk te ondersteunen. Daardoor verhardt de wervelkolom en wordt minder buigzaam, maar tegelijkertijd stabieler. 'Inderdaad', zou zo'n orthopeed dan eigenlijk moeten zeggen, 'u hebt weliswaar veranderingen aan de wervelkolom die hem verstevigen, maar die zijn kennelijk niet voldoende om uw segmentale stoornissen te voorkomen. We moeten eens nader ingaan op de vraag waarom die bij u optreden.'

Pijn heeft een slecht imago

Het is allesbehalve eenvoudig om over pijn te spreken, als we erbij stilstaan hoe slecht het imago van pijn in onze cultuur eigenlijk is. Doordat vrijwel ieder van ons zo nu en dan last heeft van pijn, is het niet verwonderlijk dat klagen over pijn een belangrijke plaats in onze gesprekken inneemt. De een klaagt over het ongeluk dat hem heeft getroffen; de ander erkent weliswaar dat

97

hij het onschuldige slachtoffer van ongunstige omstandigheden is, maar hij heeft daar in feite weinig begrip voor. Het liefst zou hij zien dat de ander ophield met zijn 'gezeur'. Per slot van rekening heeft hij zelf ook pijn, is zelf ook het slachtoffer van ongunstige omstandigheden, maar hij beklaagt zich er niet over.

Pijn is even natuurlijk als het leven zelf?

Pijn is even natuurlijk als het leven zelf. Als het je tegenzit, heb je meer pijn. In onze samenleving is het tamelijk onbehoorlijk om erover te praten. Wie klaagt, werkt anderen op de zenuwen. Een oud Duits spreekwoord zegt dat je beter in stilte kunt genieten. In het dagelijks leven geldt: houd er je mond over dat je niet geniet.

De Romeinse geschiedschrijver Tacitus ('de Zwijger'!) schreef rond 100 n.Chr. verbaasd over het omgaan van de Germanen met verdriet en pijn dat zij luisterrijke begrafenissen vermeden, en dat er door de nabestaanden nauwelijks uiting werd gegeven aan hun smart. Dat, zo voegt hij eraan toe, 'heeft echter niets te maken met gevoelloosheid: de tranen en weeklachten duren kort, maar het verdriet en hartzeer houden lang aan'.

Pijn als kans?

Als we de aforismen van Duitse dichters en denkers doornemen, zal het ons opvallen dat zij vaak de neiging hebben pijn niet als een slag van het lot, maar als een kans te interpreteren. Zo merkte Kleist eens op: 'Pijn stelt ons in staat vreugde te ervaren, net zoals het kwade maakt dat we het goede kunnen herkennen.' De schrijfster Marie von Ebner-Eschenbach noemde pijn zelfs 'de grootste leraar van de mens' en eerde haar met de woorden: 'Onder haar adem kan de ziel zich ontplooien'. Dat dit bij pijnpatiënten niet ver bezijden de waarheid is, is niet alleen opgemerkt door Wilhelm Busch, die verklaarde: 'Soms zit de hele (grootste) ziel/ In een benauwd klein gaatje', maar ook door Christian Morgenstern, die onverbloemd zei: 'Dit is mijn ergste ervaring ooit: pijn maakt de meeste mensen niet groot, maar klein.' De stemmen van deze buitenstaanders lijken weinig gehoor te hebben gevonden. Vanuit het gezichtspunt van de buitenwereld zijn Duitsers per traditie een krijgshaftig volk. De schrijver Ernst Jünger fungeerde in de eerste helft van de 20e eeuw als 'spreekbuis' voor de Duitse soldaten, toen hij in zijn essay *Über den Schmerz* in 1934 opmerkte: 'Hier kan de mens aan de uiterste grens – namelijk, door ervaringen die hij normaal gesproken niet zal opdoen – tonen wie hij is. Pijn is de grote en onveranderlijke maatstaf en de zwaarste beproeving die aangeeft hoe beduidend iemand is.'

> **'Dit is mijn ergste ervaring ooit: pijn maakt de meeste mensen niet groot, maar klein.'**

Op het televisiescherm zien we vaak hoe voetballers die pijn hebben een injectie krijgen en dan weer fit over het veld sprinten. Het zijn 'machines' die vreugde bereiden zolang ze functioneren. Als er echter een voortdurend op de reservebank zit omdat hij last heeft van een pijntje, oogst hij alleen maar minachting.

We gedragen ons al net zo als het om onze eigen pijntjes gaat. We gaan op zoek naar de pil die we maar hoeven te slikken om alles weer in orde te brengen. Hebben we te veel gedronken en er een kater aan overgehouden? We gooien er de volgende ochtend gewoon wat aspirientjes in – één tablet voor watjes, twee tabletten voor flinke jongens, en drie voor echte kerels. Af en toe belanden die echte kerels dan echter met een maagbloeding 's middags in het ziekenhuis.

We hebben de neiging om pijn langdurig niet serieus te nemen. Als we er dan echter door worden overweldigd, hebben we het gevoel dat we de rechtvaardiging van ons bestaan (een begrip dat, voorzover ik weet, alleen Duitsers kennen) hebben verspeeld. Descartes heeft gezegd: 'Ik denk, dus besta ik.' In Duitsland word je als individu pas geboren als je kunt zeggen: 'Ik werk, dus ik besta.' Ons leven begint en eindigt met ons vermogen om iets te presteren. Soms moet je je daarvoor

> **We hebben de neiging om pijn langdurig niet serieus te nemen**

flink 'vermannen'. In feite is onze samenleving te verdelen in mensen die erop staan dat je je in bepaalde situaties vermant, en degenen die tot de verbitterd glimlachende tegenpartij behoren en bij het woord 'vermannen' welhaast ineenkrimpen.

Hoe noodzakelijk het in andere tijden ook was je te vermannen, blijkt uit het feit dat Duitsers door de eeuwen heen bekend zijn geweest vanwege hun kuuroorden. Als je al eens vakantie kon nemen, deed je dat meestal in een kuuroord. Daar kon je op adem komen van de strijd om het bestaan, liet je je verwennen met massages en ontspande je je in dampende bassins waarin je verkrampte spieren zich enigszins konden ontspannen. Met de Engelsen was het al net zo gesteld. Zij beheersten de halve wereld, maar ook zij hadden een levendige belangstelling voor kuuroorden en waren bekend om hun *stiff upperlip*. Dit zijn kenmerkende verschijnselen voor succesvolle mensen die hun lichaam offeren op het succesaltaar. Als succes uitblijft, zakt ook de gestruikelde strever naar succes weg in het pijnmoeras.

Succes maakt gezonder Het is statistisch aantoonbaar dat winnaars van een Oscar gemiddeld viereneenhalf jaar langer leven dan andere filmacteurs. Wie een Oscar heeft gewonnen, heeft zijn doel bereikt. Hij is waar hij wezen wilde. Dat maakt hem bovendien gezonder! De diepe innerlijke bevrediging van dit succes leidt kennelijk tot een duurzame aanmaak van endorfinen, pijnstillers die je helpen een stap op de weg naar eeuwig leven te zetten.

Toch moeten ook mensen die op wilskracht proberen succes te boeken vaak met pijn leven. Feitelijk is het in mijn praktijk zo dat jonge mensen die mij komen raadplegen vanwege hun pijn, onveranderlijk ook eerzuchtige mensen zijn. Daarentegen staan oudere mensen met pijn vaak voor de resten van hun in duigen gevallen illusies. Of hun pijn is een expressievorm van het

100

gegeven dat zij gedurende vele jaren sterker hebben moeten zijn dan ze wilden of konden. Hun eerzucht om dit te doorstaan en anderen met hun prestaties te overtreffen, heeft hen in pijnpatiënten veranderd. Dit komt omdat zij – ondanks de hoge eisen die zij aan zichzelf stelden – mislukt zijn. Ze hebben het weliswaar volgehouden, maar het grote succes bleef uit. Eerzucht is niet alleen de wortel van succes, maar ook die van mislukking! Ook de angst voor mislukking en het ervaren van mislukking zelf kunnen pijn veroorzaken. De een heeft de pijn in het hoofd, de ander in de rug. Dat betekent dat je de pijn ervaart waar de wil om tot succes te komen zetelt, óf daar waar de last van deze wil moet worden getorst.

Ook de angst voor mislukking en het ervaren van mislukking zelf kunnen pijn veroorzaken

Zoiets kun je natuurlijk een aardig tijdje volhouden. De ervaring leert ook dat het onderdrukken van pijn een steun op de weg naar succes kan zijn. Neem bijvoorbeeld een uitspraak van Hillary Clinton, toen haar in juni 2003, nadat ze voor de presidentskandidatuur had bedankt, werd gevraagd wat ze zou doen als haar partij dit desondanks van haar zou verlangen. 'Dan zou ik', antwoordde ze, 'tegen hen zeggen: "Haal maar een paar keer diep adem, slik misschien een paar aspirientjes en slaap er nog een paar nachtjes over." '

Dit lijken tegenwoordig veel mensen te doen als er een teleurstelling voor ze dreigt: hoofd in de nek leggen en een product van de firma Bayer slikken, en wel in een hoge dosering. Pijn in samenhang met psychische conflicten is even vanzelfsprekend geworden als het negeren en verdringen van conflicten met pijnstillende middelen.

Pijn in samenhang met psychische conflicten is een vanzelfsprekend iets geworden

Wie verstoken blijft van succes kan echter zijn lichaam niet 'zoethouden' met aspirine totdat het volgende succes zich aandient. Hij zal het moeten doen met wat hij heeft. In een dergelijke situatie kan chronische pijn vaste voet krijgen. Deze pijn is al even moeilijk op te

101

heffen als de situatie zelf, echter niet op grond van chemische en neurologische factoren, maar als gevolg van
gebrek aan goedkeuring en succes.

Betrokkene heeft het spel verloren. Hoewel hij zich bo-
venmatig heeft ingespannen om zijn tekortkomingen te
compenseren en roofbouw heeft gepleegd op zijn
krachten, is hij in het verliezerskamp beland. Dan ben
je geen 'winnaar' en is de pijn die het lichaam kwelt
een pijn die je niet kunt toelaten tot je bewustzijn. Maar
zelfs als je je hiervan bewust bent, kun je die pijn niet
toelaten. Zij heeft je ruggengraat geknakt en hoort daar
dan ook thuis. Niets kan haar verdrijven, want zij beli-
chaamt de waarheid.

Casusvoorbeeld: rugpijn – een overbelastingssituatie waaraan we zelf niets kunnen veranderen

Carrière maken totdat het eigenlijk je krachten te boven gaat

Laten we een vijftigjarige manager tot voorbeeld
nemen. We noemen hem Jan. Hij heeft in zijn goede
jaren – gedreven door eerzucht en tomeloze energie –
carrière gemaakt totdat het eigenlijk zijn krachten te
boven ging. In feite heeft hij zich van begin af aan op
glad ijs begeven. Jan is inmiddels ouder en milder geworden en heeft dat onstuimige verloren. Eigenlijk
hoort hij tot de 'oude garde', maar dat heeft nog niemand door; en bovendien hoeft hij het ook voor zichzelf nog niet te erkennen.

Daar komt bij dat hij de aansluiting heeft gemist. De
technologische ontwikkelingen van de laatste vijfen-
twintig jaar zijn langs hem heen gegaan. Het gevolg is
dat Jan bij zijn dagelijks werk op allerlei terreinen van
anderen afhankelijk is: hij kan zich alleen nog door zijn
routine en ervaring staande houden. Deze afhankelijk-
heid begint al bij zijn secretaresse, die met de computer overweg kan – een vaardigheid waarvan Jan geen

102

benul heeft en die hij zelfs niet wíl ontwikkelen. Op de details heeft hij allang geen zicht meer; zijn secretaresse moet hem soms zelfs uitleggen wat er achter sommige cijfers schuilgaat.

Jan kampt met aanhoudende pressie om de kosten te verlagen en zal nog personeel moeten ontslaan; hij weet echter niet goed welke gevaarlijke leemten er kunnen ontstaan als hij bepaalde mensen de laan uit stuurt. Hij heeft een team van medewerkers om zich heen die ieder op hun terrein een grondiger kennis van de materie hebben dan hijzelf. Bovendien heeft hij een plaatsvervanger die op alle terreinen van zijn functie beter is dan hijzelf; de man heeft cursussen gevolgd, specialistische kennis vergaard en bewijst op iedere vergadering zijn superioriteit. Kortom, hij maakt Jan dag in dag uit duidelijk dat hij 'het' niet meer heeft, het overzicht heeft verloren en maar beter zijn functie aan hem kan overdragen, omdat die hem eerder toekomt. Overigens denkt een groeiend aantal medewerkers er precies zo over.

De rugpijn die in deze situatie is ontstaan, heeft verscheidene lagen. Strikt genomen is deze pijn niet psychosomatisch, want zij is niet ontstaan in de psyche en evenmin in de soma. Het is een sociologisch-situationele pijn die zichzelf in de psyche tot expressie brengt door voortdurende hoofdbrekens; en in de soma als een gevoel van stijfheid en instabiliteit, in combinatie met van de belastingsgraad afhankelijke, nu eens trekkende, dan weer drukkende of stekende pijngewaarwordingen in de lendenwervels.

Jan heeft weleens van tumoren gehoord en raakt plotseling in de greep van de angstaanjagende gedachte dat hij prostaatkanker kan hebben – een aandoening die misschien al niet meer chirurgisch is te verhelpen omdat er uitzaaiingen zijn naar de lendenwervels. Hij stapt naar zijn huisarts, die hem verwijst naar de speci-

De rugpijn die in deze situatie is ontstaan, heeft verscheidene lagen

alistencarrousel. Gedurende een aantal weken heeft Jan afspraken bij allerlei medici. Uiteindelijk belandt hij bij de orthopeed, die als eerste verklaart: 'U hebt helemaal niets.' Dus vraagt Jan: 'Waarom heb ik dan voortdurend pijn, dokter? Ik kan soms nog nauwelijks lopen!' Waarop de orthopeed verklaart: 'Het zit allemaal tussen de oren.'

Er beginnen deels pijnlijke, en in elk geval moeizame behandelingen, gefocust op de wervelkolom

Nu beginnen er deels pijnlijke, en in elk geval moeizame behandelingen, gefocust op de wervelkolom. Jan wordt uitgerekt en gestrekt, gemasseerd en bestraald en slikt tevens een complete staalkaart van pillen. Op de een of andere manier helpt dat alles ook nog, tijdelijk. Zodra het therapeutische spervuur ophoudt, komt de pijn terug.

Langzamerhand begint Jan te twijfelen aan zijn gezonde verstand. Zou het dan tóch psychisch zijn? Inderdaad is er een rijtje andere symptomen die hem op het psychische vlak kwellen. Hij slaapt slecht, heeft tijdens de terugrit in de auto paniekaanvallen en krijgt dan nauwelijks lucht. Ook begint zijn hart op te spelen. Hij kan details steeds moeilijker in zich opnemen en heeft de indruk dat de 'harde schijf in zijn bovenkamer' vol is en niets meer kan opslaan. Dat er iets aan hem knaagt, waardoor hij met een zorgelijk gezicht rondloopt, hebben de mensen in zijn omgeving allang opgemerkt. Bovendien bezorgt de pijn hem een slecht humeur, vooral bij de gedachte dat hij binnenkort op straat kan komen te staan, zodat het kaartenhuis van zijn leven zal instorten.

Feitelijk heeft Jan echter geen problemen die primair van psychische aard zijn

Feitelijk heeft Jan echter geen problemen die primair van psychische aard zijn. Strikt genomen wordt pijn alleen 'psychisch' genoemd als zij in de psyche is ontstaan, misschien nog als een laat gevolg van een gebeurtenis uit het verre verleden die alsnog moet worden verwerkt. Jan heeft die pijn echter niet zelf uitgezocht; hij heeft haar niet nodig om zijn stabiliteit te behouden of een ander defect te compenseren. Hij hééft niets te verwerken en is eenvoudigweg overbelast.

De oorzaken van zijn pijn zijn gemakkelijk te benoemen. Aan de ene kant is er zijn bedrijf, dat hem heeft opgezadeld met de noodzaak mensen te ontslaan, ook al werken ze nog zo goed. Het is zijn firma die toelaat dat zijn plaatsvervanger steeds maar aan de poten van zijn stoel zaagt. Het is het gedrag van deze plaatsvervanger, iemand die in zijn streven naar macht over lijken gaat en dagelijks psychoterreur uitoefent. Het is de samenleving waarin de pijnpatiënt leeft, een samenleving die het 'ruimen' van ervaren, maar kostbaar personeel bepleit zodra dit personeel begint te vergrijzen. En dan zijn er de vele mensen voor wie de pijnpatiënt zich verantwoordelijk voelt: zijn vrouw, die niet rechtstreeks bijdraagt aan de inkomsten, de kinderen die allemaal studeren, zijn moeder in het verpleeghuis. Wat zal er allemaal gebeuren als hij faalt en zelf de laan uit wordt gestuurd? Hij heeft zichzelf met al zijn harde werken en kortzichtigheid in een situatie gemanoeuvreerd waarin hij vanwege zijn rugpijn geen warmte en troost meer ervaart, omdat hij voor iedereen een symbool is van kracht – kracht die inmiddels plaats heeft gemaakt voor holle leegte. Zijn slanke, elegant geklede vrouw, die nu om zijn pijn moet glimlachen met de woorden: 'Geen wonder, je bent tenslotte veel te dik geworden', zal giftig worden als hun bestaan ineenstort doordat hij zijn baan verliest. Het respect dat hij op zijn werk niet geniet, zal plaatsmaken voor minachting als het eenmaal met hem gedaan is. Iets dergelijks, maar in afgezwakte vorm, zal hij van zijn kinderen en vrienden ervaren.

In deze situatie is de pijn die Jan ervaart slechts een fysieke uiting van omstandigheden. Het is niet zijn verstand, dat zich hier manifesteert, noch is het zijn lichaam: het is zijn onderbewustzijn. Dit kan immers

Jan hééft niets te verwerken: hij is eenvoudigweg overbelast

Hij kan nu alleen nog maar mislukken

niet spreken, zodat het zich alleen via het lichaam tot expressie kan brengen. Het zegt in feite: 'Je onderrug, die je lichaam en ook je persoonlijkheid draagt – die zelf een dragende functic uitocfcnt – is onder druk komen te staan en dreigt nu te breken. Als je heel wilt blijven, dien je het een en ander te veranderen. Echter niet in jezelf, maar in je omgeving, waar het kwaad zit.' Ik zeg onderbewustzijn, maar pijn is ook zoiets als een geweten. Want alles wat tot nu toe werd gezegd, kan ook op een andere manier worden bekeken. Het is een subjectief standpunt dat weer vaak door het verstand wordt gerelativeerd. Natuurlijk is het erg dat zijn vrouw geen betaald werk doet en hem dus in deze noodsituatie niet kan helpen. Echter, heeft hij het niet van begin af aan zo ingericht dat hijzelf alle lasten moest dragen? Heeft hij zich niet steeds gekoesterd in het besef dat hij de rots in de branding was, de kostwinner voor zijn hele gezin? Was hij niet op grond van deze economische machtspositie de baas in huis? Heeft hij – soms – zijn kinderen niet met kostbare bijlessen zover gekregen dat ze gingen studeren, opdat hij later met hen zou kunnen pronken? **Strikt genomen is de pijn hier de keerzijde van de medaille** – het inzicht dat hoogmoed voor de val komt. Overdaad schaadt! De verantwoordelijkheid voor deze pijnlijke situatie ligt uiteindelijk bij Jan zelf, en zijn pijn maakt hem er scherp van bewust dat hij de boel heeft verprutst.

In een dergelijke situatie komen er relatietherapeuten, gezinstherapeuten, maatschappelijk werkers of – bij een faillissement – curatoren in actie. De ideale maatschappelijk werker zou er een zijn die, uitgerust met goddelijke bevoegdheden, als eerste naar de directie van de werkgever stapt met de boodschap: 'Houd er eindelijk eens mee op Jan te bevoogden! Hij kent het bedrijf door en door en weet precies hoe hij zijn mensen moet inzetten. Pres hem niet om goede medewerkers te ontslaan die de firma hard nodig heeft. Als het bedrijf te klein is voor zoveel personeel, zorg dan dat het wordt uitgebreid door de sluimerende krachten van de medewerkers te wekken! U zult nieuwe opdrachten binnenhalen. Niemand kan dat beter dan Jan, dus laat hem in alle rust zijn werk doen.'

De ideale maatschappelijk werker zou met goddelijke bevoegdheden moeten zijn uitgerust ...

Vervolgens zal deze maatschappelijk werker met Jans plaatsvervanger gaan praten en zeggen: 'Ik weet het, het liefst zou jij Jan als een kikker onder de wielen van je BMW willen pletten. Als jij echter niet ophoudt hier de koningsmoordenaar te spelen, kun je je biezen pakken. Gebruik liever je talenten zodanig dat iedereen hier er iets aan heeft. Dan hoeven de mensen zich ook niet voortdurend het hoofd te breken over een manier om de firma gezond in te krimpen.'

Ook brengt hij een bezoek aan Jans gezin. Tegen zijn echtgenote zal hij zeggen: 'Ga toch werk zoeken, met je luie kont!' En tegen de kinderen zal hij zeggen: 'Als jullie willen studeren, doe je dat maar op eigen kracht. Zoek een bijbaantje als serveerster of vakkenvuller. Als je een beetje pit in je lijf hebt, teer je niet op de zak van je oude vader als de man de lasten bijna niet meer kan dragen.'

Tot slot praat deze maatschappelijk werker met Jan zelf om hem verslag te doen van de laatste ontwikkelingen. Onder het luisteren merkt Jan opeens dat er een last van hem afvalt. In zijn wervelkolom begint het te tintelen en alles wordt open en warm. De pijn is verdwenen. Helaas, daar deze 'goddelijke' maatschappelijk werker niet bestaat, zal Jan vroeg of laat 'knakken' en alles verliezen, vooral ook zijn besef van eigenwaarde. In de loop der jaren verandert hij dan in een verliezer, een chronische pijnpatiënt. Misschien maakt hij wel zijn beroep van de pijn; dan bezoekt hij congressen en bijeenkomsten van pijnpatiënten, maakt een studie van de raadselachtige dwalingen en verwarringen van de alternatieve en de reguliere geneeskunde, en verbaast zich ten slotte over de ongelooflijk lastige en complexe aard van zijn geval, gezien vanuit fysisch-chemisch en/of neurofysiologisch gezichtspunt. Als hij geluk heeft, sterft hij niet aan de gevolgen van deze of gene pijnbehandeling.

De pijnpatiënt – iemand wiens pijn is ontstaan uit een complexe situatie

Dit boek is bedoeld om te voorkomen dat het zover komt. 'Zelfkennis is de voornaamste weg naar genezing', zegt een oude wijsheid. In ons geval betekent dit dat we onszelf als pijnpatiënt niet als een defecte auto gaan beschouwen, een voertuig dat niet meer door de APK-keuring komt, maar als iemand wiens pijn is ontstaan uit een complexe situatie. De kern ervan bestaat uit de eisen die we aan onszelf stellen, naast de eisen van anderen waaraan we willen voldoen. In principe komt het neer op de oude vraag: 'Houdt er wel iemand van mij?' De oplossing bestaat er veelal uit dat we onszelf aan het verstand brengen dat de mate waarin er van ons gehouden wordt niet door onszelf kan worden beïnvloed. Al spannen we ons nog zo geweldig in, liefde kunnen we niet kopen. Waarom zouden we ons dan voor anderen overmatig belasten? Zelfs erkenning van anderen komt zelden voort uit de intensiteit waarmee we ons voor iemand of een goede zaak inzetten; het komt meer voort uit de indruk van die anderen dat we met beide benen op de grond staan en rustige, duidelijke beslissingen nemen.

Daarom is het vinden van het antwoord op de vraag wat en wie we nu eigenlijk zijn de eerste stap naar zelfkennis; en dat ontdekken we het beste door na te gaan welke dingen ons bevallen. Laat van nu af aan 'Ik geef gehoor aan mijn wensen' je devies zijn; en schaam je er niet voor, als andere mensen een mislukkeling in je zien. In plaats van macht toe te kennen aan de mening van anderen, kunnen we beter het advies van de Indiase denker Shankara ter harte nemen, die eens heeft ge-

Laat voortaan je devies zijn: 'Ik geef gehoor aan mijn eigen wensen'

zegd: 'Voor de wijze is de hele wereld een leraar, waar de nar slechts oog heeft voor een heel universum vol vijanden.'

Vaak zijn een verkeerd begrepen, onverhuld egoïsme en arrogantie de basis van pijn. Ze wortelen in een extreem zelfzuchtige samenleving, bestaande uit egoïstische bedrijven, medewerkers en familieleden, die hun wandaden puur uit egoïsme begaan. Hoe staat het echter met Jan zelf? Waren het niet zijn eigen egoïsme, arrogantie en verwaandheid die hem ertoe hebben verleid zijn leven zo in te richten als het was? Had hij er niet van genoten om als grootverdiener neer te kunnen blikken op al die 'verliezers' die hij in de loop van zijn carrière heeft ontmoet? Heeft hij niet een vrouw uitgezocht die leuk was om te zien, een beschaafd voorkomen had en hem een zeker aanzien verschafte, zoals ook geldt voor zijn kinderen? Heeft hij niet graag als de 'baas' door het bedrijf gewandeld en zijn voorhoofd geërgerd gefronst als stommiteiten, luiheid en gebrek aan doelgerichtheid van medewerkers zijn opmars naar de directiekamers verhinderden? Superioriteitsgevoelens creëren het gevaar je 'boven anderen verheven' te voelen en je te 'vertillen' aan de last die je daarmee op je neemt.

Belangrijk voor het doorgronden van pijn: de psychische functie van een lichaamsdeel

Als we de aard van een pijn willen doorgronden, leren we volgens mij het meest van de symbolische functie van het desbetreffende lichaamsdeel. Het kan een uitgesproken symboliek zijn, of een die minder voor de hand ligt.
Laten we het kniegewicht nog eens als voorbeeld nemen. Het valt ons dadelijk op dat het net als de wer-

Vaak zijn een verkeerd begrepen, naakt egoïsme en arrogantie de basis van pijn

Als we de aard van een bepaalde pijn willen doorgronden, leren we volgens mij het meest van de symbolische functie van het desbetreffende lichaamsdeel

velkolom een basisvoorwaarde is voor het vermogen om rechtop te lopen. De knie vervult een belangrijke rol als we zijn gestruikeld en weer opstaan. Ook helpt zij ons een moeilijke situatie te 'doorstaan', en bovendien heeft zij een belangrijke functie bij een 'knieval'. De knieën zijn ervoor verantwoordelijk dat iets 'verder gaat'; ze helpen ons om weer 'in de pas' te gaan lopen en houden ons overeind als iemand ons 'voor de schenen schopt'. De diepere betekenis van de knieën moet dus niet zozeer worden gezocht in het handhaven van de werkelijke toestand, als wel in crisissituaties waarin het 'kleed onder onze voeten wordt weggetrokken'.

Zulke ingrijpende veranderingen worden het slechtst verdragen door mensen die in de homeopathie *calcium-typen* worden genoemd. Daarom hebben *calciumoplossingen* ook in de homeopathische pijnbehandeling een grote betekenis, ook bij alle aandoeningen van het kniegewricht.

Daarentegen komt de rug de taak toe om de belasting van de feitelijke toestand te (ver-)dragen. Allereerst denken we hier aan een middel als *Rhus toxicodendron*, wanneer sterke gevoeligheid voor kou en tocht tot stijfheid en rusteloosheid leidt. Vaak helpt de spreektaal ons ook in dit opzicht verder. Waar komt de stijfheid bijvoorbeeld vandaan? Is het misschien een mentale starheid die op de proef wordt gesteld? Of zijn de zenuwen gespannen als pianosnaren omdat we ons standpunt niet tot gelding kunnen brengen? In dat geval denken we aan *Kalium*. Of is het de verkramptheid van een overbelast kind, dat liever voor iemand kruipt dan voor zichzelf op te komen? In dat geval denken we aan *magnesium*. Als de stijfheid en rusteloosheid voortkomen uit het feit dat betrokkene er serieus rekening mee moet houden dat hij elk moment een schop onder zijn achterste kan krijgen, of als de rug eigenlijk al de dolksteek van verraad voelt, is *Rhus toxi-*

110

codendron de beste keus. Dit is namelijk de toestand die het beste overeenkomt met de psychische symptomen die bij experimenten met dit homeopathische (in principe giftige) middel aan het licht zijn gekomen.
Dit alles maakt het ook begrijpelijk waarom homeopathische middelen zo zelden met succes worden aangewend. De feitelijke samenhangen worden door de pijnpatiënt zelf in de regel net zomin onderkend als door de therapeut, die hem slechts oppervlakkig kent en die de betekenis van belastende invloeden moeilijk kan inschatten, áls hij er al iets over hoort.
Als we echter min of meer toevallig toch op het juiste middel zijn gestuit, zal de werking ervan onmiddellijk effect sorteren, bijna alsof er tovenarij in het spel is. De pijn verdwijnt op slag en de psyche begint zich te bevrijden van de veel te zware druk, in de regel door grenzen te stellen teneinde in de toekomst dit conflict te vermijden. Het *kalium-type* wordt ontvankelijker en verdraagzamer; het *magnesium*-type krijgt zelfvertrouwen en voelt zich tegen zijn taken opgewassen; en het *Rhus*-type matigt zijn eerzucht en gaat op zoek naar een andere baan, waarin hij niet langer door de massa wordt gedwarsboomd. Op deze manier helpt homeopathie in gevallen waarin inhouden van het onderbewustzijn er slechts op wachten bewust te kunnen worden.
De zelfkennis die we uit de symboliek van het pijnlijke lichaamsdeel kunnen puren, staat bij dit geneessucces voorop, hoewel dit succes ook door middel van psychologische of meditatieve geneeswijzen kan worden bereikt. Hierbij wordt vooral gebruikgemaakt van zinswendingen en spreekwoorden uit de volkstaal.
Wat is pijn in de hartstreek? Afgezien van doorbloedingsstoornissen bij gevorderde verkalking van de kransslagaderen, waarbij de pijn een schreeuw om hulp van het aan zuurstofgebrek lijdende hartweefsel kan

De feitelijke samenhangen worden door de pijnpatiënt in de regel net zomin onderkend als door de therapeut

Homeopathie helpt in gevallen waar het onderbewuste er slechts op wacht bewust te kunnen worden

111

zijn, kennen we ook 'pijn in het hart' als het hart gezond is.

In de loop der eeuwen zijn er heel wat uitdrukkingen ontstaan die op gevoelsinhouden betrekking hebben, zoals liefde en smartelijk verlangen (die tegenwoordig veel minder vaak voorkomen). Als iemand in onze tijd zijn of haar 'hart breekt', behoort betrokkene tot een kleine minderheid. Dat komt doordat moderne mensen veel minder vaak hun hart aan iemand schenken (het wordt hoogstens 'uitgeleend'), en zeker niet als er ook maar de geringste twijfel bestaat aan de mogelijkheid het terug te krijgen. In een zelfzuchtige en voornamelijk op tijdelijke deelgenootschappen gegronde samenleving worden harten nauwelijks nog in ontvangst genomen.

Tegenwoordig treedt dan ook de pompfunctie van het hart in de omgangstaal meer op de voorgrond: het prestatievermogen. Het hart is de 'motor van het leven' en het fysieke bestaan; en wie eraan twijfelt of hij nog wel opgewassen is tegen dit leven, staat kandidaat voor een hartinfarct. Het eerste symptoom is pijn in de hartstreek bij belasting. Vaak echter maakt een 'stil hartinfarct', waarbij we pas door de feitelijk verminderde prestaties van het hart attent worden op de opgelopen schade aan het hart, duidelijk hoezeer we behept zijn met de waan dat we beter moeten presteren dan binnen onze vermogens ligt, zodat we onze pomp moeten overbelasten.

Het hart is de 'motor van het leven' en het fysieke bestaan; en wie eraan twijfelt of hij nog wel opgewassen is tegen dit leven, staat kandidaat voor een hartinfarct

De elf belangrijkste behandelmethoden – met tips voor zelfbehandeling

De traditionele Chinese geneeskunst (TCG)

De Chinese beschaving behoort tot de oudste van de mensheid; en de pijnbehandeling volgens oud-Chinese recepten of technieken is de oudste die ons ter beschikking staat. De acupunctuur is, zoals de vondst van stenen naalden heeft bewezen, op zijn minst tienduizend jaar oud. Vermoed wordt zelfs dat moxabranden, 'acupunctuur' waarbij een pijnlijke plek werd verhit door een klompje brandend hars of bladeren dat direct op te leggen, nóg ouder is. Ook het spoor van de Chinese kruidengeneeskunst verdwijnt in de grauwe nevelen van de prehistorie. Het oudste systematische en zeer gedifferentieerde systeem in de Chinese geneeskunst gaat terug op Lao Tse (5e eeuw voor Christus), de 'vader' van het taoïsme.

Volgens de TCG circuleert de levensenergie door twaalf meridianen in het lichaam die kanalen zijn voor de yin- óf yang-energie en paarsgewijs verlopen. Door stimulering van een bepaald punt op zo'n meridiaan is het mogelijk om ook verderaf gelegen lichaamsgebieden te behandelen, met inbegrip van de inwendige organen. Dit komt doordat de organen met de meridianen in verbinding staan.

De pijnbehandeling volgens oud-Chinese recepten is de oudste die ons ter beschikking staat

Wat ooit is begonnen als het eenvoudigweg stimuleren van pijnlijke plekken met behulp van naalden of moxabranden maakt in onze tijd deel uit van een buitengewoon complex denkraam. Het is daarom pas na jarenlange studie en praktijk mogelijk om de acupunctuur doelgericht en effectief te beoefenen.

De traditionele Chinese geneeskunst is een zelfstandige, complexe wetenschap

De traditionele Chinese geneeskunst is een zelfstandige wetenschap, en als we haar als Europeaan willen leren beheersen, zullen we in de regel onze cultuur (tijdelijk) de rug moeten toekeren om ons leven van de grond af aan opnieuw op te bouwen. De vraag is of dit eigenlijk wel mogelijk is. Bovendien dringt zich dan de vraag aan ons op in hoeverre de oude recepturen, die voor andere mensen in ook totaal andere omstandigheden waren bedoeld, *überhaupt* een oplossing kunnen zijn voor onze problemen.

De puristen verdedigen het standpunt dat we ons met huid en haar aan deze geneeskunst moeten overgeven

Op die vraag worden meestal twee verschillende antwoorden gegeven. De puristen verdedigen het standpunt dat we ons met huid en haar aan deze geneeskunst moeten overgeven. Bij voorkeur moet de therapeut dan uit China zelf afkomstig zijn en daar een jarenlange praktijkopleiding hebben genoten. Of de Europeaan moet op zijn minst de moedige stap hebben gezet om zich in dat verre land te vestigen om daar persoonlijk ervaringen op te doen. De patiënt in Europa kan het beste zijn heil zoeken in een TCG-kliniek, het liefst een die geheel volgens de Chinese ideeën is ingericht, en hij of zij richt zich ook innerlijk en in zijn levenswijze op de ideeënwereld van deze oude beschaving.

Daarentegen beperken de eclectici zich ertoe om uit de TCG datgene te kiezen wat hen zelf het beste bevalt. Zij zoeken in een leerboek een beperkt aantal acupunctuurpunten uit en steken, als de patiënt dat wil, naalden in een paar punten die in aanmerking lijken te komen. Per slot van rekening kan er privé worden afgerekend en is dit wat de patiënt zelf ook wil. De realiteit wijst uit dat een patiënt zich liever aan 'een beetje acupunctuur' onderwerpt dan bovendien ook allerlei vreemd smakende aftreksels te moeten drinken, dieetvoorschriften in acht te nemen en zich te verdiepen in deze vreemde mythologie.

Ik beschrijf dit conflict – dat in beginsel door iedere rijpere geneeswijze wordt opgeroepen – hier zo uitvoerig om aan te geven hoe gemakkelijk wij en anderen onszelf iets wijsmaken als het om therapieën gaat. De therapeut wendt kennis voor die hij in deze omvang in geen geval bezit. Vaak is het een huisarts die daarnaast nog wat acupunctuur wil beoefenen om de portemonnee – die door de ziektekostenverzekeringen steeds kariger wordt gevuld – wat bij te spekken. Om de schijn van charlatanerie te vermijden volgt hij een paar cursussen, zodat hij in zijn spreekkamer een certificaat of diploma kan ophangen dat duidelijk maakt dat hij 'acupunctuurexpertise' bezit. Als hij succes wil hebben, zal hij zich echter grondiger in de materie moeten verdiepen. Hij behoort op zijn minst de redeneringen die leiden tot de keuze van allerlei acupunctuurpunten, te kennen. Daarbij komt ook in de TCG de anamnese, gevolgd door het lichamelijk onderzoek. Dat kan hij overigens niet zo verrichten als hij eerder op de medische faculteit heeft geleerd. Hij moet namelijk acht slaan op andere indicaties en tekenen om te kunnen onderscheiden of het om een toestand van te veel energie of juist te weinig energie gaat, of om gebrek aan evenwicht tussen de verschillende organen en nog veel, veel meer. Zo zou hij zich allereerst de Chinese kunst van de pols voelen, waarbij grote betekenis wordt gehecht aan verschillende karakteristieken van de polsslag, eigen moe-

Hoe gemakkelijk maken wij en anderen onszelf iets wijs als het om therapieën gaat!

ten maken. Ook zal het niet meer voldoende zijn een beslagen tong als ziektesymptoom te beoordelen, want nu moet hij erover nadenken wat een dikke tong van een dunne onderscheidt, of een gladde van een ruwe, of een witte van een rode – en nog veel meer.

Echter, ook de patiënt misleidt zichzelf als hij even snel een behandeling van een acupuncturist wil krijgen. Per slot van rekening kan hij zelf op zijn vingers natellen dat hij van zijn huisarts niet mag verwachten dat deze een geneeswijze uit een totaal andere cultuur tot in de fijnste details begrijpt. Hij zou eigenlijk dienen te weten dat ook een natuurgenezer die op een website reclame voor zichzelf maakt door vijftig verschillende therapievormen aan te bieden, waarbij terloops ook TCG en de homeopathie worden genoemd, op deze terreinen hoogstens over beginnerskennis kan beschikken. Voorts dient hij te weten dat genezing van iedere patiënt innerlijke betrokkenheid verlangt. Die betrokkenheid begint met basisinteresse voor een bepaalde geneeswijze. Je leest een boek over dat onderwerp, verdiept je er verder in en stapt dan naar een therapeut van wie je mag veronderstellen dat hij deze geneeswijze werkelijk beheerst. Innerlijke betrokkenheid betekent dan ook dat je consequent blijft komen, om de natuurgeneeswijze de kans te geven in overeenstemming met haar eigen wetten te functioneren door je daaraan te houden. Met 'een beetje' acupunctuur laat een pijn die chronisch is of al langere tijd heeft bestaan zich echt niet verhelpen.

Genezing verlangt van iedere patiënt innerlijke betrokkenheid

Met 'een beetje' acupunctuur laat een pijn die chronisch is of al langere tijd heeft bestaan zich echt niet verhelpen

Acupressuur

In de eerdere hoofdstukken maakte ik er al melding van dat de overmatige gevoeligheid van acupunctuurpunten een indicatie is voor een stoornis in het gebied van de desbetreffende meridiaan – een energiebaan die in verbinding staat met een of meer organen. In de acupressuur, een variant van acupunctuur waarbij de punten met druk van de vingertoppen worden gestimuleerd, leidt deze doelgerichte prikkeling tot een overstroming van energie. Als we dan met de puntmassage stoppen, is de pijn over het algemeen afgenomen en voelt de patiënt zich beter.

Nu luidt de principiële vraag of we ons bij zelfbehandeling moeten beperken tot acupressuur. Talrijke adviesboeken over dit thema bevatten informatie over de afzonderlijke punten, alsmede zelfbehandelingsadviezen. Er zijn mensen die met acupressuur meer succes hebben dan therapeuten die dezelfde punten met hun acupunctuurnaalden stimuleren. In beide gevallen is het tenslotte zo dat een doelgerichte pijn in de omgeving van dit punt werking op afstand heeft. Wie als pijnpatiënt bereid en in staat is nog meer pijn te verdragen, kan veel baat hebben bij deze therapievormen.

Voor je je intensief gaat bezighouden met acupressuur, zou je op je gemak eerst eens moeten nagaan of deze therapievorm voor jou persoonlijk wel geschikt is. Betast de pijnlijke plek en zoek naar extragevoelige punten. Zet er nu de vingertop van de wijsvinger en daarboven de middelvinger op en begin het punt dan met een lichte cirkelvormige beweging onder steeds sterkere druk te masseren. Ook de duimtop is voor deze massage geschikt. Opgelet: nooit op een operatielitteken of spatader masseren! Tijdens een zwangerschap moet worden vermeden de onderbuik te masseren. In de omgeving van de lymfklieren behoort de acupressuur uiterst zacht te zijn. Je doet het in totaal een tot twee minuten, en in geen geval langer dan vijf minuten.

Als je geen sterk gevoelig punt hebt gevonden, kun je het eens proberen met acupressuur aan de oorschelp. Die is in feite een miniatuurafspiegeling van het menselijk lichaam, waarbij het lichaam op zijn kop lijkt te staan. De oorlel vertegenwoordigt het hoofd en het ge-

Voor je je intensief gaat bezighouden met acupressuur, zou je op je gemak eerst eens moeten nagaan of deze therapievorm voor jou persoonlijk wel geschikt is

117

zicht. Van hieruit loopt de ruggengraat via de kraakbenen binnenrand van het oor naar boven. Masseer dit gedeelte onder het uitoefenen van lichte druk met een cirkelvormige beweging over het kraakbenen ovaal rond de gehoorgangsopening.

Je zult je nu afvragen of de richting waarin de cirkelvormige beweging wordt gemaakt een rol speelt. Dat blijkt inderdaad zo te zijn. Bij massage tegen de klok in wordt deze acupressuur als kalmerend ervaren. Het teveel aan energie wordt afgevoerd uit het lichaam. Deze massagerichting wordt toegepast bij acute aandoeningen, nervositeit of als de acupressuurpunten uiterst gevoelig zijn. Als je denkt dat je tekort hebt aan energie, is het beter om mét de wijzers van de klok mee te masseren. De energiestroom wordt dan gestimuleerd en de yang-energie wordt erdoor versterkt. Patiënten met chronische pijn hebben baat bij acupressuur met de klok mee.

Ik heb
waargenomen
dat patiënten
met chronische
pijn acupressuur
vaak slecht
verdragen

Anderzijds heb ik waargenomen dat patiënten met chronische pijn een acupressuurbehandeling vaak slecht verdragen en er bovendien slechts een geringe vermindering van de pijn door ervaren. In het begin dacht ik dat het aan mezelf lag, maar toen hoorde ik op cursussen dat anderen dezelfde ervaring hadden opgedaan. Pas later is me duidelijk geworden dat continue pijnen als het ware de menselijke accu, zijn levensenergie, aftappen. Dit is een toestand die niet te vergelijken is met die van iemand die zich heeft vertild, of 'die het in de rug is geschoten'. Zo'n patiënt lijdt onder een opstuwing van energie in een bepaald lichaamsgebied en kan door één enkele acupunctuurnaald op de juiste plek van zijn pijn worden bevrijd. Bij patiënten met chronische pijn zijn er echter duidelijke indicaties voor een gebrek aan yang-energie in de nieren: de bleke gelaatskleur en de innerlijke koude, de bleke tong en de zwakke pols wijzen erop dat de bron van warmte en levensenergie in het lichaam onvoldoende werkt. Deze toestand laat zich het beste verhelpen door doelgerichte warmtetoevoer via punten op de niermeridiaan en is juist aan te bevelen bij patiënten met chronische pijn. De niermeridiaan loopt langs de binnenkant van het been omhoog en zet zich voort over de buik, langs de navel, en verder over de borst tot aan het sleutelbeen. Iedere stimulatie in het traject van deze meridiaan kan een dergelijke nierzwakte positief beïnvloeden. Voor de leek die de voorkeur geeft aan zelfbehandeling, is warmtetoevoer via diverse acupunctuurpunten in de omgeving van het binnenste bot gunstig als deze punten bijzonder pijnlijk op druk reageren. Omdat het hier warmtetoevoer betreft, hoeft de lokalisering van het punt niet al te nauwkeurig te zijn.

Doelgerichte warmtetoevoer via punten op de niermeridiaan is aan te bevelen bij patiënten met chronische pijn

Het hoofdpunt is Nier 3, bijgenaamd 'Grote Beek'. Het ligt aan de binnenzijde van de voet, exact horizontaal, halverwege het hoogste punt van het enkelbot en de achillespees. Tast eerst het gebied met genoeg druk af en voer warmte toe via de plek die onder druk het pijnlijkst is.

Stap een apotheek binnen die (ook) middelen voor natuurgeneeswijzen verkoopt en vraag naar geurarme moxasigaren. Tast dan thuis de gevoelige punten af. Steek de punt van de sigaar aan tot hij gloeit. Breng de gloeiende punt dicht bij de gevoelige acupunctuurpunten en houdt hem daar totdat de warmte voelbaar wordt. Als de plek te heet wordt, trek je de punt van de sigaar wat terug. Herhaal deze procedure tien keer.

Moxabranden bij pijngevoelige punten

'Luister' scherp naar het inwendige van je lichaam en behandel alleen overgevoelige ('geactiveerde') punten. In principe kun je alle plekken die pijngevoelig zijn met moxabranden behandelen, maar in geen geval op behaarde plaatsen en het hoofd.

119

Beproefde acupunctuurpunten voor pijnbehandeling
De TCG kent geen op zichzelf staande pijngevoelige punten. De pijn is altijd een bestanddeel van de grote samenhang. Er is ergens een teveel of tekort aan verschillende elementen of aan yin of yang ontstaan. Toch kan stimulering van de volgende 'pijnpunten' (gegroepeerd per lichaamsgebied) verlichting geven.

Bij *pijn in het been of kniegewricht* Maag 36. Dit punt ligt drie vingerdikten onder de onderste rand van de knieschijf en een vingerdikte aan de buitenzijde van de scheenbeenrand.

Stimulering van diverse 'pijnpunten'

Bij *hoofdpijn of pijn in het gezicht*: Dikkedarm 4. Dit punt bevindt zich, als we de duim en wijsvinger tegen elkaar aan leggen, in de hoekpunt tussen de eerste twee middenhandsbeentjes, op de rug van de hand.

Volgens Bucek is een acupunctuurpunt dat geschikt is *voor de behandeling van alle soorten pijn* (reden waarom dit het 'meesterpunt' wordt genoemd) Blaas 60. Dit punt ligt halverwege de buitenzijde van het enkelbot en de achillespees en is voor moxabranden goed bereikbaar.

Als we niet exact weten waar de aandoening zetelt en de patiënt *wisselende klachten* heeft, lijken drie acupunctuurpunten zich uitstekend te lenen voor behandeling met moxabranden: Galblaas 30, Lever 2 en Lever 3. Tast hiertoe een grote botknobbel ter hoogte van het dijbeenbot (*trochanter major*) af. Op het verst uitstekende deel ligt Galblaas 30. Het wordt tevens als meesterpunt beschouwd voor de behandeling van *ischias* en *verlammingen van het been*.

Lever 2 ligt op de buitenrand van het groteteengewricht; en Lever 3 ligt een teenkootje hoger. Ook nu is het nuttig om in dit gebied vooraf door drukkend aftasten het pijngevoeligste punt te lokaliseren. Verwarm dit punt met de moxasigaar. Door verwarming van het hele gebied zullen deze punten – anders dan bij onjuist ge-

120

plaatste naalden – altijd tot op zekere hoogte positief worden gestimuleerd. Beide leverpunten zijn geschikt voor de behandeling van *hoofdpijnen* en *krampen*. Lever 2 is ook een geschikt punt bij *onwillekeurige spiertrekkingen* (tics) in deze lichaamsgebieden.

Pijnpunten bij hoofdpijnen en krampen

In de regel wordt bij bepaalde klachten de voorkeur gegeven aan een combinatie van punten, die bekend zijn om hun grote werking. Daarom hier een aantal voorbeelden, hoewel de desbetreffende punten voor het merendeel vooral geschikt zijn voor acupressuur, maar niet voor moxabranden. De meeste punten zijn op de schetsen aangegeven.

Nekpijn

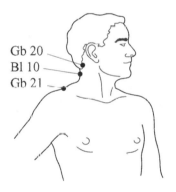

Gb 20: In de nek aan de rand van de haargrens in een kleine 'groef'
Bl 10: Een duimbreedte achter en onder Gb 20
Gb 21: Op het hoogste punt van de schouder, in het hart van de trapeziumvormige spier

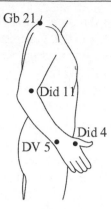

Pijn in schouder of elleboog

DV 5: Twee duimbreedten achter de polsplooi op de handrug
Did 4: Tussen duim en wijsvinger, op de hoek tussen de eerste twee middenhandsbeentjes
Did 11: Buitenkant elleboogsplooi, op hoogste punt van spierknobbel

Pijn in lendenwervels en heiligbeen

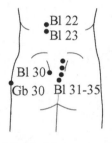

GB 30: Op hoogste punt van dijbeenbot, ter hoogte van de heup
Bl 40: In het hart van de knieholte
Bl 22: Tussen de 1e en 2e lendenwervel, anderhalve duimbreedte naast het midden
Bl 23: Tussen de 2e en 3e lendenwervel, idem

Bl 30: Net naast het heiligbeen, in het onderste derde deel van het heiligbeen
Bl 31: In de holte van het heiligbeen
Bl 32: Een duimbreedte onder Bl 31
Bl 33: Een duimbreedte onder Bl 32
Bl 34: Een duimbreedte onder Bl 33
Bl 35: Op de buitenrand van het stuitje

122

Pijn in de heupen

GB 30
Achter de heupgewrichtskogel op
de bilspier

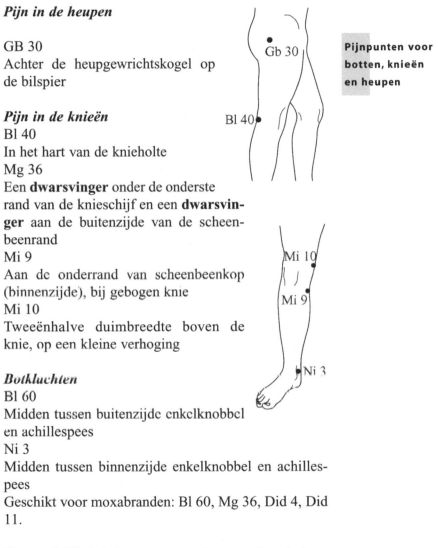

Pijnpunten voor
botten, knieën
en heupen

Pijn in de knieën
Bl 40
In het hart van de knieholte
Mg 36
Een **dwarsvinger** onder de onderste
rand van de knieschijf en een **dwarsvinger** aan de buitenzijde van de scheenbeenrand
Mi 9
Aan de onderrand van scheenbeenkop
(binnenzijde), bij gebogen knie
Mi 10
Tweeënhalve duimbreedte boven de
knie, op een kleine verhoging

Botklachten
Bl 60
Midden tussen buitenzijde enkelknobbel
en achillespees
Ni 3
Midden tussen binnenzijde enkelknobbel en achillespees
Geschikt voor moxabranden: Bl 60, Mg 36, Did 4, Did 11.

Vermoedelijk heb je nu wat ervaring met deze behandelmethode opgedaan. Indien je succes hebt gehad met zelfbehandeling, ben je klaar voor een uitgebreidere en meer nauwkeurige behandeling door een therapeut die zich in de TCG heeft gespecialiseerd.

Plantaardige therapie

Als pepermuntolie bij de behandeling van hoofdpijn zo effectief is, zoals al werd opgemerkt in het begin van dit boek, hoe is het dan gesteld met andere plantaardige artsenijen?

Om te beginnen dient erop te worden gewezen dat je ook op dit gebied het risico loopt genadeloos om de tuin te worden geleid. Immers, waar een aspirientje al niet in staat is om, zoals de televisiespots suggereren, binnen seconden verlichting van pijn te verschaffen, geldt dat voor geneeskrachtige kruiden nog veel meer. Alleen door regelmatig innemen kan een bepaalde werkingsspiegel worden opgebouwd. Omdat dit een proces is dat meestal dagen of zelfs weken in beslag neemt, zijn aanbevelingen van therapeuten om het eens met een kruidenartsenij te proberen zonder deze instructie nutteloos. De Ouden, die uit plantenkooksels extracten haalden, waren zich hiervan bewust. Zij kenden de werkzaamheid van kruiden, maar hadden niet de reputatie dat zij loze beloften deden over 'snelle' werking.

Al even onoprecht is de steeds weer gehoorde bewering dat alles wat plantaardig is beslist onschadelijk zou zijn. Dit is veel te kort door de bocht. We kunnen weliswaar aannemen dat organische artsenijen, gewonnen uit in de natuur groeiende planten, een innerlijke verwantschap met organismen als het onze bezitten (een eigenschap die in farmaceutische middelen bijna altijd ontbreekt), maar dit is nog lang geen garantie voor onschadelijkheid, zoals de giftigheid van allerlei planten, van vliegenzwam tot dollekervel, bewijst.

Feitelijk is het zo dat de meeste plantaardige geneeswijzen tegen pijn krachtige bijwerkingen kunnen hebben. Per slot van rekening zijn het de voorlopers van de pillen van de farmaceutische industrie, met dien ver-

Met geneeskrachtige kruiden kan alleen door regelmatig innemen een bepaalde werkingsspiegel worden opgebouwd

Niet alles wat plantaardig is, is per se onschadelijk!

124

stande dat de natuur er ook nog allerlei andere, meestal onbekende stoffen aan heeft toegevoegd. Zelfs een al eeuwen zo intensief gebruikte plant als de papaver, waaruit opium wordt gewonnen, is nog altijd niet volledig in de laboratoria geanalyseerd, zodat er nog raadsels overblijven. In principe koop je dus altijd een kat in de zak als je het met plantaardige middelen probeert. Overigens zijn van de kruiden die al eeuwen en eeuwen in gebruik zijn geweest ook de meeste bijwerkingen bekend. Waar het de geneeswijze met planten betreft, zijn gelovige mensen het beste af (menen zij). Al sinds oeroude tijden bestaat het geloof dat er tegen iedere kwaal een kruid gewassen is. Als de wereld inderdaad geschapen is, zal elk organisme (schepsel) een nauwkeurige gedefinieerde plaats in het geheel hebben; en als een organisme lijdt, is er altijd een ander organisme voorhanden waarmee dit lijden kan worden verlicht. Een kruidenartsenij is dan een hemelse gave. Aan de andere kant heeft het conflict tussen kruidkundige 'heksen' en de in dit opzicht tamelijk naïeve (lees onwetende) Kerk uit de middeleeuwen ons geleerd dat geloof en natuurgeneeskunst zelden hand in hand gaan. Dat was echter wél het geval met Hildegard von Bingen, wier geschriften echter eeuwenlang (en nauwelijks toevallig) verborgen zijn gebleven in de schoot der Kerk, in plaats van te worden toegepast. Rond 1100 werd toestemming om de geneeskunst te beoefenen beperkt tot uitsluitend artsen – zodat dit het geboorteuur van de reguliere geneeskunde is geweest.

Al sinds oeroude tijden bestaat het geloof dat er tegen iedere kwaal een kruid gewassen is

Geneeskrachtige kruiden volgens Hildegard von Bingen

In haar boek *Causae et curae* ('Oorzaak en remedie') dat uit de 12e eeuw stamt, verweeft Hildegard von Bingen de kennis der Ouden met haar eigen therapeutische ervaringen en visioenen. Hierbij ligt het accent op de

125

leer van de vier lichaamsvochten volgens Claudius Galenus (ca. 129 - ca. 199 n.Chr.), dus uit de Romeinse tijd. Echter, sommige recepten, bijvoorbeeld het uit dierlijke bestanddelen bereide middel tegen epilepsie, stammen al uit de oertijd van het mensdom en lijken veel op de remedies die in het oude Egypte werden toegepast. Ter bestrijding van epilepsie ('vallende ziekte') werden gedroogd mollenbloed en de tot poeder vermalen snavel van een eend (geen woerd) en de poten van een vrouwelijke gans in een doek gebonden, die dan voor drie opeenvolgende dagen op de meest recente molshoop werd gelegd. Hierna werd de doek mét inhoud op ijs gezet en later in de zon gedroogd. Nu vormt men met behulp van tarwemeel een koek van vogellever, voegt daar komijn en een deel van het poeder uit de zak (dus mollenbloed, snavelpoeder en ganzenpootpoeder) aan toe en laat de patiënt dit innemen. Of er nu nog mensen zijn die op deze manier volgens Hildegard worden behandeld weet ik niet, maar of ze daar ook succes mee hebben?

Andere recepten van Hildegard von Bingen zijn echter tot op de huidige dag in gebruik gebleven

Andere recepten van Hildegard von Bingen zijn echter tot op de huidige dag in gebruik gebleven. Tegen buikkramp schreef zij gember en een grote portie kaneel voor, naast salie en venkel. Haar doordachte recept bevat ook honing, wijn, witte peper, penningkruid, eendenkroos, tormentilwortel, mosterd, en een inmiddels vergeten 'kruid waaraan heel kleine klitten groeien'. In elk geval bevatte de hieruit bereide drank ook naar moderne maatstaven genoeg werkzame stoffen om inderdaad krampen te verlichten. Hildegard von Bingen was uiteraard ook bekend met jicht, waarvan ze de pijn toeschreef aan de opeenhoping van 'slechte vochten' in de gewrichten. Haar artsenij: peterselie (vochtafdrijvend), wijnruit en olijfolie roosteren en laten sudderen met Bockstalg. Haar recept tegen koortsen bevat wilgenteen, dus salicylzuur.

126

Bij hoofdpijn maakte Hildegard onderscheid tussen varianten die respectievelijk door 'zwarte gal', een 'bedorven maag' of 'flegma' werden veroorzaakt, naast migraine in een hoofdhelft. Voor de eerste variant gaf zij de raad om in een vijzel malve en salie stuk te stoten en het mengsel met olijfolie te besprenkelen. De brij moest dan van voorhoofd tot achterhoofd rondom op het hoofd worden aangebracht, waarna er een doek omheen werd gewonden. Tegen hoofdpijn door bedorven voedsel schreef zij salie, marjolein, venkel en malrove voor. De kruiden moesten samen in boter worden fijngewreven tot een zalf om vervolgens te worden aangebracht op het hoofd. Wie ten gevolge van 'flegma' (slijm in de neus- en bijholten) leed aan voorhoofdspijn, moest een witte erwt fijnkauwen en dit papje, vermengd met zuivere honing, op de slapen aanbrengen. Hoofdpijn in een helft van het hoofd werd door haar behandeld met aloë, mirre, tarwemeel, zuurdeeg en papaverolie; dit alles werd vermengd tot een pasta die op het hele hoofd en de nek werd aangebracht. Het geheel werd weggestopt onder een muts, die drie dagen moest blijven zitten. Wat al deze therapieadviezen gemeen hebben, is een scherpzinnig onderscheid tussen de verschillende oorzaken van hoofdpijn, de therapeutische aanpak en – helaas – het gebrek aan praktische toepasbaarheid vanuit een moderne zienswijze.

Wat al deze therapieadviezen gemeen hebben, is een scherpzinnig onderscheid tussen de verschillende oorzaken van hoofdpijn

Geneeskunst uit het klooster

Tegen reuma

Johannesolie (Sint-janskruid): strooi een handvol Sint-janskruidbloemen in wat sesamolie en laat dit drie weken lang trekken. De olie krijgt dan een rode kleur. Vul er een donker flesje mee. De pijnlijke plekken eenmaal daags goed met Johannesolie inwrijven.

Gemengde Sint-janskruidthee: Tien delen Sint-janskruid waaraan telkens één deel brandnetel, melisse, hop, groot hoefblad, vlier, sleedoorn en guldenroede wordt toegevoegd. Twee (grote) theelepels in een kwart liter water opkoken en tien minuten laten trekken. Over de dag verdeeld drinken.

Reumathee *Reumathee*: Vier delen brandnetel, sleutelbloem en paardenbloem (leeuwentand), drie delen jeneverbes en drie delen viooltjes mengen. Twee (grote) theelepels in een kwart liter water opkoken en tien minuten laten trekken. Over de dag verdeeld drinken.

Tegen spit, heup- en rugpijn

Johannesolie (zie boven)

Spitthee *Spitthee*: Vijf delen brandnetel, sleutelbloem, driekleurig viooltje (pensee), viooltjes en stalkruid, voorts telkens drie delen ijzerkruid, zeepkruid, plus telkens een deel daslook, erica (struikheide) en moerasspirea mengen. Giet koud water over een grote theelepel van dit mengsel, kook het op en laat het vijf minuten trekken. Dagelijks maximaal vier koppen drinken.

Bij builen, verstuikingen en sportblessures

Valkruidpapje (arnica): Op drie delen arnica en smeerwortel, twee delen melisse en ganzerik, plus een deel pepermunt, goudsbloem en paardenkastanje vermengen. Een eetlepel van het mengsel in een kwart liter water doen, opkoken en vijf minuten laten trekken, dan filtreren. Doek in de oplossing drenken en zes keer daags op de pijnlijke plaatsen opbrengen.

Tegen kiespijn

Tandpoeder: Vijftig gram gedroogde salieblaadjes fijnwrijven met vijftig gram zeezout. Het poeder op de tandenborstel doen en daarmee de tanden poetsen; naspoelen met water. Vooral geschikt bij tandvlees dat overgevoelig is voor industriële tandpasta, die door dit poeder kan worden vervangen.

Tegen zenuwpijnen

Geneeskrachtige olie: Dertig gram anijs, twintig gram basilicum en twintig gram tijm tien minuten lang licht koken in 100 gr olijfolie; dan laten afkoelen. De pijnlijke plek ermee inmasseren.

Tegen hoofdpijnen

In geval van hoofdpijn die al eens goed heeft gereageerd op aspirine: gelijke delen berenoor (aurikel), valeriaanwortel, Sint-janskruid en wilgenbast vermengen, een eetlepel ervan overgieten met kokend water en het geheel tien minuten laten trekken. Hiervan driemaal daags een kop warm opdrinken.

Theeën tegen hoofdpijnen

129

Tegen hoofdpijn als gevolg van nervositeit of overbelasting, eventueel met misselijkheid: op delen valeriaan, melisse en rozemarijn vier delen pepermunt vermengen, een eetlepel ervan met kokend water overgieten, tien minuten laten trekken. Hiervan driemaal daags een kop warm opdrinken.

Hoge bloeddruk

Hogebloeddrukthee: Twee delen nagelkruid (benedictuskruid), hopbloesem en witte meidoornbloesem vermengen met drie delen maretak en wilgenbladeren. Een eetlepel van dit mengsel overgieten met een kop kokend water, tien minuten toegedekt laten trekken en dan filtreren. Drie keer daags warm drinken.

Uit Hildegards geschrift stammen beproefde recepten die grotendeels op geneeskrachtige kruiden uit de volksgeneeskunst zijn gebaseerd. Tegen *hoofdpijn* drink je een thee die van een mengsel van gelijke delen van de volgende kruiden wordt getrokken: valeriaan, lavendel, melisse, munt, nagelkruid en wilde tijm. Tegen *darmkrampen* helpt een maag-darmthee uit duizendblad, melisse, munt, nagelkruid en duizendguldenkruid. In geval van reuma moet onderscheid worden gemaakt tussen een milde en een heftige vorm. In het eerste geval worden berkenbladeren, brandnetel, stalkruid en hertshooi (Sint-janskruid) vermengd; in het tweede geval arnicabloesems (wolverlei), duivekervel, guldenroede, zeepkruidwortel, varkensgras en paardenstaart. Ook wordt een theemengsel tegen *nervositeit* aanbevolen, bestaande uit valeriaan, engelwortel, hop en duizendblad.

In de regel zijn deze mengsels in de reformwinkel verkrijgbaar. De sterke en vaak bittere smaak kan met be-

Uit Hildegards geschrift stammen beproefde recepten die grotendeels op geneeskrachtige kruiden uit de volksgeneeskunst zijn gebaseerd

130

hulp van zoet of zuur worden verzacht. Vaak maakt het toevoegen van wat honing en warme melk een groot verschil. Hoe meer er van deze theeën wordt gedronken, des te effectiever is de therapie.

In de regel zijn deze mengsels in de reformwinkel verkrijgbaar

Een kant-en-klaar mengsel tegen *gewrichtspijnen* wordt aangeboden in druppelvorm, onder de naam Phytodolor®. Dit mengsel bevat extracten van ritselpopulierbladeren en -bast, guldenroedekruid en esschors. De aanbevolen dagelijkse hoeveelheid is viermaal daags twintig druppels; een alternatieve toepassing is het gebruik van omslagen op de pijnlijke plaatsen. Cesnarol-druppels bevatten extracten van toverhazelaar, goudsbloem, kamille, arnica, duizendguldenkruid en duizendblad; dit mengsel is een alternatief bij *pijn in de spieren en gewrichten* en de aanbevolen dagelijkse dosis is gelijk. In individuele gevallen kan deze hoeveelheid worden vergroot.

Echter, Hildegard beveelt ook afzonderlijke kruiden aan. Bij *kiespijn* kun je het beste kruidnagelen kauwen, dan zul je een aanzienlijke verlichting van de pijn bespeuren. Na *verwondingen met hevige pijn* pas je koele omslagen met arnica-tinctuur toe, of je drinkt thee van honingklaver of paardenstaart. Bij pijn wegens *spataderen* kun je het proberen met paardenkastanjezaad, in de apotheek zonder recept verkrijgbaar onder de naam Venostasin®.

Of dit middel door de ziektenkostenverzekering wordt vergoed, moet in het midden worden gelaten; vast staat alleen dat het door velen in Duitsland als ineffectief wordt beschouwd. Ik herinner me het geval van een vierenvijftigjarige vrouw met hardnekkige hevige pijn door spataderen in de omgeving van de knieën. Op de langere termijn had zij geen baat bij steunkousen, vochtafdrijvende middelen of chiropractische en neuraaltherapeutische behandelingen, maar de klachten reageerden gunstig op Venostasin®, dat kennelijk een

131

In mijn eigen praktijk neemt de kruiden- geneeskunst geen grote plaats in

zekere ontspanning van de bloedvaten bewerkstelligde. In mijn eigen praktijk neemt de kruidengeneeskunst geen grote plaats in. Smeerwortelomslagen bij *kneuzingen aan de borstkas* – die, zoals bekend, maandenlang pijn kunnen doen – heb ik echter al diverse keren met veel succes uitgeprobeerd. Datzelfde geldt voor arnica-omslagen bij *sportblessures*, ook al zijn er weinig jonge mensen die de moeite nemen het arnica-aftreksel te bereiden. Wat de theeën aangaat, ben ik sceptisch. Mengsels van maar liefst tien verschillende kruiden in een thee brengen een warboel van werkzame stoffen in het lichaam, waarvan de gevolgen door geen enkele arts kunnen worden overzien. In laatste instantie heb je alleen steun aan het vertrouwen dat je stelt in de werkzaamheid van oeroude recepturen. Aan de andere kant kan ik het ook niet helemaal zonder geneeskrachtige kruiden stellen. Je komt in de praktijk altijd weer – meestal oudere – patiënten tegen, voor wie een paar manipulaties of een injectie in de behandelkamer niet voldoende zijn. Zij willen ook thuis zelf iets tegen de pijn ondernemen, bij voorkeur iets dat hen de hele dag bezighoudt en daardoor hun aandacht afleidt van de pijn. Naast de werking van de artsenij wordt de genezing ook bevorderd door het aanraken en verzorgen van het eigen lichaam.

Sommige patiënten willen ook thuis zelf iets tegen de pijn ondernemen

Het bereiden van geneeskrachtige kruidenmengsels

Aan de wortel van het besluit om therapie met geneeskrachtige kruiden toe te passen ligt de wens om in plaats van een chemisch gesynthetiseerde stof te slikken, gebruik te maken van producten of resten van een ander organisme, die – naast de werkzame stof die de doorslag geeft – bovendien allerlei andere stoffen bevatten die misschien ook van betekenis zijn. Daar er naast de werkzame stof nog zoveel andere substanties

132

in voorkomen, zou het weleens zo kunnen zijn dat deze bijkomende stoffen noodzakelijk zijn om ons lichaam te bewegen de werkzame stof op te nemen. Over de juiste manier om plantaardige artsenijen te bereiden bestaat geen algemene overeenstemming. Je kunt er niet van uitgaan dat artsenijen die uit een bepaalde plant zijn gewonnen, inderdaad overeenkomstige eigenschappen hebben. Het is mogelijk dat de bereidingswijze de in de plant aanwezige stoffen totaal verandert.

Tenslotte is het in principe zo dat de plant op het moment waarop ze wordt geplukt afsterft, waardoor afbreuk wordt gedaan aan haar originele vorm. De eenvoudigste methode om een plant te conserveren, is haar te laten drogen om haar later te kunnen gebruiken; het alternatief is de verse plant koken om het daardoor verkregen aftreksel te gebruiken of het te bewaren. Het maakt verschil of je zo'n aftreksel afsluit of beschermt tegen licht, of het blootstelt aan de invloed van licht. Een andere mogelijkheid is het conserveren van gedroogde geneeskrachtige kruiden in olijfolie of pindaolie. In vet oplosbare geneeskrachtige stoffen zullen na verloop van een week bij een temperatuur van rond de 37 graden Celsius en bij regelmatig roeren in de olie opgaan. Uit de volksgeneeskunde is bekend dat de brandnetel die in bos en veld welig tiert in geopathologisch gestoorde zones, een *pijnstillende werking* bij mensen heeft, vooral bij gewrichtspijn die ten gevolge van geopathologisch gestoorde zones is ontstaan. Daarom verkoopt men in de reformwinkel brandnetelthee, waarmee ook zekere successen worden geboekt. Nu heeft de farmaceutische industrie ontdekt dat dit extract de synthese van prostaglandine en het vrijkomen van cytokinine – vooral van interleukine-1 en TNF-alfa – remt. Dit zijn de stoffen die de pijn 'maken'; als ze ontbreken, blijft de pijn weg. Waarom

Over de juiste manier om plantaardige artsenijen te bereiden bestaat geen algemene overeenstemming

De pijnstillende werking van brandnetels

dat zo is, is nog niet bekend, maar wel is bekend dát het zo is. Dus worden er sindsdien telkens weer nieuwe toepassingsmogelijkheden bedacht en is er alweer een tijdlang een extract van brandnetels in hoge dosering in de handel, zoals o.m. Hox alpha® (max. 3 capsules per dag), met het argument dat een in een gewrichtskapsel aanwezige hoge concentratie van 145 mg van dit gedroogde extract pijnstillend kan zijn. Het draait dus om de vraag hoe hoog de dosering moet zijn. Dit zou met brandnetelthee moeilijk te realiseren zijn. Aan de andere kant kun je brandnetelthee goedkoper – namelijk zelf – maken.

Alleen hieruit al blijkt hoe verschillend je met plantaardige artsenijen om kunt gaan. Sommigen lopen met hun pijnlijke voeten door de brandnetels, anderen slaan met brandnetelstengels en bladeren op hun huid. Veel pijnpatiënten oogsten ze en koken ze uit, en natuurlijk zijn er ook degenen die naar de apotheek stappen om een kant-en-klaar preparaat te kopen. Ten aanzien van al deze toepassingen dient er mijns inziens op één ding te worden gelet: verhoog de concentratie brandnetels totdat je er de werking van ervaart. Over de 'risico's en bijwerkingen' kan niemand je iets vertellen, aangezien er geen wetenschappelijke informatie over bestaat.

Verhoog de concentratie brandnetels totdat je er de werking van ervaart

Nu verder over de wijze van toebereiden. Sommige producenten van plantaardige artsenijen beperken zich niet tot het eenvoudig oogsten van de planten, maar verzamelen de knoppen en jonge scheuten, die ze vervolgens in een glycerinebad leggen om ze zo te laten trekken. Men noemt dit kunstmatige rottingsproces 'macereren' (laten weken) en verheugt zich over de grote hoeveelheid groeistoffen en flavonoïden (plantenkleurstoffen zonder stikstofatoom) die in de glycerine worden opgenomen. Overigens kun je bij glycerinemaceratie moeilijk nog van natuurlijke artsenijen spreken. Dit is voor mensen voor wie de relatie met

*Goethe – een overtuigde toepasser van de kruidenge-
neeswijze bij zichzelf*

Toen Johann Wolfgang von Goethe als drieënveertig-
jarige de veldtocht van het Pruisische leger naar
Frankrijk meemaakte (1792) en onder de blote hemel
overnachtte, kreeg hij te kampen met rugpijn die hem
'bijna onbeweeglijk' maakte. Hij werd overvallen
door een 'overweldigende reumatische kwaal', maar
hij kon zichzelf helpen door kamferpillen te slikken.
Arnica werd echter zijn favoriete pijnstiller na zijn
eerste hartinfarct, in 1823. Hij was ervan overtuigd
dat zijn geliefde arnica 'deze schier onoverwinnelijke
pijn', die hem 'op de drempel tussen leven en dood
leek te brengen' de baas kon. Hoe het ook zij, hij was
toen vierenzeventig, maar had nog tien jaar leven
voor de boeg.

God en de vrije natuur het zwaarst weegt niet meer ide-
aal, omdat bij dit proces de kunstmatige interventie van
de mens nogal ingrijpend is. Zo staat het echter ook
met uitgekiende overwegingen met betrekking tot de
tijdstippen in het etmaal waarop bepaalde planten
(vooral geneeskrachtige kruiden) moeten worden geoogst. Een deel hiervan berust op oeroude overleve-
ring, maar deels ook betreft het trouw doorgegeven
vermoedens.

In de *antroposofische geneeskunst*, waarvan de producten het grootste deel van alle op de markt gebrachte preparaten uitmaken, is de bereiding van artsenijen
tot een ware kunst verheven. Enerzijds worden de
planten in eigen biologische kweektuinen geoogst; het
kunstige deel is dat men bij de bereiding van extracten
en andere preparaten de energie van licht, ritmische
beweging en muziek erop laat inwerken. Anderzijds

*In de
antroposofische
geneeskunst is
de bereiding van
artsenijen tot
een ware kunst
verheven*

wordt bij spagyrische middelen gebruikgemaakt van bereidingsprocedures die teruggaan tot op de alchemie uit de Oudheid, met haar filosofische denkbeelden over de aard van het leven. De *spagyriek* was een in de middeleeuwen beoefende kunst op het gebied van de bereiding van artsenijen. Zij berustte op de idee dat bij het laten trekken van een plant dampen vrijkwamen die 'de geest' van de plant bevatten. Als de plant in olie werd gelegd, werd de 'ziel' van de plant eruit getrokken. En als een plant werd verbrand, was de overblijvende as het 'lichaam' van de plant. Opdat er bij de bereiding van een artsenij geen van deze verschillende 'niveaus' van de plant verloren ging, werden het distillaat van de dampen, het olieaftreksel en de as vermengd tot een pasta. Op deze manier werd de drie-eenheid van geest, ziel en lichaam hersteld, waardoor het middel geacht werd een bijzondere werking te verkrijgen.

Verschillende geneeskrachtige kruiden en hun werking

Of je nu op zoek bent naar het geneeskruid dat als het tegengif voor je aandoening van het moment wordt beschouwd, of op zoek bent naar een mengeling van kruiden om een zo volmaakt mogelijke werking te krijgen, altijd draait het bij een therapie met geneeskrachtige planten om voldoende toepassingstijd en consequent gebruik.

Dit geldt ook voor het bij hoofdpijn vaak toegepaste groot hoefblad (bijv. Petadolex®). Deze inheemse plant, die dikwijls op leemhoudende beekoevers en in bosranden is te vinden, en ons in het voorjaar verblijdt met haar grote, roze gekleurde hartvormige bladeren, dankt haar naam aan het feit dat er in de middeleeuwen werkzaamheid tegen de pest aan de plant werd toegeschreven. Dat was weliswaar onjuist, maar tegen pijn-

> Altijd draait het bij een therapie met geneeskrachtige planten om voldoende toepassingstijd en consequent gebruik; dit geldt ook voor het bij hoofdpijn vaak toegepaste groot hoefblad (bijv. Petadolex®)

136

lijke kramp werd de plant al door onze verre voorouders gebruikt, vooral bij gal- en nierkolieken (veroorzaakt door sterke samentrekkingen van een galgang, urineleider of darm). Tegenwoordig weten we dat de groep substanties met de naam 'petasinen' het vermogen bezit spieren te ontspannen en krampen op te heffen. Bovendien lijkt er een ontstekingsremmende werking van uit te gaan. Toen het groot hoefblad in het laboratorium werden ontleed, werd naast nuttige petasinen echter ook een uiterst giftige alkaloïde (*pyrrolicidine*) gevonden. Deze stof kan de lever beschadigen en zelfs kanker verwekken. De natuur, die dit medicament heeft 'uitgevonden', combineert het dus met een gifstof die de mens kan doden! Daarom moet het natuurlijke karakter van het groot hoefblad eerst in het laboratorium worden opgeheven, door er de nuttige stof uit te filteren en deze te scheiden van het gif. Ook het gebruik van de theeaftreksels moet worden afgeraden. De bij de apotheek verkrijgbare preparaten zijn echter aanbevelenswaardig.

Plantaardige artsenijen zijn naar mijn mening nauwelijks nog te scheiden van de medicamenten uit de reguliere geneeskunde. Dit geldt ook voor de onderzoeken waarbij de werking van het groot hoefblad werd getest bij migraine. Er werd geen rekening gehouden met de individuele verschillen tussen mensen en ook werden er verscheidene vormen van migraine en de eventuele achtergronden buiten beschouwing gelaten. Alle proefpersonen werden over één kam geschoren. Zij werden – geheel in de traditie van dubbelblinde onderzoeken van de reguliere geneeskunde – verdeeld over twee groepen, een groep die met de artsenij werd behandeld en een groep die een placebo kreeg toegediend. Hierbij gaf ruim tweederde deel van het totale aantal proefpersonen te kennen dat zij duidelijk minder vaak migraineaanvallen hadden, waarbij het verloop bovendien

Plantaardige artsenijen zijn naar mijn mening nauwelijks nog te scheiden van de medicamenten uit de reguliere geneeskunde

milder was. De dosering begon met 's morgens en 's avonds één capsule; en liep op tot maximaal driemaal daags twee capsules. In elk geval zal iemand die aan genezing denkt, er niet tevreden mee zijn dat zijn of haar pijn alleen maar wordt verlicht. Aan de andere kant is bij migraine iedere hulp welkom.

Gezegd mag worden dat wilgenbastextract (zoals Assalix® – tot 240 mg. gedroogd extract, is vier capsules per dag) even goed werkt als aspirine, mits de patiënt de moeite neemt om het middel twee weken de tijd te gunnen door het effect tot zolang af te wachten en hij of zij een voldoende hoge dosis inneemt. Wilgenbast is werkzaam tegen *hoofdpijn* en *gewrichtspijn*. Patiënten met chronische *rugpijn* melden van wilgenbast op internetforums een 'sterkere en mildere' werking dan die van non-steroïdale antireumatica.

Wilgenbast is werkzaam tegen *hoofdpijn* en *gewrichtspijn*

Het heeft een tijdje geduurd voordat men in de pijnbehandelingspraktijk aandacht kreeg voor de wortel van de Zuid-Afrikaanse rapunzel (*phyteuma*). Onder de Kalahari-Bosjesmannen is deze plant al sinds mensenheugenis bekend als een werkzaam middel tegen *gewrichtspijnen*. Sinds de ontdekking van de werkzame stof *harpagoside* in deze plant wordt de markt overstroomd met rapunzelpreparaten (bijv. *Flexiloges®*; tabletten van 480 mg; 's morgens en 's avonds een tablet). Inmiddels zijn er voldoende onderzoeken op gedegen grondslag om te mogen spreken van een inderdaad pijnstillende werking bij reumatische aandoeningen, vooralsnog zonder dat er bijwerkingen zijn ontdekt. Ook in dit geval gaat het helaas slechts om pijnverlichting in plaats van genezing. Ook dient het middel minimaal een tot twee weken trouw te worden ingenomen voordat de pijn minder wordt.

Bij kruidengeneeswijzen mogen ook de plaatselijke toepassingen niet worden vergeten

Bij kruidengeneeswijzen mogen ook de plaatselijke toepassingen niet worden vergeten. Overigens wordt – vanwege de omslachtige toepassing van wikkels en

138

omslagen – deze vaak effectieve pijnbehandelmethode over het hoofd gezien.

De laatste tijd is het gebruik van pijnpleisters weer in de mode geraakt, en ik heb het uitdrukkelijk *niet* over transcutane morfinepleisters. Pleisters met cayennepeper (bijv. Hansaplast ABC-warmtepleisters met cayenne) zijn natuurlijk en werkzaam.

De werking van capsicaïne, de stof die uit de sierpeper *Capsicum frutescens* wordt gewonnen, kennen we al van te sterk gekruide gerechten. Naast de sterke prikkeling van het slijmvlies heeft die stof in de mond een plaatselijk verdovend effect in combinatie met een aangenaam warmtegevoel. Capsicaïne verhindert de uitstorting van de pijnverwekkende stof P, die op de zenuwen inwerkt. Als de pleister op de pijnlijke plek wordt aangebracht, heeft dat tevens een ontstekingsremmende werking. Hierbij moet worden voorkomen dat open wonden of beschadigde huiddelen worden bedekt. De stimulerende werking (die we van het slijmvlies kennen) zou daar veel te sterk zijn, waardoor de pijn alleen maar erger kan worden. Cayennepeper is als een *capsicaïnezalf* of -balsem bij de apotheek verkrijgbaar en is geschikt voor de behandeling van pijnlijk spierspanningen en reumatische pijnen. Neem een dag behandelpauze tussen twee toepassingsdagen om de zenuwen niet continu te prikkelen.

Samenvattend kan worden gezegd dat de kruidengeneeskunst op onze breedten een parallelle ontwikkeling is naast de reguliere geneeskunde, die in haar beste synthetische producten vaak de synthetische equivalenten opneemt van de werkzame stoffen die uit geneeskrachtige kruiden worden gewonnen. In India is de kruidengeneeskunst een integraal bestanddeel van de holistische ayurvedische geneeskunst. In China is dat het geval in de traditionele Chinese geneeskunst. In beide gevallen dient het gebruik van een geneeskrach-

De kruidengeneeskunst is op onze breedten een parallelle ontwikkeling naast de reguliere geneeskunde

tig kruid niet het onderdrukken van symptomen; het wordt afgestemd op de individuele constitutie van de patiënt, waarbij gebruik wordt gemaakt van zijn of haar reactiemechanismen. Sedert Hildegard von Bingen is de kruidengeneeskunst een mengeling van enerzijds oeroude, inmiddels achterhaalde inzichten en anderzijds recepten die wel degelijk werkzaam zijn. In elk afzonderlijk geval zijn de instelling van de persoon en de aantrekkingskracht van een bepaalde geneeswijze beslissend ten aanzien van de toepassing.

Ayurveda

In moderne reformwinkels zijn er twee grote afdelingen waarin plantaardige artsenijen zijn uitgestald. In de eerste zijn de artsenijen uit de op Hildegard berustende kloostergeneeskunst vertegenwoordigd; in de tweede vind je ayurvedische producten uit India.

Ayurveda betekent 'wetenschap van de volledige levensduur'. De kennis daarvan is op schrift gesteld in oude Sanskriet-boekrollen van onbepaalde ouderdom. In de afgelopen decennia heeft de Maharishi Mahesh Yogi een bewerking van de *Ayurveda* gemaakt, waarbij hij deze geneeskunst zijn persoonlijke stempel heeft opgedrukt door het accent te leggen op TM (transcendente meditatie). Daarnaast zijn er in India en op Sri Lanka veel centra die zich aan een eigen verdere ontwikkeling van deze oude geneeskunst wijden.

Anders dan geldt voor de TCG of de chakratherapie, zijn de ideeën van de ayurvedische geneeskunst op het eerste gezicht verwant aan het Europese denken. Vaak ervaren we deze Indiase denkbeelden alleen als 'vreemd' omdat we zelf nog maar zo weinig weten van het middeleeuwse denken. Want dat wat in Europa vroeger *spagyriek* was, een vertrouwde manier van denken, leeft in India nog voort in de leer van de *drie*

Anders dan geldt voor de TCG of de chakratherapie, zijn de ideeën van de ayurvedische geneeskunst op het eerste gezicht verwant aan het Europese denken

140

dosha's. Of het oorspronkelijk om hetzelfde concept ging, valt nu niet meer te achterhalen, maar er zijn verbluffende overeenkomsten. Wat wij 'geest' noemen, heet in India *vata*; wat wij 'ziel' noemen, is daar *pitta*; en wat wij 'lichaam' noemen, heet in India *kapha*. Vata ontstaat uit een mengeling van de elementen Ether (ook Ruimte) en Lucht; pitta uit een mengeling van Water en Vuur; en kapha uit een mengeling van Water en Aarde. In overeenstemming hiermee wordt vata geleid door het hoofd; pitta door de hartstochten; en kapha door de aarde. De betekenis die dit in de dagelijkse pijnbehandelingspraktijk heeft, is dat bijvoorbeeld een *vata-type* warmte nodig heeft, waar een *pitta-type* warmte juist schuwt. Heeft een *vata*-type pijn, dan heeft hij baat bij een warmtekussen, een remedie die de pijn bij het *pitta-type* alleen maar heviger zou maken. Dit vurige type ondervindt bij toepassing van koude omslagen verlichting van pijn. Het *kapha-type* ervaart daarentegen weinig invloed van warmte- of koudeprikkels. Erover nadenken tot welk type een pijnpatiënt behoort, heeft me in mijn dagelijkse praktijk bij veel beslissingen geholpen. Per slot van rekening, hoe vaak komt het niet voor dat een patiënt vraagt: 'Moet ik koude of warme omslagen gebruiken?' De meeste conventionele artsen en de natuurgenezers weten hierop zelden antwoord, maar de beoefenaar van de ayurvedische geneeskunst vergist zich op dit punt nooit. Bovendien is het nuttig om iedere pijnpatiënt in te delen volgens de *vata-pitta-kapha*-typologie en er rekening mee te houden dat de verhoudingen tussen vata, pitta en kapha bij iedere patiënt verschillen. De patiënt bij wie slechts één van de bestanddelen domineert, is zeldzaam. Vaak vind je twee dosha's naast elkaar, en minder vaak alle drie de dosha's. Opmerkelijk is dat het gebrek aan succes bij 'therapieresistente' patiënten vaak een gevolg is van veronachtza-

Het is nuttig om iedere pijnpatiënt in te delen volgens de *vata-pitta-kapha*-typologie

141

ming van deze 'elementaire' principes.

Hieruit wordt duidelijk dat ontstekingsremmende NSAR-medicamenten het beste werken bij mensen bij wie de pitta-component op de voorgrond treedt. Daarentegen worden ze niet goed verdragen door *vatatypen*; zij ontwikkelen allerlei bijwerkingen en hebben meestal meer aan massages of fysiotherapie omdat zij graag worden aangeraakt.

Waaraan herken je nu de afzonderlijke typen pijnpatiënt?

Waaraan herken je nu de afzonderlijke typen pijnpatiënt? (Ook de aard van de aandoening of klacht komt rechtstreeks uit de dominante dosha voort.)

Het *kapha*-type

Neem bijvoorbeeld het *kapha-type*: gelijkmoedige, sterke, vitale mensen met een zwaar lichaam en weke gelaatstrekken. Zij klagen niet snel over pijn, en als dat toch gebeurt, betreft het meestal de gevolgen van jarenlange overbelasting van de stofwisseling. De gewrichten zijn overbelast, en de bindweefsels zijn verslapt en functioneren daardoor minder goed. Het gaat hier om de late gevolgen in het organisme, waarbij de oplossing vaak van organische aard zal zijn, zoals een ontslakkings- of darmreinigingskuur. Soms zal er een gewrichtsprothese aan te pas moeten komen.

Het *Pitta*-type

Het vurige, en met een sterke wil gezegende *pitta-type* is heel anders. Hij neigt tot extreme sportbeoefening en kent de pijn van talrijke blessures die hij manmoedig verdraagt. Hij zal zelden klagen over zielensmart, want hij is iemand die zich kan laten gelden, doelgericht is en aan de mening van anderen niet al te veel gewicht toekent. Pijntherapie is voor hem meestal niet eens nodig; en als dat wel het geval is, moet de behandeling snel en effectief werken. Het *pitta-type* heeft weinig begrip voor de harmoniseringspogingen van natuurgeneeskundige maatregelen. Hij kijkt neer op mensen die hun pijntjes al te serieus nemen en heeft er geen moeite mee zichzelf te zien als een soort machine die bij schade reserveonderdelen nodig heeft.

142

Het *vata-type*
Hij is in essentie ontstaan uit Ether en Lucht en bezit eigenschappen die aan de wind doen denken, en wel op alle drie de niveaus: geest, ziel en lichaam. Zo is niet alleen zijn huid vaak droog en wordt gemakkelijk ruw en koel, maar geldt dat ook voor zijn gevoel voor humor. In de liefde is het *vata-type* onbestendig; hij laat zich niet vastnagelen en gedraagt zich nu eens speels, dan weer grof en soms zelfs krenkend. Vooral op het geestelijke (mentale) vlak treedt de grote kracht van vata aan de dag, in de vorm van intellectuele wendbaarheid, het vermogen van mening te veranderen en deze briljant te formuleren, waarbij hij graag de *advocatus diaboli* mag spelen. Overigens staat het *vata-type* geestelijk stevig met beide benen – in de lucht!

Ook als het vata-type *gezegend is met innerlijke gelijkmoedigheid*, zal zijn tengere lichaamsbouw opvallen. Dit zijn slanke, vaak zelfs magere mensen die vanwege hun creativiteit en flexibiliteit uitermate geschikt zijn voor kunstzinnige creatieve taken. Met hun wakkere, levendige verstand zijn zij hij het 'zout der aarde' voor iedere afdeling Planning.

vata-typen kunnen warm en vochtig weer uitstekend verdragen. Zodra het echter koud of droog wordt, treedt hun zwakke zijde aan het licht. In de winter hebben zij koude handen en voeten en bij hevige wind voelen zij zich uiterst onbehaaglijk en droogt hun huid sterk uit. Een ander zwak punt is hun spijsvertering. Zij verdragen zwaar voedsel slecht en kunnen in de regel beter wat vaker eten om hun lichaam niet te zwaar te belasten.

Het *vata-type* in evenwicht

**Onevenwichtig-
heid bij het
*vata-type***

Als het evenwicht van het vata-type *verstoord is en hij ziek is,* treden de nadelen van deze constitutie op de voorgrond. De wendbaarheid verandert dan in doelloosheid; en de flexibiliteit wordt improductieve rusteloosheid. In die situatie krijgt hij niets meer 'gedaan' en maakt een ongeconcentreerde en verstrooide indruk. Vooral 's nachts laat zijn hoofd hem niet met rust, want hij ligt urenlang te piekeren zonder dat dit zoden aan de dijk zet. Hoe minder slaap hij krijgt, des te slechter vergaat het hem. Hij wordt dan rusteloos, angstig, nerveus, en zelfs de geringste inspanning put hem uit. Hij is dan dikwijls verkleumd en heeft een gortdroge, schilferige huid, bros haar en klaagt over een slechte spijsvertering, hoofdpijn en oorsuizen.

Het *pitta-type*

**Het *pitta-type* –
een sterke wil en
een overmaat
aan emoties**

Zoals gezegd is pitta de verbinding van Water en Vuur. Daarom is het *pitta-type* bijna in alles het tegendeel van het *vata-type*. Het *pitta-type* heeft een soepele huid en blaakt van gezondheid, een en al vitaliteit en kracht. Al op het eerste gezicht vallen je twee kenmerken op: een sterke wil, die onverstoorbaar en taai naar het gekozen doel blijft streven, al duurt het nog lang; en een overmaat aan emotionaliteit. Het *pitta-type* maakt alles ondergeschikt aan zijn hartstochtelijke gevoelens. Hij denkt als het ware vanuit de onderbuik en probeert de wereld aan zich te onderwerpen. In dat opzicht hebben bij hem het verstand en de subtiele verschillen tussen afzonderlijke ideeën of concepten slechts een geringe betekenis. Een intelligent *pitta-type* is een slechte advocaat, maar een prima leider – de reden waarom hij graag in de politiek of het bedrijfsleven actief wordt, waar het *vata-type* eerder in een bureaucratisch bolwerk zal verzuren. De humor van het *pitta-type* is hard maar

144

hartelijk; voor fijnzinnige formuleringen heeft hij slechts minachting over. Waar het *vata-type* bij voorkeur een warm soepje naar binnen lepelt of teugjes hete thee neemt, houdt het *pitta-type* van alles wat scherp en stevig is, en hij verdraagt het uitstekend. Hij houdt van sporten waarbij hij moet knokken om zichzelf te bewijzen en hij wil altijd winnen.

Als het pitta-type *innerlijk in evenwicht is,* valt hij op door zijn middelgrote, compacte lichaamsvorm, die zelden corpulent is. Hij is de ziel van zijn afdeling: hij houdt de stemming erin, heeft leidende eigenschappen, is altijd op zoek naar nieuwe uitdagingen en is een voortreffelijk organisator. Hij beschikt over onuitputtelijke energie, waar een *vata-type* allang uitgeput zou zijn, en is altijd een grage eter.

Als het innerlijke evenwicht van een pitta-type *is verstoord, of als hij ziek is,* blijkt pas hoeveel het leven van hem heeft geëist. Waar *vata-typen* al op jonge leeftijd ouwelijk lijken, waarna hun uiterlijk tot op hoge leeftijd weinig verandert, floreren *pitta-typen* vanaf hun jeugd tot op middelbare leeftijd waarna ze in een crisis belanden. De kaars heeft als het ware aan twee einden gebrand, en nu treedt de neiging tot vroegtijdige vergrijzing en haaruitval aan het licht. De vroeger nagenoeg ongelimiteerde kracht en meeslepende energie slaan om in de neiging tot prikkelbaarheid, woede en afgunst. Hij wordt nu innerlijk door zijn vuur verteerd, waardoor hij een grote hekel krijgt aan warmte. In de zomer – vroeger 'zijn' jaargetijde – voelt het *pitta-type* zich nu minder behaaglijk. Hij houdt niet meer van pittig eten en wordt gekweld door opvliegers. Zijn lichaam is vatbaar voor allerlei ontstekingen – vooral aan de gewrichten, de galblaas en de lever. Kenmerkend zijn nu voor hem brandend maagzuur, maagzweren of zweren aan de twaalfvingerige darm.

Pitta-typen verouderen snel

145

Het *kapha-type* is in alles 'zwaar'

Het *kapha-type* wordt gemakkelijk onderschat

Het *kapha-type*

Kapha is de verbinding tussen Water en Aarde. Het *kapha-type* is in alle opzichten 'zwaar'. Lichamelijk wordt hij heel snel zwaar, als gevolg van een zekere ernst en traagheid. Hij is een toonbeeld van betrouwbaarheid en kwijt zich langzaam, maar gedegen en grondig van zijn taken. Zijn wrokgevoelens kan hij tientallen jaren meezeulen, maar hij is een trouwe, opofferingsgezinde en waarachtige vriend. Dit is bij het *kapha-type* een kracht die door *vata's* en *pitta's* niet wordt opgebracht of zelfs maar begrepen. Het *kapha-type* is een echte rots: onwrikbaar en star, maar ook beschermend. De watercomponent komt tot uiting in grote vruchtbaarheid, zowel fysiek als op creatief gebied. Alles wat het *kapha-type* heeft uitgedacht, heeft *body* en is hecht gefundeerd, maar het neemt slechts langzamerhand vorm aan.

Als het kapha-type *innerlijk in evenwicht verkeert,* is de stevige, zware bouw van het lichaam het eerste wat ons opvalt, naast zijn systematische, geduldige en op uithoudingsvermogen gebaseerde benadering van alle dingen. Hij wordt gemakkelijk onderschat, totdat de kwaliteit van zijn werk aan het licht komt. Een *kapha-type* is tevens geschikt voor monnikenwerk. Hij heeft er het nodige geduld voor, waar *vata* allang met duizenden andere ideeën bezig is, terwijl *pitta* er moedeloos het bijltje bij neer zou hebben gegooid. *Kapha* wordt inderdaad ervaren als een rots in de branding, maar ook als oerconservatief en bekrompen. Wie een expert nodig heeft die van wanten weet, kan het beste zijn heil zoeken bij een *kapha-type*. Hij ervaart de dagelijkse routine als aangenaam en kan langdurig en zonder het geringste gewetensbezwaar luieren. *Kapha-typen* hebben niet de eeuwige trek en gulzigheid van het *pitta-type*, maar zijn veeleer genie-

146

ters en langslapers, voor wie er niets mooier is dan de knusse geborgenheid van een warm bed.

Als het innerlijke evenwicht van het kapha-type *is verstoord, of als hij ziek is,* krijgt hij te kampen met zijn neiging tot overgewicht. Het trage en lethargische leidt tot het 'indikken' van de lichaamsvochten. Op latere leeftijd, als de stoornissen toenemen, heeft hij vaak een verstopte neus en chronische slijmvliesontsteking. De stoelgang is traag. In verstandelijk opzicht treedt het vasthouden aan zijn mening op de voorgrond: hij is dan onverzettelijk en onbeweeglijk en neigt naar het gierige.

Zijn kenmerkende ziektesymptomen zijn overmatige slijmvorming en zwaarlijvigheid.

In de pijnbehandeling met natuurgeneeswijzen zijn veel *vata-typen* werkzaam: ze zijn elegant, scherpzinnig en fijngevoelig. Ze zijn altijd in beweging, zowel mentaal als lichamelijk en emotioneel. Deze snelle en heldere denkers zijn altijd klaarwakker; ze spreken snel en hebben weinig 'aards' over zich. De huid is het belangrijkste orgaan van *vata-typen*; ze is gevoelig en wil graag aangeraakt worden. Waar eten voor het *kapha-type* de favoriete bezigheid is en het *pitta-type* bij voorkeur kijkt, is het *vata-type* het toegankelijkst voor aanraking, en wel op alle niveaus. In de loop der jaren leidt deze fijngevoeligheid tot nervositeit, angst, beverigheid, getob, aanstormende gedachten, koude handen en voeten, een te koude neuspunt, slaapstoornissen, oorsuizingen, gehoorstoornissen, obstipatie, winderigheid, droge huid en slijmvliezen, gewichtsverlies, hoge bloeddruk, zenuwverlammingen en nerveuze hartklachten. Maar vóór alles leidt het tot pijn: spanningshoofdpijnen, pijn vóór en tijdens de menstruatie, pijn als gevolg van kramptoestanden in de spieren van

Vata-typen **zijn altijd in beweging**

147

Constitutietypen in de ayurvedische geneeskunst

Het vata-type

Droog, licht, koud, beweeglijk, gevoelig, snel en subtiel.

In evenwicht:
Creatief, flexibel, welsprekend, innovatief, levendig, klaarwakker. Warm en vochtig weer is gunstig; koud weer ongunstig. Eetlust en spijsvertering wisselvallig.

Niet in evenwicht:
Begint aan veel dingen, weinig uithoudingsvermogen, snel afgeleid, niet-geconcentreerd, gauw verstrooid, rusteloos, onrustige slaap; koude handen en voeten; nerveus, angstvallig, fobieën; snel uitgeput.

Kenmerkende ziektesymptomen:
Spijsverteringsstoornissen, hoofdpijnen, oorsuizingen.

Het pitta-type

Heet, scherp, licht, soepel, licht, 'geolied', beweeglijk.

In evenwicht:
Middelgroot postuur, zeer intelligent en scherpzinnig, eerzuchtig, goed spreker; zoekt naar nieuwe uitdagingen, neemt graag leidinggevende taken op zich; organisatietalent, veel energie, grage eter.

Niet in evenwicht:
Neiging tot vroegtijdige vergrijzing en haaruitval; en tot prikkelbaarheid, woede en jaloezie; heeft een hekel aan warmte; is geneigd te veel van zichzelf te vergen.

Kenmerkende ziektesymptomen:
Ontstekingen (vooral de ogen), maagzweren, brandend maagzuur.

Het kapha-type

Zwaar, koel, week, moeizaam, traag, vast, glad, olieachtig.

In evenwicht:
Stabiele, zware lichaamsbouw; systematisch en geduldig, knutselt graag, uithoudingsvermogen; maakt plannen en organiseert graag; evenwichtige persoonlijkheid, 'rots in de branding'; ervaart routine als aangenaam; matig hongergevoel, genieter; slaapt lang en diep; ervaart warmte als weldadig.

Niet in evenwicht:
Trage spijsvertering, neigt tot corpulentie en hebzucht, afgunst; is bezitterig, langzaam en lethargisch.

Kenmerkende ziektesymptomen:
Slijmvorming, vetzucht.

schouder en nek, rugpijn (lendenen), krampen, spiertrekkingen, spannen en 'elektriseren'. Het leeuwendeel van alle pijnpatiënten behoort tot het *vata-type*. Om die reden komt pijnbehandeling in de ayurvedische geneeskunst vaak neer op het opheffen van een vatastoornis.

Grote betekenis heeft hierbij de kleur blauw. Als je pijn hebt, kun je je het beste omringen met blauwe dingen. Mediteren doe je het beste als je een blauwe lucht voor je hebt. In de tandheelkunde wordt bestraling met blauw licht toegepast, want het blauwe deel van het lichtspectrum schijnt een pijnstillende werking te hebben. *Vata-typen* dienen als het even mogelijk is warm en uitgebalanceerd te eten, met mild gekruide gerechten en kleine porties en meermalen per dag. Hartigheid en zoetigheid zijn belangrijke behoeften, waarin je voorziet met basisvoedingsmiddelen als rijst, noedels, deegwaren, pap of melk. In de ayurvedische geneeskunst draait het nooit om het onderdrukken van een aandoening, maar wordt er gestreefd naar harmonisering; daarom worden specerijen en kookkruiden vaak als artsenijen benut. Bij pijnpatiënten van het (niet in evenwicht zijnde *vata-type* hebben komijn of karwijzaad, anijs, venkel en duivelsdrek (*Asa foetida*) een rustgevende werking. Kaneel verrijkt zoete gerechten, geelwortel (*Curhuma)* of saffraan, versterkt de lever. Ayurvedische postorderbedrijven leveren hun eigen vata-theesoorten met een aangepast kruidenmengsel.

Een vata-surplus komt overeen met een stoornis in de dikke darm; om die reden krijgt de patiënt met een pijnsyndroom in een ayurveda-kliniek vaak een klysma met sesamolie of een aftreksel van geneeskrachtige kruiden. Welke kruiden, mineralen, metalen of edelstenen eraan te passen komen, wordt zelden vermeld. Ook in dit opzicht wordt echter veel gebruikgemaakt van keukenkruiden en oliën. MA 634 bevat vooral peper-

Het leeuwendeel van alle pijnpatiënten behoort tot het *vata-type*

In de ayurvedische geneeskunst draait het nooit om het onderdrukken van een aandoening, maar wordt er gestreefd naar harmonisering

muntolie; als dit middel op de hoofdhuid wordt aangebracht, heeft dat – zoals we al hebben gezien – nagenoeg dezelfde werking als paracetamol en aspirine. Tegen keelpijn neem je MA 333: zuigtabletten met kruidnagelextract, zwarte en lange peper, muskaatnoot, drop en munt. Al deze middelen zijn (via internet) verkrijgbaar bij gespecialiseerde ayurvedische (postorder)bedrijven.

Andere voorbeelden van ayurvedische middelen:
MA 104 (bij migraine)
MA 332 (bij andere vormen van hoofdpijn)
MA 505 (bij gewrichtspijnen)
MA 631 (bij rugpijn)

Schüssler-zouttherapie en homeopathie

De grondslag van de zogeheten 'klassieke homeopathie' werd in 1796 gelegd door Christian Friedrich Samuel Hahnemann. In 1819 publiceerde hij met zijn *Organon der rationellen Heilkunde* de eerste en lange tijd enige homeopathische methode waarin de aard van ziekten, hun ontstaan en hun genezing uiteen werd gezet.

De basis voor iedere genezing is hierbij de overeenkomst van de artsenij met de aard van de ziekte of haar verwekkers. Niet 'het gelijke geneest het gelijke', maar 'het gelijkende geneest het gelijkende'. Een fundamenteel verschil en een belangrijk grondbeginsel. Een pijn die we ondervinden, laat zich niet door een gelijke pijn elimineren; integendeel, hij wordt er nog door versterkt. Als je echter iets *gelijkends* vindt, bijvoorbeeld een homeopatisch 'gepotentieerd' middel dat bij een gezonde persoon een overeenkomstige pijn kan veroorzaken, komen er onwillekeurig werkzame associatiekrachten van lichaam en ziel in het spel – krachten die het vermogen hebben om deze pijn te elimineren.

> **De basis voor iedere genezing is de overeenkomst van de artsenij met de aard van de ziekte of haar verwekkers**

> **Niet 'het gelijke geneest het gelijke', maar het 'gelijkende geneest het gelijkende'**

150

Casusvoorbeeld: homeopathie bij hernia

's Morgens bij het opstaan voelde ik een felle ruk in mijn lendenwervels; later werd er bij mij een hernia (uitstulping van de tussenwervelschijf die op de uittredende rugzenuw eronder drukt) gediagnosticeerd. De homeopaat had opgemerkt dat ik heel onrustig was en alleen door voortdurend in beweging te blijven de pijn draaglijk kon maken. De pijn was onder invloed van koude ontstaan en veroorzaakte ook nog een opvallende stijfheid in de lendenen. Al deze symptomen zijn kenmerkend voor *Rhus toxicodendron*, de gifsumak, zodat ik bij deze substantie meer baat had dan bij alle medicamenten van de reguliere geneeskunde. De pijn werd er niet door verlicht, maar meteen geëlimineerd. Doordat het juiste middel werd gekozen, werd de spanning in de stijve rug opgeheven. Enkele maanden later merkte ik bij het zwemmen nog dat mijn rug in vergelijking met het vorige jaar iets was verschoven en stijver aanvoelde, waarbij de pijn in het koude water terugkeerde. De zomer daarop waren ook deze klachten echter volledig verdwenen.

Er had zich dus een genezing voltrokken, van pijnonderdrukking was geen sprake. Als een conventioneel medicament of een plantaardige artsenij een genezende werking heeft, komt dat alleen doordat het de weg vrijmaakt voor de genezende krachten van het lichaam zelf. Zulke middelen bezitten echter, in tegenstelling tot homeopathische middelen, niet het vermogen om deze krachten te wekken. Dit is het aspect dat homeopathie zo interessant maakt en verklaart vermoedelijk ook de huidige hausse die deze geneeswijze momenteel in Duitsland doormaakt.

Een ander karakteristiek kenmerk van de homeopathie is het verdunnen van de werkzame stof. De afgelopen jaren is hierbij ook het streven gekomen om het middel door wrijving, schudden of stoten extra energie mee te

Genezing door Rhus toxicodendron

Een ander karakteristiek kenmerk van de homeopathie is het verdunnen van de werkzame stof

151

geven. Hahnemann bereidde al zijn geneesmiddelen zelf en schreef er gedetailleerde handleidingen voor, die momenteel meer of minder exact door verschillende producenten worden gevolgd.

Bij hoge 'potentiëring' (zeer sterke verdunningen) wordt er organisch gezien geen molecuul van de werkzame stof meer in de oplossing gevonden. Om die reden betitelden de aanhangers van de mechanistische natuurkunde uit de 19e eeuw deze vorm van homeopathie laatdunkend als 'humbug' en 'charlatanerie'. Mensen die de ontwikkelingen in de moderne kwantumfysica hebben gevolgd, zijn in dat opzicht veel voorzichtiger. Gelet op het feit dat 'materie' zoals men zich dat vroeger voorstelde niet bestaat, en gebleken is dat op subatomair niveau in feite alles uitsluitend energie is, moet worden erkend dat de benadering van de homeopathie op grond van 'die ene molecuul werkzame stof in een opslagmedium-oceaan' allang is achterhaald.

De homeopathie maakt gebruik van bestanddelen van mensen, dieren, planten en anorganische materialen

De homeopathie maakt gebruik van bestanddelen van mensen, dieren, planten en anorganische materialen. Deze worden als geneesmiddel bereid en bij gezonde proefpersonen getest. Al naargelang de symptomen waarvan deze proefpersonen melding maken wordt voor het desbetreffende middel een handleiding geschreven die zieke mensen met overeenkomstige symptomen tot richtlijn kan dienen. Sinds het begin van de homeopathie zijn er ruim twee eeuwen verstreken en ontelbare artsenijtests uitgevoerd. Hierdoor is de werking van de belangrijkste geneesmiddelen inmiddels zeer goed bekend.

Een vertakking van de homeopathie: Schüssler-zouttherapie

Ongeveer honderdvijftig jaar geleden ontstond er een vertakking van de homeopathie die rekening hield met de toenmalige inzichten van de natuurwetenschappen –

152

Laat homeopathie zich combineren met pepermunt-thee?

Van Samuel Hahnemann zelf stamt het gezegde dat een homeopathische behandeling kan worden verzwakt door allerlei storende invloeden. Om die reden legde hij een uitgebreide catalogus van negatieve factoren aan, met daarbij het verbod op het gebruik van stimulerende dranken en dranken die etherische oliën bevatten. Daartoe behoren koffie, zwarte thee, groene thee, pepermuntthee en kamillethee. Zuid-Amerika is echter een van de snelst groeiende toepassingsgebieden van homeopathie; in die landen wordt veel koffie geconsumeerd, zodat dit verbod eenvoudigweg wordt genegeerd. Toen werd opgemerkt dat dit geen meetbare afbreuk deed aan de kracht van homeopathische geneesmiddelen, begon het gezag van deze catalogus van negatieve factoren te wankelen. Willibald Gawlik, die de homeopathie in Duitsland zijn stempel heeft opgedrukt, heeft hierover eens gezegd: 'Als een [homeopathisch] geneesmiddel juist is gekozen, werkt het, ongeacht hoe sterk je probeert het te verstoren.' Deze mening wordt inmiddels door veel homeopaten onderschreven en werd ook door mijn persoonlijke ervaringen bevestigd.

Als een [homeopathisch] geneesmiddel juist is gekozen, werkt het, ongeacht hoe sterk je probeert het te verstoren

de fysica, de chemie, de anatomie en de fysiologie. Zij beperkte zich tot homeopathische geneesmiddelen die als bouwstenen voor het lichaam fungeren en in de stofwisseling en de communicatie tussen de cellen van bijzondere betekenis zijn.

De grondslag van deze leer – die ook wel 'biochemie' werd genoemd – werd in het jaar 1874 gelegd door de arts Wilhelm Heinrich Schüssler uit Oldenburg (Neder-Saksen). Schüssler was een homeopaat wiens interesse vooral uitging naar de stofwisselingsprocessen in het menselijk lichaam. Hij had geconstateerd dat de lichaamscellen door middel van de absorptie of uitscheiding van minerale zouten met elkaar communiceren. Zijn geneeskundige leer berustte op het volgende principe: een gebrek aan bepaalde zouten leidt tot functiestoornissen, die uiteindelijk uitmonden in ziektetoestanden.

Schüssler: gebrek aan bepaalde zouten leidt tot functiestoornissen

De therapie met minerale zouten volgens dr. Schüssler heeft haar wortels in de fysiologie en de biochemie, de voedingsleer en de homeopathie. Zijn redenering luidde: minerale zouten zijn bij alle stofwisselingsprocessen in ons lichaam van het grootst mogelijke belang. Als minerale zouten stromen, worden de verhoudingen tussen de elektrische potentialen van de cellen veranderd. De poriën in de celwand gaan open of dicht, de aard van de uitscheidingsproducten verandert en er wordt vloeistof geabsorbeerd of uitgescheiden. Het gehalte aan minerale zouten in de weefsels is bepalend voor hun stabiliteit, vorm en elasticiteit. Vooral ons centraal zenuwstelsel, een weke, galachtige massa, wordt door de toevoer van minerale zouten beheerst. De 20e eeuw werd gekenmerkt door het inzicht dat hormonen – in hun hoedanigheid van boodschappers van de hersenen en neuro-endocriene cellen – de zoutstromen in de meest uiteenlopende weefsels van het lichaam beïnvloeden. Weliswaar is het nog niet mogelijk gedetailleerd te verklaren waarom deze of gene vochtopeenhoping bij voorkeur in bepaalde delen van het lichaam optreedt, maar we mogen ervan uitgaan dat de hersenen en de minerale zouten in het lichaam met elkaar communiceren en gezamenlijk een proces op gang houden dat de stofwisseling – het voortdurend afbreken en opbouwen van stoffen en energie-eenheden – mogelijk maakt. Al deze processen samen worden 'leven' genoemd, waarbij de minerale zouten een centrale positie innemen.

De hersenen en de minerale zouten in het lichaam communiceren met elkaar

154

Nu is het zo dat zouten al van nature in bepaalde concentraties in de weefsels voorkomen. Heeft een gebrekstoestand een negatieve uitwerking? En is het dan voldoende dit zouttekort aan te vullen? Of hebben we hier met een ander verschijnsel te maken? Immers, het blijkt al verschil te maken dat de zogeheten 'Schüsslerzouten' een homeopathisch potentiëringsproces hebben doorgemaakt.

Zoals gezegd heeft de kwantumfysica ons geleerd dat we op subatomair niveau geen materie tegenkomen, maar energietoestanden. Feitelijk zouden we moeiteloos een hand door een deur kunnen steken als ons dat niet werd belet door de intensiteit van de krachtvelden in het hout. Energietoestanden laten zich tot op zekere hoogte beïnvloeden door middel van drukken, trekken of verwarmen, zoals elk kind weet dat weleens een tak heeft gebroken of een klont ijs in zijn hand heeft zien smelten. Er komt geen atoomsplitsing aan te pas (want die is mechanisch niet teweeg te brengen). Ons gaat het slechts om de vraag of de atomen van een mineraal zout dat gewreven, gestoten of geschud wordt, in staat zijn de daarbij verbruikte kinetische energie op te nemen en deze af te geven aan een oplosmedium, zodat dit oplosmedium als het ware een herinneringsfunctie kan uitoefenen. Homeopaten en Schüssler-zouttherapeuten beantwoorden deze vraag op grond van hun eigen ervaringen met zichzelf en hun patiënten bevestigend: ja, zo moet het zijn. Vanuit de fysica zijn er aanwijzingen dat het inderdaad zo kan zijn, hoewel er nog geen onomstotelijke bewijzen van zijn geleverd. De toekomst moet het definitieve antwoord op die vraag leveren.

De tweede vraag die moet worden beantwoord bij het uittesten van de werking van minerale zouten, luidt in welke stofconcentratie een zout aan het menselijk lichaam moet worden aangeboden. Wie tegenwoordig

In welke stofconcentratie moet een zout aan het menselijk lichaam worden aangeboden?

kampt met osteoporose, krijgt het advies om dagelijks maximaal een gram van een calciumzout in te nemen. Op die manier hoopt men de afbraak van calcium in de botten te vertragen. Een liter mineraalwater van Vittel bevat 91 mg calcium, en een liter bronwater van Volvic slechts 11,5 mg, dus slechts een honderdste tot een duizendste van de aanbevolen hoeveelheid. Toch zijn dat altijd nog hoeveelheden calcium die het calciumgehalte in een Schüssler-zout verre overtreffen. Een tablet *Calcium fluoratum D6* volgens Schüssler bevat 0,00025 mg calcium, en een tablet *D12* nog maar 0,00000000025 mg.

Hoe valt de werkzaamheid van een zo geringe hoeveelheid calcium te verklaren? Schüsslers antwoord: 'Het gaat er niet om grote hoeveelheden aan te bieden, maar om de concentratie zo sterk te verdunnen dat zelfs het calciumgehalte van gewoon leidingwater vele malen hoger is. De zieke cel, met een door calciumgebrek veroorzaakte functiestoornis, profiteert op cellulair niveau van de toevoer van calcium en kan alleen genezen als we de therapie op dit niveau toepassen.'

In het lichaam komen in totaal elf van deze minerale zouten voor. De volgende zouten zijn belangrijk voor de behandeling van pijnen:

Belangrijke zouten in de pijnbehandeling

Zout nr. 1: Calcium fluoratum D12
Dit zout is verantwoordelijk voor de stevigte en stabiliteit van bindweefsels en helpt daardoor om pijnen te verlichten die een gevolg zijn van te zachte of brosse weefsels, vooral littekenweefsel.

Zout nr. 2: Calcium phosphoricum D6:
Dit zout helpt vaak bij oudere mensen met sterke vervormingen van de wervellichamen, waardoor de uittredende rugzenuwen bekneld raken. Dikwijls wordt dit 's morgens bij het ontwaken door de patiënt ervaren in de

vorm van kriebelingen in de armen. Als iemand dit symptoom heeft, in combinatie met hoofdpijn of pijn in de wervelkolom, heeft hij vaak baat bij *Calcium phosphoricum*.

Zout nr. 3: Ferrum phosphoricum D12:
Dit zout wordt in het vroege stadium van infecties ingenomen, als er ijzer wordt geabsorbeerd door de ontstoken cellen. De in dit stadium vaak optredende pijn in het hoofd, de ledematen of de nek neemt dan af.

Zout nr. 5: Kalium phosphoricum D12:
Dit wordt wel 'zenuwzout' genoemd en verlicht pijnen die voortkomen uit slapeloosheid, overprikkeling en uitputting.

Zout nr. 7: Magnesium phosphoricum D6:
Dit is een beproefd middel tegen krampen en spierpijn. Magnesium verlaagt de elektrische spanning van spieren, waardoor de tonus afneemt. Wie last heeft van verkrampte nekspieren heeft baat bij enkele tabletten *Magnesium phosphoricum* of neemt een zogeheten 'Heisse Sieben' in: hiertoe worden tien tabletten opgelost in een glas heet water, dat met kleine teugjes wordt gedronken.

Zout nr. 8: Natrium chloratum D6:
Dit zout reguleert de vochthuishouding in het lichaam en helpt tegen spanningshoofdpijnen, vooral aan de slapen.

Zout nr 9: Natrium phosphoricum D6:
Dit zout gaat overmatige verzuring van lichaamsweefsels tegen en helpt tegen spierpijn en brandend maagzuur.

Zout nr. 11: Silicea D12 :

Dit is in feite een kiezelzuur, dat eveneens verantwoordelijk is voor het in stand houden van de stevigte en elasticiteit van weefsels.

Casusvoorbeeld

Een negenenzestigjarige patiënt – een emeritus-hoogleraar – belde mij 's avonds op. Hij had over het hele lichaam pijn, zei hij; hij was er plotseling door overvallen en had dergelijke pijnen nog nooit ervaren. Toen ik hem bezocht, constateerde ik bij het lichamelijk onderzoek lichte koorts, een roodverkleuring van het verhemelte, licht verhoogde bloeddruk (160-190) en een blos op beide wangen. Verder was er niets bijzonders aan hem te zien, zodat ik van een virusinfectie in het beginstadium kon uitgaan. Dat was om 21.00 uur. Om 23.00 uur wilde hij naar bed gaan. Ik gaf hem de raad tot dat tijdstip om de tien minuten een zuigtablet *Ferrum phosphoricum D12* te nemen. De volgende avond belde hij me op en was diep onder de indruk. Al voor het inslapen had hij wat verlichting van de pijn ervaren. Wel had hij opgemerkt dat hij zich buitengewoon vermoeid voelde. Die ochtend was hij volkomen gezond wakker geworden. Er trad daarna geen infectie op.

Overigens doen mijn observaties vermoeden dat er *natrium-, kalium-* en *calcium-typen* bestaan. Het *natriumtype* is te herkennen aan prestatiedrang, het *kaliumtype* aan een dwangmatige behoefte aan orde en het *calcium-type* aan een hang naar geborgenheid en het gezin. Wie zich in een van deze typen herkent, zal het meeste baat hebben bij zouten uit de desbetreffende categorie. Uiteraard is dit vooral voor mensen die zich intensiever willen verdiepen in de Schüssler-zouttherapie van belang.

Hier volgt een selectie van Schüssler-zouten die bij bepaalde pijntoestanden werkzaam zijn:

Ferrum phosphoricum D12 tegen een virusinfectie

Een selectie van Schüssler-zouten tegen bepaalde pijntoestanden

158

De dosering van Schüssler-zouten

Al naargelang de aard van de klachten kunnen er maximaal vier zouten gelijktijdig worden ingenomen, waarbij er tijdsintervallen van tenminste vijf minuten bij het innemen van natrium, kalium of calcium in acht moeten worden genomen, omdat deze zouten elkaars werking kunnen tegengaan. Elk tablet wordt afzonderlijk ingenomen; het dient in de mond uiteen te vallen, waarna er enkele minuten moet worden gewacht voordat er een volgende tablet wordt ingenomen. Bij chronische pijn zouden er dagelijks vijf tabletten moeten worden ingenomen, gedurende een tijdsbestek van tenminste twintig dagen. Eerder is niet vast te stellen of de therapie helpt.

Spierreuma

Ferrum phosphoricum – Kalium chloratum: om het halfuur telkens één tablet afwisselend innemen.
Bij pijn ten gevolge van beweging.
Magnesium phosphoricum: om het kwartier één tablet, opgelost in heet water.
Bij vlijmende, stekende, verspringende pijnen.
Calcium phosphoricum: vijfmaal daags één tablet.
Bij pijnen die gepaard gaan met gevoelloosheid, koudegevoel of kriebelingen.

Gewrichtsreuma

Ferrum phosphoricum: om het kwartier één tablet.
Zodra de pijn begint, vooral als de pijn gepaard gaat met koorts.
Kalium sulfuricum: om het halfuur één tablet.
Bij verspringende pijnen die 's nachts heviger worden.
Magnesium phosphoricum: om de tien minuten één tablet. Als de pijn bijzonder hevig wordt.

Schüssler-zouten tegen bepaalde soorten pijn

159

Calcium phosphoricum: vijfmaal daags één tablet.
Bij chronische gewrichtsreuma en ter nabehandeling.

Hoofdpijnen

Ferrum phosphoricum: om het kwartier één tablet.
Bij drukkende hoofdpijn met bloedstuwing naar het hoofd, duizelingen, misselijkheid, overgeven en gezichtsstoornissen.
Kalium phosphoricum: om het kwartier één tablet.
Bij nerveuze hoofdpijnen met prikkelbaarheid, slapeloosheid en na overmatig denkwerk en boosheid.
Natrium chloratum: om het halfuur één tablet.
Na slopende ziekten en bij slechte nachtrust of de hele dag door hoofdpijn.
Magnesium phosphoricum: om het kwartier één tablet.
Bij plotseling opkomende, krampachtig optredende stekende hoofdpijn, vooral in het achterhoofd en met lichtflitsen voor de ogen.
Silicea: om het uur één tablet.
Na overmatig denkwerk, en ook in geval van 'studiehoofdpijn'. Vooral ook geschikt voor overgevoelige, zwakke patiënten.
Natrium sulfuricum: om het uur één tablet.
Tijdens de nasleep van spijsverteringsstoornissen en verheviging van de pijn als gevolg van beweging of onder de invloed van licht.
Natrium phosphoricum: om het halfuur één tablet.
Na overmatig drankgebruik, met misselijkheid en zure oprispingen.

Overtuigde Schüssler-zouttherapeuten vertrouwen op de logica van dit behandelingsconcept en staan veeleer afwijzend tegenover de complexere, meeromvattende homeopathie. Zij spreken van gebrekstoestanden die door middel van substitutie kunnen worden opgeheven. Ze maken bezwaar tegen de omschrijving 'prikkeltherapie'. Voor hen is het geneesmiddel zoiets als een impuls voor de activering van de genezende krachten van de patiënt zelf.

De sterk uiteenlopende vormen van homeopathie

Zelf heeft de homeopathie in haar tweehonderdjarige bestaansgeschiedenis een ingrijpende verandering ondergaan. Zij is momenteel zo uiteengevallen tot zoveel verschillende denkscholen en behandelmethoden dat het gebruik van het overkoepelende begrip 'homeopathie' eigenlijk niet meer gerechtvaardigd is.

Naast deze volstrekt onoverzichtelijk geworden 'klassieke homeopathie' zijn er op de vrije markt nog veel meer geneeswijzen die gebruikmaken van homeopathische geneesmiddelen. De op natuurgeneeswijzen georiënteerde farmaceutische industrie levert in toenemende mate zogeheten 'complexe middelen'. Deze geneesmiddelen zijn samengesteld uit combinaties van werkzame stoffen waarvan bekend is dat ze bij bepaalde klachten weleens hebben geholpen, in de hoop zo de 'trefferquota' te verhogen. Dergelijke middelen worden vaak door neuraaltherapeuten geïnjecteerd, of door een reguliere arts met weinig homeopathische kennis voorgeschreven bij wijze van 'laatste toevlucht', als alle overige medicamenten niet hebben geholpen.

Er zijn echter ook ongediplomeerde artsen (*Heilpraktiker*), masseurs en andere randfiguren op het gebied van de gezondheidszorg, eigenlijk vooral bezig met astrologie, bioresonantie of het diagnosticeren van aandoeningen met behulp van een pendel, die deze complexe middelen graag gebruiken, en vaak met succes. Een dringend verzoek van de patiënt die graag 'eens iets homeopathisch' wil proberen, kan er dan toe leiden dat hij of zij uren achtereen door een hooggekwalificeerde specialist wordt ondervraagd over zijn of haar symptomen. Deze expert begint dan – eveneens vaak urenlang

Zogeheten 'complexe geneesmiddelen' uit de homeopathie worden vaak met succes gebruikt

– naslagwerken of computerprogramma's te raadplegen om deze symptomen thuis te brengen, totdat zijn speurtocht wordt beloond met de vondst van een homeopathisch enkelvoudig middel – bij voorkeur in de vorm van één enkel, nauwelijks zichtbaar bolletje dat een middel met een hoge potentie bevat en slechts één keer hoeft te worden ingenomen. Aan de andere kant kan een 'homeopathische behandeling' ook neerkomen op een min of meer achteloze greep uit de schappen van de apotheek die een vrij onkritische verzameling geneesmiddelen aanbiedt, zonder dat er deskundige adviezen aan te pas komen.

De door puristen uit de homeopathie versmade complexe homeopathica hebben inmiddels met succes in talrijke orthopedische praktijken vaste voet veroverd. Een voorbeeld hiervan is Zeel comp.®, een combinatiepreparaat van *Rhus toxicodendron*, *dulcamara*, *arnica* en *sanguinaria* in lage potenties. Het werd qua werking een tijdlang vergeleken met die van COX2-remmers (de nieuwe salicylaten), en ziedaar, ze hebben een even krachtige uitwerking, die zich echter pas na enige vertraging laat gelden. De auteurs van het bewuste onderzoek adviseerden het afwisselende gebruik van een combinatie in de behandeling tegen artrose: eerst COX2-remmers en daarna Zeel comp.®. De auteurs maakten niet uitdrukkelijk gewag van de reguliere geneeskunde of natuurgeneeswijzen en spraken slechts van de werkzaamheid van het middel en een praktische weg naar bevrijding van pijn.

De 'zuivere leer' is minder belangrijk dan een praktische weg naar de bevrijding van pijn

In de strijd tegen pijn bewandel ik zelf vaak een overeenkomstige weg. Op de eerste plaats probeer ik het meest wenselijke, namelijk het wegnemen van de eigenlijke oorzaak, in het streven naar echte genezing. Op een gegeven moment zie je jezelf dan in het belang van de patiënt afwijken van de 'zuivere leer'.

Een kenmerkend geval uit mijn praktijk is dat van een zeventigjarige schrijver, wiens pijn in de rechterarm

162

kennelijk een gevolg is van een verschuiving van de zesde tegen de zevende nekwervel. De correctieve ingreep volgens Dorn leidt tot vermindering van deze klacht. De tamelijk diffuse rugpijn wordt door middel van ooracupunctuur verholpen. Deze verbetering houdt nu eens slechts enkele dagen, dan weer maanden achtereen aan. Van echte genezing kan dus niet worden gesproken. Talrijke andere therapeutische maatregelen, van neuraaltherapie via darmreiniging tot osteopathische behandeling, kuren met ontspanningsoefeningen en training ter vergroting van de spiermassa, hebben in de loop van meerdere jaren geen meetbare verbetering teweeggebracht. Daar komt nog bij dat de patiënt geneigd is zichzelf tegen allerlei pijntjes en kwaaltjes te behandelen, wat hij vaak doet met onderdrukkende middelen als cortison. Homeopathie en Schüssler-zout-therapie waren korte tijd werkzaam, maar door de bank genomen toch niet in staat om het terugkeren van de gewrichtsklachten te voorkomen. Toen er tussendoor nog een pijnlijke zwelling van het kniegewricht optrad, bleken alle methodes, ook verkoelende maatregelen of ingrepen die de darm zuiverden (aderlating, koppen zetten) weinig invloed op het genezingsproces te hebben. Daarentegen leidden natte omslagen met *Diclofenacum* gedurende vijf opeenvolgende dagen tot volledige genezing. Hierna maakten noch de patiënt, noch ikzelf nog gewag van het onderwerp 'onderdrukking door die slechte, o zo slechte reguliere geneeskunde' – tenslotte was de goede, o zo goede natuurgeneeskunst in gebreke gebleven. Uit dit voorbeeld blijkt dat de eisen van de dagelijkse praktijk het volmaakte bouwwerk van een bepaalde heelkundige ideologie binnen de kortste keren in een ruïne kunnen veranderen. Een doelmatige therapie vloeit vaak voort uit de creatieve spanning tussen enerzijds wat mogelijk en anderzijds wat wenselijk is, op grond van een zuiver pragmatische aanpak.

Soms moet er worden teruggegrepen op de reguliere geneeskunde

163

Bij de keuze van een middel tegen pijn eerst vragen: tot welk type behoor ik?

Wie homeopathie vanuit het receptenboek praktiseert, stuit bij pijn algauw op het middel *Arnica*. De een adviseert *D6*, een matige potentie zoals bij de Schüsslerzouten; de ander pleit voor *C200*, een hoge potentie, waarvan een werkingsduur van enkele weken mag worden verwacht. Acht slaan op enkele sleutelsymptomen is echter belangrijker dan de potentie. Het stil in bed liggen en zwijgend lijden, zonder het voornemen een arts te raadplegen of zich door iemand te laten bijstaan, is kenmerkend voor *Arnica*. Wie *Arnica* nodig heeft, is beducht voor iedere invloed van buitenaf. Dit gedrag is echter niet typerend voor patiënten die baat hopen te vinden bij homeopathische geneesmiddelen. Als er voor dit middel geen indicatie is, kan het ook niet helpen. Geen wonder dat *Arnica* in de dagelijkse toepassingspraktijk zo zelden werkt, met uitzondering van pijn na een val of bij kneuzingen.

Bryonia Een soortgelijk middel is *Bryonia* (heggenrank). Ook nu ligt de patiënt er stil bij. Hij zou zich het liefst helemaal niet meer bewegen, omdat hij alleen zo zijn pijn kan verdragen. De geringste beweging veroorzaakt vaak stekende pijn. De patiënt wordt echter ook gekweld door de wetenschap dat deze pijn hem belet om belangrijke zaken af te handelen. Hij zal zich daarover beklagen. Mensen met een dergelijke constitutie trekken profijt van *Bryonia*, maar dat geldt niet voor de meeste andere mensen met stekende pijnen. Wie niet vrij nauwkeurig aan dit beeld voldoet, zal van het middel geen positief effect ondervinden en er zich over verwonderen dat anderen zo'n hoge dunk van homeopathie hebben.

Wie intensief aan zijn dagelijks werk denkt en ongeduldig en opvliegend is tegenover iemand die voor hem zorgt en zich zorgen maakt over zijn pijn, heeft vaak

164

Nux vomica nodig. Dit middel is het meest geschikt
voor slanke of zelfs magere mensen, die zich met hart
en ziel inzetten voor hun beroep, zich met genotmidde-
len 'op peil houden', kettingroker zijn, talloze koppen
koffie drinken en weinig slapen. Na een onverwachte
tegenslag op zakelijk gebied klagen zij vaak over hevige rugpijn, kunnen zich nauwelijks nog bewegen en
hebben een korte lont. Zo iemand kan lijken op het
Bryonia-type, dat echter goed doorvoed is en zich met
zijn spaarzaamheid met woorden duidelijk onderscheidt van het jachtige, welhaast giftige ongeduld van
het *Nux vomica-type*.

Nux vomica

De dosering van homeopathische geneesmiddelen

In principe hoort er na het eenmalig toedienen van
een homeopathisch medicament op de uitwerking te
worden gewacht. Voor geneesmiddelen van middelmatige potentie (*D6-D30*) behoort de werking binnen
het uur te beginnen. Bij hogere potenties (*C200-
C1000*) kan de werking enkele dagen op zich laten
wachten. Dit heeft geleid tot de gewoonte om zo'n
geneesmiddel slechts één keer toe te dienen, met het
gevolg dat er vaak pas na enkele weken – als het middel geen effect sorteert – aan wordt gedacht een ander
middel te kiezen. Middelmatige potenties worden
meestal in regelmaat voorgeschreven, bijvoorbeeld
een dag lang driemaal daags. Echter, dit heeft met
homeopathie nauwelijks iets van doen. Het is eerder
een poging de patiënt – die denkt dat iets dat je vaker
moet innemen, beter helpt – tegemoet te komen.
Wie het accuraat wil doen, neemt drie tot vijf korreltjes van een *D12*-middel; in het ideale geval wordt er
dan enkele uren gewacht om vast te stellen of de pa-

Wie het accuraat wil doen, neemt drie tot vijf korreltjes van een *D12*-middel en wacht enkele uren af

tiënt zich beter gaat voelen. Zo ja, dan wordt de volgende dosering pas ingenomen als zijn of haar toestand weer slechter wordt. Als het middel niet helpt, heb je waarschijnlijk het verkeerde middel gekozen en dien je nog eens te overdenken welk ander homeopathisch geneesmiddel in aanmerking komt.

Casusvoorbeeld: Nux vomica bij rugpijn

Mijn hulp werd eens ingeroepen door de zesenveertigjarige manager van een orkest, die in chronische tijdnood verkeerde en bovendien thuis te maken kreeg met een computer-crash, waarbij zijn harde schijf het begaf. Hij had al nachten achtereen slecht geslapen, iedere dag tot uitputtens toe achter zijn computer gezeten, talloze telefoontjes gepleegd en liters koffie gedronken. Tijdens zijn koortsachtige pogingen om zijn computer weer aan de praat te krijgen, voelde hij een felle stekende pijn in de rug, waardoor hij zich niet meer kon verroeren. Hij was overprikkeld, woedend en uitermate ongeduldig. Hoewel we elkaar al een poosje kenden, trok hij tijdens het consult alles wat ik deed in twijfel. Hij stelde alternatieve maatregelen voor en vroeg of hij niet beter af zou zijn in een ziekenhuis. Diverse maatregelen – injecties, chirotherapie – haalden nauwelijks iets uit, waardoor hij gestaafd werd in zijn mening. Uiteindelijk was ik bereid hem met conventionele middelen te behandelen teneinde hem niet nog meer de dampen in te jagen met 'natuurgeneeskundige probeerseltjes'. Na een intramusculaire injectie met Diclofenac voelde hij zich wat suf, maar de pijn was nauwelijks minder. In het kader van een nieuwe poging, omdat de klachten waren verergerd, gaf ik hem *Nux vomica D12*. De bolletjes maakten hem opvallend moe en hij sliep een uur. Daarna kon hij weer aan het werk, al voelde hij nog wat milde pijn in de rug. Het

166

opmerkelijkste was de verandering van zijn gemoed. Hij zag alles opeens niet meer zo 'bekrompen' en voelde dat hij het wel zou redden. Met zijn toegenomen geduld en innerlijke rust kon hij weer gezond worden. Eigenlijk was hij alweer tevreden en wilde met frisse moed aan het werk.

Uiteindelijk bracht een homeopathisch middel uitkomst

Nux vomica- en *Bryonia-typen* zijn gemakkelijk met elkaar te verwisselen als er niet op de gemoedssymptomen wordt gelet en de homeopaat zich alleen laat leiden door een van de vele homeopathische receptenboeken. In deze werken worden alleen de voornaamste klachten waarvan iemand melding maakt nauwkeurig beschreven. Het *Nux vomica-type* onderscheidt zich ook van iemand die eveneens klaagt over stekende pijn en ook uiterst ongeduldig en kortaangebonden is. Het eerstgenoemde type is rusteloos, bijna opvliegend en overgevoelig voor alle mogelijke prikkels. Waar echter de *Nux vomica*-patiënt snel geneigd is de competentie van anderen in twijfel te trekken – zodat hij soms zelf een arts die hem eerder al eens goed met een injectie heeft geholpen incompetentie verwijt als succes ook maar even uitblijft – wil de patiënt die *Chamomilla* (kamille) nodig heeft, uitdrukkelijk geholpen worden. Daar geeft hij dan uiting aan als een slecht opgevoed kind: hij blijft de arts net zolang irriteren totdat deze hem zijn zin heeft gegeven. In het homeopathische jargon wordt dat symptoom beschreven door de typering 'wenst gedragen te worden'. Toen er bijvoorbeeld bij zo iemand als kind een tand doorkwam, werd het pas rustig als het op de arm werd genomen. Later, als volwassene, werd hij pas rustig als hij dankzij de genomen maatregelen de indruk had in goede handen te zijn.

Een ander voorbeeld van een pijnstillend homeopathisch middel voor crisissituaties is *Colocynthis* (watermeloen). Op het eerste gezicht lijkt het alsof je een

Colocynthis –
een pijnstillend
middel in
crisissituaties

Nux vomica-type voor je hebt. De patiënt is woedend of zelfs buiten zinnen en klaagt over hevige pijn, maar voornamelijk in de buik en minder in de rug. De pijnen zijn koliekachtig, waardoor hij zich dubbel vouwt. Er is echter een essentieel verschil: deze patiënt maakt zich geen zorgen over zakelijke aangelegenheden en ervaart geen pijn omdat zijn succes in gevaar lijkt te komen, maar omdat hij door iemand die hem dierbaar is werd gekrenkt of gekleineerd.

Bij de behandeling van diffuse, wisselende pijnen in de spieren en de rug, zoals bij fibromyalgie (spierreuma) is *Staphisagria* mogelijk het belangrijkste homeopathische geneesmiddel. Dit geldt voor alle gevallen waarin 'koken van woede' vanwege krenkingen en onrechtvaardigheden op de voorgrond treedt. Recentelijk zei een bekende homeopaat dat in feite alle mensen in onze gejaagde ellebogensamenleving zo nu en dan *Staphisagria* nodig hebben om weer met zichzelf in het reine te komen. Kortgeleden vertelde een eenendertigjarige vrouw die bij een mediabedrijf werkzaam was mij hoe zij had gereageerd op drie bolletjes *Staphisagria D12* (middelmatige potentie): 'In het begin heb ik een dag lang lopen huilen. Daarna werd ik heel rustig, en merkte ik dat mijn pijnen volledig waren verdwenen. Geen stekende pijn meer in de borstkas, geen trekkende pijn in de rug, geen spierspanningen, geen scheeftrekkingen. Ik had het gevoel: nu ben je er. Ik voelde me helemaal beschermd.'

Het zou echter verkeerd zijn een homeopathische behandeling strikt te beperken tot de 'klassieke geneesmiddelen' uit de homeopathie. Zo zag ik eens een zesenzeventigjarige vrouw met artrose in de grote gewrichten. Zij klaagde vooral in het koude jaargetijde over oedemen en verspringende pijn in de gewrichten, met inbegrip van de middelste vingergewrichten. Ik had haar vanwege haar bleke, glanzende gezichtshuid

Het zou echter
verkeerd zijn
een
homeopathische
behandeling
strikt te
beperken tot de
'klassieke
geneesmiddelen'
uit de
homeopathie

168

met grove poriën het Schüssler-zout *Natrium chloratum* gegeven, waarna ze de indruk had dat haar pijnen iets minder waren geworden. Toen gaf ik haar drie korreltjes *Natrium chloratum C1000*. Bij haar volgende bezoek zei ze dat haar gewrichtspijnen volledig waren verdwenen, maar enkele uren na het innemen van het middel had ze mij vervloekt. De pijnen waren toen zo verhevigd dat ze zich bijna niet meer had kunnen bewegen. Bovendien, zo vertelde ze, was ze zo moe geweest dat ze al om acht uur naar bed was gegaan. Toen ze de volgende dag wakker werd, had ze het gevoel gehad 'alsof de pijnen weggebrand waren'; en de afgelopen weken had ze niets meer gevoeld. Ze had meer energie, zei ze, en was opgemonterd. Al deze indicaties zijn verklaarbaar als een gunstig beginverloop van een homeopathische constitutietherapie. Er komt iets in beweging, verstarde structuren worden doorbroken en de gunstige uitwerking op de pijn is een 'neveneffect' van de sterker geworden levensenergie.

Hoe komt het dan dat dergelijke successen zich in de praktijk zo zelden laten herhalen? Hierop is meer dan een antwoord mogelijk. Is het, alleen omdat iemand grove poriën in het gezicht heeft, voldoende om maar met hoge potenties te smijten? Natuurlijk niet. In de eerste plaats moet de patiënt, die met *Natrium chloratum* wordt behandeld, in het 'natriumuniversum' passen. In principe is hij een echte *Einzelgänger*, maar hij is in staat intensieve één-op-éénrelaties met anderen op te bouwen die vaak levenslang in stand blijven. Hij polariseert niet graag, probeert altijd de andere kant van de medaille te zien en streeft naar het uit de wereld helpen van conflicten. Hij ontleent zijn zelfwaardering aan prestaties en verafschuwt oppervlakkig uiterlijk vertoon. Hij draagt nette kleren, zonder opschik, en heeft een goed gevoel voor werkelijk waarden. Hij zal niet graag om zichzelf huilen, maar kan een traantje

Hoe komt het dan dat dergelijke successen zich in de praktijk zo zelden laten herhalen?

169

vergieten als iemand anders zich dapper weert. Zichzelf vindt hij niet zo belangrijk, als hij alles nuchter bekijkt. Hij komt vaak stug over en raakt in de loop van zijn leven verbitterd als gevolg van teleurstellingen. Natrium is het alkalimetaal van het herinneringsvermogen. Als een al wat oudere patiënt al bij een eerste consult over nare ervaringen in het ouderlijk huis begint, heb je waarschijnlijk een *natrium-type* voor je. Het *Chloratum-type* heeft niet alleen dat stugge en verbitterde over zich, dat innerlijk verteerd worden door woede, maar ook een verwijtende houding tegenover zijn of haar moeder. Zij is namelijk vaak de eerste teleurstelling voor het *natrium-type*, omdat zij de intensiteit die hij of zij van een relatie verlangt de baby zelden kan geven.

Als bij dit alles ook andere bij *Natrium chloratum* horende symptomen worden opgemerkt, zoals een hang naar zout (hartigheid) of gevoeligheid voor licht, is dat beslist een rechtvaardiging voor een therapie met *Natrium chloratum*-korreltjes van een hoge potentie. Toch is er zelfs in dat geval geen garantie dat het middel zal werken. Er bestaan op de meest uiteenlopende niveaus belemmeringen voor genezing. Pas als die zijn opgeheven wordt een krachtige werking van homeopathische constitutietherapie mogelijk; anders blijft de behandeling vergeefs. Door de bank genomen zou ik zeggen dat er in mijn praktijk bij slechts 20 procent van alle eerste doseringen een verrassend krachtige werking met een duurzaam gevolg optreedt. Het leeuwendeel van de behandelde patiënten is al tevreden met een geringere werking, waardoor zij ook baat hebben bij andere geneeswijzen.

In verband met *Natrium chloratum* wil ik ook nog verslag doen van een andere casus, namelijk van een patiënt wiens verbittering wegens de relatie met de moeder het grote struikelblok was. Het betreft een vieren-

In mijn praktijk treedt bij slechts 20 procent van alle eerste doseringen een verrassend krachtige werking op, met een duurzaam gevolg

170

dertigjarige vrouw die me met een stalen gezicht vertelde dat zij haar moeder haatte; ze kon geen respect voor haar opbrengen en haar moeder werkte haar alleen maar op de zenuwen. Haar eigen verklaring was dat haar moeder haar pas op al wat gevorderde leeftijd had gekregen, waardoor zij zich altijd over haar moeder had moeten schamen, zei ze. Nu was haar moeder vroegtijdig seniel geworden, zei ze, en deed alles fout. Nadere analyse van dit geval wees uit dat de gewrichtspijnen waarvoor zij zich wilde laten behandelen, waren opgetreden nadat haar broers en zussen de verpleging van hun moeder op haar hadden 'afgeschoven'.

Aangezien de meeste mensen vanuit het homeopathische gezichtspunt tot het *natrium-*, *kalium-* of *calciumtype* behoren, betrof het hier een zuiver natrium-conflict. Voor het *calcium-type* komt de familie op de eerste plaats, waardoor dit type eerder klachten krijgt als hij of zij niet genoeg voor de moeder kan doen. Voor het *kalium-type* zou de geschetste geesteshouding, die indruist tegen alle algemene morele opvattingen van de samenleving, zowel innerlijk als naar buiten toe niet door de beugel kunnen, omdat het niet *hoort*. Het *natrium-type* trekt zich van dit soort conventies niets aan. Het draait tenslotte om wat rechtvaardig is, en als rechtvaardigheid ontbreekt, is alles geoorloofd. Verbittering jegens de moeder wijst vaak op *Natrium chloratum*; en het feit dat dit middel inderdaad heeft geholpen, laat zich heel goed volgens de homeopathische redenering verklaren. Ik geloof echter ook dat het van belang is geweest de patiënte al bij het eerste consult ervan bewust te maken dat haar moeder deze straf niet had verdiend. Mijn betoog mondde uit in het advies dat ze er verstandig aan zou doen haar moeder vergiffenis te schenken; ze zou zich er dan zelf ook beter bij gaan voelen. 'Je moeder verdient een milde beoordeling als ze een fout heeft gemaakt.' Dit is geen kleinigheid voor

Verbittering jegens de moeder wijst vaak op *Natrium chloratum*

171

een pijnpatiënt voor wie het een *must* is om consequent bij zijn zienswijze te blijven en deze tegen de rest van de wereld te verdedigen. Vanuit een breder perspectief gezien is dit echter een verkeerde geesteshouding, omdat zij zondigt tegen een oeroud gebod dat de menselijke samenlevingen in alle culturen bijeen heeft gehouden: 'Eert uw vader en uw moeder'. Het is mijn vaste overtuiging dat de innerlijke wrok die voortvloeit uit zo'n conflict zich onveranderlijk tegen de patiënt zelf richt. Daarentegen kan de bereidheid om tot een wapenstilstand te komen of zelfs vrede te sluiten sterke genezende vermogens vrijmaken.

In het desbetreffende geval meldde de patiënte na een poosje dat haar pijnen tot de helft waren verminderd; ook had ze nu meer energie. Toen ik haar vroeg naar de relatie met haar moeder, antwoordde ze dat ze de indruk had dat haar moeder haar de laatste tijd beter behandelde.

Uit al deze voorbeelden blijkt dat homeopathische geneesmiddelen soms oppervlakkig bezien nauwelijks van elkaar lijken te verschillen, maar als we de verschillen niet serieus nemen, zal succes uitblijven. Het is me opgevallen dat soms, als je een duidelijk beeld meent te hebben van wat het juiste geneesmiddel zal zijn en dat ook voorschrijft, het middel niet het minste of geringste effect sorteert. Daarentegen werkt datzelfde middel bij dezelfde patiënt met precies dezelfde klachten een andere keer juist uitstekend. Dit soort problemen in de dagelijkse praktijk maakt homeopathie tot een van de moeilijkst te beoefenen geneeswijzen. Zelfs de kundigste arts die doelgericht en systematisch te werk gaat, zal er slechts beperkt succes mee hebben. Geen wonder dat er op dit gebied therapeuten met sterk uiteenlopende opleidingen werkzaam zijn, en wier behandelsuccessen vaak eerder lijken te berusten op inbeelding. Spontane genezingen doen zich werkelijk

Zelfs de kundigste arts die doelgericht en systematisch te werk gaat, zal slechts beperkt succes hebben met homeopathie

voor, en ze worden gretig meegeteld. Dit geldt ook voor effectieve suggesties, die qua uitwerking te vergelijken zijn met het placebo-effect. Niettemin zie je telkens weer de meest indrukwekkende en verbazingwekkende genezingen, en dat is de reden waarom ik meen dat er geen mooiere geneeswijze bestaat.

Chiropraxie

Ook deze geneeswijze bestond al in de Oudheid; onder de Grieken en Romeinen was het een bekende en populaire therapievorm. Kennelijk wisten de mensen ook toen al dat iemand die zich bij een ondoordachte beweging had 'verrekt', door middel van een eenvoudige (hand-)greep van zijn pijn kon worden verlost.
In principe is het menselijk lichaam te verdelen in schijven, zogeheten segmenten, waarvan de afzonderlijke wervellichamen de kern vormen. In een schijf of segment bevinden zich huid- en bindweefsels, spieren en vaak ook het een of andere inwendige orgaan. Bij pijn weet je bijna nooit precies waar de segmentale stoornis – die de pijn veroorzaakt – is ontstaan. Zo kan obstipatie een blokkade van de lendenwervels veroorzaken, en omgekeerd kan een blokkade van de lendenwervels ook obstipatie ('darmverstopping') teweegbrengen. Een zwakke blaas wordt vaak door een bevrijdende greep aan de onderste lendenwervels verholpen. Bij chiropraxie is het de kunst te bepalen wanneer een bevrijdende 'ingreep' noodzakelijk is, en deze te laten volgen door andere geneeswijzen teneinde het opnieuw ontstaan van een crisissituatie te vermijden. Immers, chiropraxie kan gedurende korte tijd verlichting brengen, maar de methode zal alleen tot genezing leiden als er geen ernstige stoornis aanwezig is. Ook mag niet worden vergeten dat het wel is voorgekomen dat een hernia, een tumorvormende aandoening of een

Bij chiropraxie is het de kunst te bepalen wanneer een bevrijdende 'ingreep' noodzakelijk is

173

wervelontsteking werd verergerd door chiropractische interventie. Vooral om die reden behelst zelfbehandeling al enorme risico's.

Aan de andere kant moeten we ook op dit gebied niet al te voorzichtig en angstvallig te werk gaan. Iedereen die weleens een knak in de wervelkolom heeft gehoord toen hij zich abrupt omdraaide of strekte, weet hoe je je kunt 'deblokkeren'. Wie een gevoel van stijfheid en 'vastzitten' in de wervelkolom bespeurt, kan met een **Jezelf** gerust hart proberen – voorzover hij dat kan – om zich **'deblokkeren'** zo ver mogelijk links- of rechtsom te draaien. Als je hierbij diep ademhaalt en de adem een poosje vasthoudt, helpt dat vaak jezelf te deblokkeren. In geval van een blokkade in het gebied van de borstwervels is het soms al voldoende om je zo ver mogelijk achterover te buigen.

Zelfbehandeling: een chiropractische greep

Er is een chiropractische 'greep' die je bijvoorbeeld bij pijn in de onderste lendenwervels – of bij wijze van oefening – kunt uitvoeren. Deze greep is aan te bevelen voor het losmaken (mobiliseren) van de hele wervelkolom. Ga hiertoe met gestrekte benen op je rug op het vloerkleed liggen. Draai je nu op je zij, trek het bo- **Greep voor het** venliggende been zo hoog mogelijk op en draai je heu- **losmaken** pen zo dat de knie van het bovenliggende been zo dicht **(mobiliseren)** mogelijk bij de grond komt. Hierbij wordt het bovenli- **van de hele** chaam zo ver mogelijk in tegengestelde richting ge- **wervelkolom** spannen. Je probeert dus enerzijds op je rug te blijven liggen en anderzijds je knie zo dicht mogelijk naar de grond te brengen. Hierdoor ontstaat een dusdanige spanningstoestand dat je buiten adem raakt. Je kunt dit effect nog versterken door een hand om de opgetrokken knie te leggen (uiteraard de hand aan die lichaamshelft) en de knie naar het hoofd te trekken. Hierna herhaal je de oefening aan de andere lichaamshelft.

Door deze oefening wordt de wervelkolom over bijna de volle lengte getordeerd en zal de verbinding tussen heiligbeen en darmbeen aan de gerekte zijde ontspannen. Hierdoor zul je je als bevrijd voelen en zijn vaak de *pijnen in de onderste lendenwervels verdwenen.*

Wie beducht is voor chiropractische manipulaties van de nek, kan proberen zich daar zelf te behandelen. Eenvoudig gezegd is het namelijk zo: wat uitsteekt en pijn doet, moet naar binnen worden gedrukt. Tast bij hoofdpijn eens je achterhoofd en nek af. Je zult dan de grote, harde rand aan de achterste onderkant van de schedel voelen. Bovendien voel je aan weerszijden spierstrengen, leidend naar een botrand die je achter je oren kunt voelen. Tevens heb je in het midden van de nek een bindweefselband die strak wordt aangespannen als je je hoofd naar voren buigt, en zacht en slap wordt als je het hoofd in de nek legt. In die houding kun je de doornachtige uitsteeksels van de nekwervels voelen.

Chiropractische zelfzorg bij hoofd- en nekpijn

Bij hoofdpijn is het aanhechtingsgebied van de spieren aan de schedel dikwijls geprikkeld. Het begint bij de hier beschreven spieraanhechtingen achter de oren en trekt van daaruit langs de schedel naar de middellijn. Als je in dit gebied een pijngevoelige plek vindt en daar ook nog een spierzwelling of zelfs een naar achteren uitstekende botknobbel aantreft, kun je daar met je vingers op drukken. Begin nu het hoofd heen en weer te bewegen alsof je nee wilt zeggen en duw daarbij het hoofd bewust tegen je vingers aan. De uitgeoefende druk veroorzaakt, in combinatie met deze beweging, een kleine bewegingsimpuls in het desbetreffende gewricht. Na een poosje zul je zien dat de zwelling minder wordt en de botknobbel niet meer te voelen is. Tegelijkertijd is ook de hoofdpijn minder geworden.

Overigens zou ik je op het hart willen binden niet al te enthousiast aan de slag te gaan. Het is namelijk mogelijk dat er dan hetzelfde gebeurt als bij een ongelukkig

175

uitpakkende manipulatie van de chiropractor: als je het overdrijft, kan je hoofdpijn nog heviger worden. Voorzichtigheid is dan ook geboden. Oefen in het begin weinig kracht uit en doe het niet te lang. Neem af en toe een pauze om te voelen of je de behandeling verdraagt. Een al te grove aanpak kan ook tot duizelingen en oorsuizingen leiden.

De Dorn-methode

Na mijn uitvoerige loftuitingen aan het adres van de chiropraxie in dit boek, zal het je misschien wat verbazen als ik nu aandacht besteed aan een andere methode voor manuele therapie en zeg dat zij in vele opzichten superieur is aan chiropraxie. Ik doel op de zogeheten Dorn-methode.

Waar draait het om? Als je bijvoorbeeld als chiropractor blokkades gaat behandelen, dien je je uiteraard ook af te vragen waarom iemand blokkades en overgevoelige acupunctuurpunten ontwikkelt, vooral als deze steeds in hetzelfde segment optreden. Per slot van rekening zijn er zulke alledaagse dingen als een eenzijdige belasting van de wervelkolom door het heen en weer bewegen van de stofzuiger, door veel te knielen of te bukken bij het dweilen van een vloer, enzovoort. Als dan steeds dezelfde plek pijn doet, kan dat verband houden met de algemene levenssituatie van de patiënt, of met een psychische dwangtoestand, een gebrek aan liefde of financiële zorgen. Hoe het ook zij, er is dan kennelijk een stoornis in een bepaald gebied opgetreden. Zo'n stoornis moet intensiever worden behandeld dan door een manipulatie waardoor ze tijdelijk wordt opgeheven, waarna op het actief worden van de genezende vermogens van het lichaam zelf wordt gewacht. Het is aan de genialiteit van Dieter Dorn, een parttime boer en arbeider in een houtzagerij in de Beierse Allgäu, te danken dat hij erin slaagde om uit de weinige grepen die hij van eenvoudige volksgenezers leerde een logische, werkzame therapie te ontwikkelen die de kwetsbare delen van het lichaam ontziet. Het grondbeginsel: de symmetrie van het lichaam herstellen. Het is een feit dat de wervels werkelijk kunnen verschuiven en dat ze, als er druk op de doornachtige werveluitsteeksels wordt uitgeoefend, kunnen worden teruggeduwd in hun oorspronkelijke positie. Dit vereist echter dat de patiënt losjes zwaaiende bewegingen met een been of de armen maakt, of heen en weer gaande bewegingen met het hoofd, waardoor de zwaaikracht wordt gegenereerd die nodig is voor het verschuiven van een wervel. Voorts moet worden gestreefd naar het systematisch herstellen van de symmetrie, waarbij de benen even lang worden gemaakt, vervolgens het bekken recht wordt gezet en daarna alle wervels tot en met de bovenste nekwervel, het laatste gewricht van het skelet, in lijn worden gebracht.

Het succes van de Dorn-methode wordt in veel orthopedische praktijken verhinderd door een onjuiste kijk op het even lang maken van de benen. Dit komt doordat daar veelal de chiropraxie volgens Sell wordt gepraktiseerd. Diens theorie beweert iets dat nota bene in strijd is met het geloof van de chiropractor zelf, namelijk dat niet het kortere been moet worden gerekt, of door middel van een dikkere schoenzool en hak kunstmatig verlengd, maar dat het langste been als gevolg van het gebrekkig aaneensluiten van de gewrichtsvlakken (kunstmatig) te lang is geworden.

Hierbij spelen natuurlijk ook superioriteitsgevoelens een rol. Een collega die mij zeer sympathiek is en jarenlang met andere collega's heeft gestreden om bepaalde natuurgeneeskundige concepten ingang te doen vinden, liet zich kortgeleden laatdunkend ontvallen: 'Hoe zou een houtzager mij op geneeskundig gebied

Het grondbeginsel van de Dorn-methode: de symmetrie van het lichaam herstellen

Het succes van de Dorn-methode wordt in veel orthopedische praktijken verhinderd door een onjuiste kijk op het even lang maken van de benen

iets kunnen leren?' Iets dergelijks speelde een rol in het volgende casusvoorbeeld.

Casusvoorbeelden

Ik volgde eens een cursus in chiropraxie waarvan de cursusleider klaagde over rugpijn. Hij kende mij al als een 'wakkere knaap' die er aanleg voor leek te hebben en liet zich bereidwillig door mij 'behandelen'. Ik vond het een sympathieke, beminnelijke man, die zijn vak door en door kende en wiens lof mij deugd deed. Ik hield zijn benen omhoog en constateerde een lengteverschil van twee centimeter. Dus zei ik: 'Dat verschil zullen we eerst opheffen.' Na een paar bescheiden Dorn-grepen hield ik de benen opnieuw omhoog. Nu waren ze even lang. Deze demonstratie leidt er bij patiënten in de regel toe dat ze enig vertrouwen in hun therapeut krijgen. Het heeft de amusementswaarde van een goochelaarstruc, maar bewijst tegelijkertijd de effectiviteit van de methode. Vervolgens liet ik hem losjes met de benen zwaaien en corrigeerde een lendenwervel. De cursusleider toonde zich tevreden: zijn rugpijn scheen duidelijk te zijn verminderd. Niet lang daarna liet hij door middel van een chiropractische greep het been weer verlengen. Zijn pijn, verklaarde hij, was werkelijk veel minder geworden, maar nu wist hij niet wat hem echt had geholpen. Dit zegt genoeg over de objectiviteit van collegiale oordelen ...

Als internist werd mijn hulp eens ingeroepen door een jonge vrouw die last had van hevige pijn in de nieren. De echo leverde niets op. De tweede lendenwervel was verschoven en dankzij een corrigerende greep volgens Dorn verdwenen haar klachten. Uit dit voorbeeld blijkt dat een verschoven wervel een stoornis kan veroorzaken in een segment dat in verbinding staat met een inwendig orgaan. Naar alle waarschijnlijkheid kan de doorbloeding van dat orgaan erdoor worden verstoord,

Door het even lang maken van de benen duidelijk minder pijn

178

waardoor een ernstige aandoening van dat orgaan kan
ontstaan. Dit is door middel van een Dorn-manipulatie
te voorkomen.

Psychische problemen komen vaak tot uiting in een
verkramping van de skeletspieren. Met een Dorn-manipulatie in het desbetreffende segment is het dan ook
mogelijk de psyche te ontlasten. Het is altijd plezierig
om samen met de patiënt de pijngevoelige doornachtige uitsteeksels te lokaliseren in het schema waarin
Dorn het verband aangaf tussen psychische conflicten
en de afzonderlijke wervels.

Zelfbehandeling: het corrigeren van een verschil in
beenlengte

Het gelijkmaken van de beenlengte zou je eerste ken-
nismaking met de Dorn-methode moeten zijn. Om er-
achter te komen of je benen niet even lang zijn, ga je
op je rug liggen, glijd met opgetrokken benen met je
zitvlak over de vloer naar de muur van de kamer en
strek je benen omhoog langs de muur. Houd hierbij je
schoenen aan, want een eventueel lengteverschil is dan
vaak beter te zien.

Ga nu weer gestrekt op de vloer liggen en sla een handdoek om het dijbeen van het langste been, zodat dit lichaamsdeel als het ware op een wip ligt. Til nu het uitgestrekte been op en leg het weer op de vloer, terwijl je
het met de handdoek tegenhoudt. Hierbij drukt de
handdoek tegen de rugzijde van het dijbeen en schuift
dan ongemerkt de gewrichtsvlakken van het heupgewricht dichter ineen. Herhaal deze oefening twee keer.
Hierna controleer je de beenlengte door naar de muur
te schuiven. In verreweg de meeste gevallen zijn de
benen nu even lang.

Hoe is dit mogelijk? De verklaring is eenvoudig: verschil in beenlengte ontstaat meestal doordat de ronde
kop van het dijbeen niet helemaal in de kom van het

**Hoe je je benen
even lang kunt
maken**

179

heupgewricht zit. Hierdoor wordt het been schijnbaar langer, hetgeen allerlei negatieve uitwerkingen heeft op de lichaamssymmetrie. Zo kan het gebeuren dat het gewricht tussen darm- en heiligbeen overprikkeld is, met het gevolg dat er pijn in de onderrug ontstaat. Of de wervelkolom moet zich wat krommen om het lengteverschil te compenseren. Hierdoor kan er pijn in alle delen van de wervelkolom optreden, al naargelang waar zich de zwakste schakel in de 'keten' bevindt. Dikwijls is dit een van de nekwervels. Hierdoor kunnen nekpijn, hoofdpijn, gezichts- en/of gehoorstoornissen en allerlei andere klachten ontstaan. Je ziet: pijn houdt dikwijls verband met asymmetrie in de as van het skelet.

Wat te doen als je er geen kans toe ziet om met deze Dorn-manipulatie je benen even lang te maken? (Overigens is het al vaak voldoende als je bij het neerleggen van het uitgestrekte been van opzij tegen het bovenste eind van het dijbeenbot drukt.) De mogelijkheid bestaat dat de gewrichtsstoornis is gelokaliseerd in de knie of het bovenste spronggewricht. Ook is het niet uitgesloten dat je ten gevolge van een operatie of botbreuk een feitelijk verschil van beenlengte hebt. In zelden voorkomende gevallen zijn de benen niet even lang uitgegroeid. Soms is er een verdraaid en verschoven bekken in het spel. Dit is een situatie die eens op de honderden gevallen voorkomt en behoort niet, zoals in de orthopedische praktijk gebruikelijk is, als 'normaal' te worden gezien. Alleen deze laatstgenoemde gevallen hebben baat bij het even lang maken van de benen; deze patiënten doen er dan ook verstandig aan dit te laten doen om van hun pijn af te komen. Alle overige patiënten kunnen zich beter diverse keren laten helpen met de Dorn-methode teneinde de correctie duurzaam te maken. Misschien is daarmee al de basis gelegd voor vrij zijn van pijn in de toekomst.

Als je er niet in slaagt om met deze Dorn-manipulatie je benen even lang te maken

Als je na zo'n behandeling als het ware weer gaat 'inlopen', is het mogelijk dat alleen al door de gelijke lengte van de benen de druk op alle hogere regionen afneemt. Aan de andere kant behoef je je er niet over te verwonderen als een gedurende langere tijd ingesloten ongelijkheid ook in hogere gewrichten verschuivingen heeft veroorzaakt; ook die kun je het beste door een ervaren Dorn-therapeut laten corrigeren.

Ook tegen hoofd- en nekpijn omvat de Dorn-methode een oefening om de nekwervel zelf uit te richten. Druk daartoe met beide vuisten zijdelings tegen je nek. Tegen deze drukpunten in draai je je hoofd tien keer van links naar rechts, alsof je nee wilt zeggen. Als je daarna je vingers wegneemt van de nek, is de hoofdpijn vaak al aanzienlijk minder geworden.

De nekwervel zelf uitrichten

De holle onderrug

Als je op een harde ondergrond plat op je rug gaat liggen en constateert dat je lendenwervels de grond niet raken, heb je een holle onderrug. Vaak is een holle rug de oorzaak van rugpijn. Het leidt ertoe dat het uit borstwervels bestaande deel van je rug uitbolt en je nek korter lijkt, omdat de nekwervels – net als de lendenwervels – te sterk naar voren, dus convex, worden doorgebogen. Al deze te sterke krommingen leiden tot een verhoogde belasting van de spieren die de wervelkolom rechtop moeten houden. Hoe zwakker die spieren zijn, des te vaker verkrampen ze. Hierdoor ontstaan 'zwakke plekken' die bij gebrek aan slaap, te veel stress of als je overwerkt bent pijn beginnen te doen.

Dit kan worden gecorrigeerd met de volgende oefening. Ga op een prettige, stevige ondergrond liggen

De holle onderrug als oorzaak van rugpijn

181

Oefening tegen een te holle onderrug

(bijvoorbeeld in bed, als je niet kunt slapen) en druk je lendenwervels tegen de matras. Dit doe je door je bekken iets naar voren te kantelen, je buik in te trekken en met je benen tegen de matras te drukken. Druk nu bovendien bewust je nek plat tegen de matras. Dit gaat gemakkelijker als je je borstkas en bovenarmen spant. Houd deze spanningstoestand twintig seconden vol. Daarna ontspan je je en begint van voren af aan. Deze isometrische belasting van de spieren leidt tot versteviging van de spieren, waardoor ze sterker worden. Het leidt echter ook tot oprekking van de verschrompelde bindweefsels die de holle rug veroorzaken. Op deze manier leert je lichaam de houding met een holle rug te vermijden. De oefening is bovendien goed voor je figuur, aangezien het recht worden van de holle rug meteen ook de buik platter maakt.

Chakratherapie

Het betreft een oeroude, tegenwoordig nog maar fragmentarisch bekende geneeswijze, waarvan de kern wordt gevormd door het Indiase equivalent van wat wij onder het astraallichaam verstaan. Begin 20e eeuw werd er in de Europese salons veel over gesproken. We hoorden er pas circa driehonderd jaar geleden voor het eerst iets over toen geschriften over dit onderwerp uit het Sanskriet werden vertaald. Op een gegeven moment is chakratherapie toen in de nevelen van de mystiek verdwenen. Voor de moderne therapeut is er weinig concrete literatuur overgebleven, zodat ik hier een paar mobiliseringstechnieken wil bespreken.

Ongetwijfeld weet je dat het Sanskriet-woord *chakra* zoveel betekent als 'wiel' of 'lotus'. Bij de mens zijn de chakra's gelokaliseerd op plaatsen waar de levensenergie zich bevindt. Volgens de chakraleer zien de

182

chakra's in het energielichaam eruit als draaiende wielen van vuur, die door onzichtbare energiekanalen met elkaar verbonden zijn. Aan het hoofd bevinden zich het voorhoofdchakra en het kruinchakra, dat christenen aan een aureool doet denken. Voorts zijn er een keelchakra, een hartchakra, een navelchakra, een wortelchakra en een sacraalchakra. De 'actieve chakra's' die als poorten voor de binnenstromende levensenergie fungeren, zijn het keel-, het navel- en het sacraalchakra.

Een chakrablokkade staat bijna altijd gelijk aan pijn. In mijn praktijk heb ik tal van patiënten die naast pijn in het heiligbeen een gestoorde darm- en blaasfunctie hebben. Deze organen behoren tot de 'invloedssfeer' van het sacraalchakra, dat de levensenergie via de seksualiteit het lichaam laat binnenstromen. Zoals je misschien uit de *Kamasoetra* bekend is, zijn de verschillende houdingen bij het liefdesspel erop gericht om de daar opgeslagen energie vrij te maken. De *Kamasoetra* wordt bij ons meer als een curiositeit beschouwd, of zelfs als pornografie. Dit komt omdat aan de seksualiteit in onze cultuur nog altijd een beperkte waarde wordt toegekend. Dat neemt echter niet weg dat seksueel actieve mensen weinig last hebben van pijn.

Zelfbehandeling: je beter voelen door het vrijmaken van het sacraalchakra

Om een blokkade van het sacraalchakra op te heffen, brengen we een oefening in praktijk die zowel aan de chiropraxie als de Dorn-methode doet denken, maar niet is bedoeld om door middel van een ruk of manipulatie een skeletcorrectie te bewerkstelligen. In feite wil ik niets meer bereiken dan de grensvlakken van het heiligbeen – aan hun ophanging aan het darmbeen – stimuleren, in de hoop dat de energiekanalen of *nadi's* erdoor zullen worden vrijgemaakt.

Bij de mens zijn de chakra's gelokaliseerd op plaatsen waar de levensenergie zich bevindt

Een chakrablokkade staat bijna altijd gelijk aan pijn

183

**Een blokkade
van het
sacraalchakra
opheffen, de
energiekanalen
vrijmaken**

Ga liggen en leg een kleine opgerolde handdoek onder je onderrug, ter hoogte van het heiligbeen. De opgerolde handdoek ligt dan tussen de heupbeenderen. Het stuitje onder het heiligbeen ligt nu vrij. De handdoek mag er niet tegenaan drukken; eventueel moet hij iets naar boven worden geschoven; aan de andere kant mag hij ook niet aan weerszijden buiten het heiligbeen uitsteken. Omdat je de overgang tussen de heupbeenderen en het heiligbeen vaak moeilijk zelf kunt vinden, is het voldoende om de opgerolde handdoek een doorsnede van niet meer dan vijf centimeter te geven; hij kan dan in lengterichting midden in het verlengde van de wervelkolom liggen. De ondergrond moet aangenaam aanvoelen, maar wel stevig zijn. Ga nu zo liggen dat je heiligbeen op de opgerolde handdoek ligt en je heupen en benen de ondergrond niet raken. Maak met je benen in de lucht een fietsbeweging. Nu zul je voelen hoe je heiligbeen iets naar voren kantelt en de overgang met de heupbeenderen – de naad tussen het heiligbeen en het darmbeen – losser maakt. Dit losser worden is een aangename gewaarwording die een weldadige warmte genereert. Herhaal de oefening steeds als je je niet lekker voelt.

Een jonge patiënte van mij had verkrampte spieren over de hele lengte van de wervelkolom. Toen ze deze oefening deed, maakte ze als door een wonder de wervelkolom vrij; haar lichaam strekte zich en werd weer recht, zodat ze vrijer kon ademen. Wat zich had laten aanzien als een blokkade van een of twee nek- of borstwervels, was door een oefening waarin het accent op het heiligbeen ligt verholpen. Een overeenkomstig effect zul je waarnemen als je eens een stijve nek hebt opgelopen en deze pijn probeert te verlichten met behulp van warmte. Leg de warme kruik – of richt de infraroodlamp – nu eens niet op de nek, maar op het heiligbeen, dan zul je verbluft kunnen vaststellen welke uitwerking dit heeft op de stijve nek.

184

Het navelchakra stimuleren tegen buikpijn
Er bestaat ook een probate methode ter stimulering van het navalchakra. Als jij tot de onfortuinlijke mensen hoort die een tamelijk vooruitstekende buik hebben, is het mogelijk dat je buikpijn – op zijn minst volgens de hindoeïstische gezondheidsleer – een symptoom is van een blokkade in dit gebied. Haal bij de apotheek korte moxasigaren in hoedjesvorm. (Dit is moxa-'tabak' op een metalen plaatje.) Koop ook een gemberwortel en snijd er een twee millimeter dunne plak af. Ga nu op je rug liggen, vul je navel met keukenzout, leg er de gemberplak op en zet daar het moxahoedje bovenop. Steek het puntje van het moxahoedje aan en laat het opbranden. Dit hele proces duurt enkele minuten, waarbij de weldadige warmte via het metalen plaatje, de gemberschijf en het zout via de navel de buik in stroomt en zich daar door de hele buik uitbreidt.

Op deze manier zijn alle mogelijke – en vooral pijnlijke – darmklachten goed te behandelen. Je zult bij deze procedure voelen hoe de energiekanalen zich ontsluiten en dit is iets waarmee je jezelf echt kunt verwennen.

Warmte in je buik laten stromen

Het keelchakra
Tot slot komen we toe aan het keelchakra. Tot zijn invloedssfeer behoren zowel de bewegingen van het hoofd als de stabiliteit van het hoofd zelf. Daarnaast zijn er de strengen van zenuwen en bloedvaten die door dit gebied lopen en gerekt of samengedrukt worden, vooral op de plaatsen waar de rugzenuwen uit de wervelkolom treden. Bovendien hebben we ons spraakorgaan in de keel, en daarboven de keel met de mondbodem.
Al deze dingen hangen met elkaar samen. Wie een stijve nek heeft, kan hees worden, slikstoornissen ontwikkelen of uitstralende klachten in het oor of de schouder krijgen. Als gevolg van een amandelontsteking zullen

Een stoornis in het keelchakra: vaak wordt deze veroorzaakt door ziekte

de nekspieren zich samentrekken. In elk geval kan dan worden gesproken van een verstoring van de energiestroom in het gebied van het keelchakra. Vaak wordt zo'n stoornis in het keelchakra door ziekte veroorzaakt, meestal op het gebied van de zelfuiting. Betrokkene komt bijvoorbeeld tekort in een intieme relatie. Er wordt met de partner gesproken, maar er wordt niet naar hem of haar *geluisterd*. Als de een iets zegt, gaat dat bij de ander het ene oor in en het andere uit. Als de partner daarmee niet in het reine wil komen en de patiënt de bestaande situatie als ondraaglijk ervaart, ontstaat er een stoornis in het keelchakra. Het gezicht, de mond en het strottenhoofd zijn uitingscentra, en ook de armen – die zijn aangesloten op de *plexus cervicalis* (de zenuwvlecht in de keel waarin de halszenuwen samenkomen) – behoren tot onze voornaamste uitdrukkingsorganen. Wie hees is geworden, heeft dus een stoornis in het keelchakra, waardoor hij zich niet meer vrij kan uiten. Omgekeerd kan het onvermogen om zich vrij te uiten tot heesheid leiden. Je krijgt dan vaak een stijve nek en merkt dat je gemakkelijk duizelig wordt.

In de regel is de beweeglijkheid van het hoofd een indicatie voor de activiteit van het keelchakra. Hoe stijver het hoofd nee schudt, des te eerder is het gerechtvaardigd van een blokkade van de energiekanaaltjes te spreken. Als je merkt dat je in een bepaalde richting minder ver naar opzij en naar achteren kunt kijken, probeer je dan de 'uitslag' (reikwijdte) van die beweging in het hoofd te prenten. Als eerste oefening begin je dan met gekruiste armen de spierpartijen onder de beide sleutelbeenderen te masseren. Nadat je dit een minuut lang hebt gedaan, controleer je of je je hoofd nu verder kunt draaien. Als de beweeglijkheid beter is geworden, zetelde de blokkade waarover we het hebben in de spieren. Dankzij een reflectieve ontspanning van

In de regel is de beweeglijkheid van het hoofd een indicatie voor de activiteit van het keelchakra

186

de nekspieren werd de beweeglijkheid verbeterd.

Het is mogelijk het keelchakra door middel van een tractiebehandeling van de nekwervels te mobiliseren. Dit is een uitzonderlijk aangename behandelvorm waarbij de patiënt op een kussen ligt en de 'behandelaar' achter hem zit en de nekpartij tot ontspanning brengt door zacht aan het achterhoofd te trekken. Na een korte praktijkinstructie kan je partner dat bij je doen. Hij heeft er weinig meer voor nodig dan gevoel en het nodige geduld. De uitrekking wordt letterlijk ervaren als het zich openen van energiekanaaltjes. Hierdoor ervaar je een gevoel van warmte in je hoofd, nek en schouders en heb je onder het lopen de gewaarwording dat je een handbreedte boven de grond zweeft. Inderdaad, therapieën kunnen bijzonder aangenaam zijn ...

Het is mogelijk om het keelchakra door middel van een tractie-behandeling van de nekwervels te mobiliseren

Magnetiseren en elektrotherapie

Magnetiseren als therapie

'Dierlijk magnetisme' is een eind de 18e eeuw door de Weense arts Franz Anton Mesmer (1734-1815) geïntroduceerde geneeswijze. Dit gebeurde in een periode waarin er zoveel enthousiasme bestond voor techniek dat er talrijke therapeutische toepassingen voor elektriciteit werden bedacht. Mesmer legde magneten op pijnlijke lichaamsgebieden, maakte er in specifieke richtingen 'strijkbewegingen' overheen en bereikte daarmee bepaalde geneessuccessen. Hij betoogde dat het heelal tot in alle uithoeken was gevuld met een 'subtiel golvend fluïdum', een natuurkracht die magnetisch op de mens inwerkte. Via dit magnetisme oefenden de sterren invloed uit op het lot van de individuele mens. De leer die zich hiermee bezighoudt, is uiteraard de astrologie. De geopatholoog probeert te onderzoeken hoe het menselijke elektromagnetische veld door ditzelfde magnetisme kan worden geschaad via onder-

Mesmer legde magneten op pijnlijke lichaams-gebieden, maakte er in specifieke richtingen 'strijk-bewegingen' overheen en bereikte daarmee bepaalde geneessuccessen

aardse wateraderen, roosters en andere stoorvelden. Een alternatieve interpretatie is dat het 'aardstraling' betreft. Beide hypothesen proberen met wisselend succes erkenning als een wetenschap te verwerven. Mesmers theorie dat elk levend wezen een eigen elektromagnetisch veld bezit, een soort elektrische lading die overeenkwam met 'levensenergie', stiet op nog meer ongeloof. Deze energie kon volgens Mesmer van de ene mens op de andere worden overgedragen. Dit gebeurt doordat hij bepaalde manipulaties uitvoert; en al naargelang de richting van deze manipulatie kan hij het 'levensveld' van de ander versterken of verzwakken.

Magnetiseren is een geneeswijze die tegenwoordig vaak wordt beoefend door zachtaardige vrouwen van middelbare leeftijd met sterke handen, die graag goddelijke toestemming vragen om de patiënt te helpen genezen. Het is in feite een vorm van massage, waaraan echter geen knedende technieken te pas komen, maar waarbij door middel van aanraking levensenergie moet worden overgedragen. Er wordt dan gesproken van 'levensmagnetisme', *Heilmagnetismus*, of 'dierlijk magnetisme' dat door genezende handen wordt overgedragen. Wat er met al deze begrippen werd bedoeld, kon ook Johann Wolfgang von Goethe (1749-1832) niet nader verklaren, hoewel hij de overtuiging was toegedaan dat er zoiets als 'genezend magnetisme' bestond:

Magnetisme is een algemeen werkzame kracht waarover elk mens beschikt, maar die individueel enigszins verschilt, en de uitwerkingen ervan strekken zich uit tot alles en elk geval. De magnetische invloed van de mens is in alle mensen, dieren en planten werkzaam. De mens weet niet wat het is, maar hij weet evenmin wat hij bezit en wat hij ermee kan doen; daarom is hij zo ongelukkig, zo machteloos en zo onbeholpen.

Volgens Mesmers zou elk levend wezen een eigen elektromagnetisch veld bezitten, de 'levensenergie'

Magnetiseren – een vorm van massage, waaraan geen knedende technieken te pas komen

188

Tijdens een magnetisatie ligt de patiënt gemakkelijk op een rustbed, waarbij hij een uur lang wordt aangeraakt op verschillende plaatsen van het lichaam. Dit gebeurt vooral met zachte, strijkende bewegingen. Wat hierbij concreet wordt gedaan, hangt af van de magnetiseuse. Veel magnetiseuses gaan ervan uit dat zij deel uitmaken van de traditie van de handoplegging in navolging van Jezus Christus, die vermoedelijk ook tot de categorie mensen met een 'krachtige magnetische uitstraling' zal hebben behoord. Over deze mensen beweerde Mesmer dat zij in staat zijn om met niet meer dan een aanraking van een pijnlijke plek de pijn weg te nemen. Geregeld krijg ik van patiënten de verzekering dat deze gave concreet bestaat en dat zij echt werkzaam is. Wetenschappelijke bewijzen daarvoor ontbreken echter. Het staat echter vast dat deze genezers gewoonlijk hun patiënten vanuit een meedogende, tedere geesteshouding aanraken en de tijd voor hen nemen. Dit heeft op de patiënt een ontspannende uitwerking en geeft hem of haar het gevoel te worden begrepen.

De behandeling bij magnetiseren

Andere magnetiseurs houden zich aan een theorie die in de loop van de afgelopen tweeëneenhalve eeuw is ontstaan. Volgens deze theorie zijn de handen elkaars tegenpolen en bepaalt de manier van aanraken of er kosmische energie wordt toe- of afgevoerd. Er zijn positieve en negatieve manipulaties. Bij positieve manipulaties wordt de patiënt aangeraakt; bij negatieve niet. Bij negatieve manipulaties wordt van 'bestrijken' gesproken. Mesmers vermoeden dat hierbij elektriciteit in het spel is, is echter 'te kort door de bocht'. Zeker, de mens kan een elektrische lading krijgen of afgeven, zoals iedereen weet die weleens een schok kreeg toen hij iemand een hand gaf. Zo'n korte elektrische ontlading kan worden veroorzaakt doordat de een schoenen met rubberen zolen draagt, en de ander niet. Deze ontlading kan zo sterk zijn, dat de ander het voelt. Dat is

189

echter nog lang geen 'elektrotherapie'.

Toch meen ik dat het genezend magnetiseren veel vaker zou moeten worden toegepast, omdat het in een menselijke basisbehoefte voorziet: worden aangeraakt door iemand die je dierbaar is. De Amerikanen, die voor de meeste dingen een naam hebben, zijn ervan overtuigd dat de wortel voor iedere genezing bestaat uit *tender, loving care* of *TLC* – tedere, liefdevolle zorg. Waar de liefde ontbreekt, kan geen genezend watertje helpen. Omdat liefde en tederheid niet af te dwingen zijn, zullen we bij afwezigheid ervan onze toevlucht moeten nemen tot 'genezende handen'.

Waaróm de menselijke hand die iemand aanraakt sterke gevoelens los kan maken, wordt door geen enkele wetenschappelijke discipline verklaard. Het is echter een feit dat de wens om te worden aangeraakt bij pijnpatiënten heel vaak op de voorgrond staat. Aanraking leidt tot ontspanning en betere doorbloeding. Ook heeft het een kalmerende, geruststellende uitwerking, zoals uit alle massagepraktijken blijkt, vanaf het oude Egypte tot in onze tijd, wat inmiddels ook door wetenschappelijk onderzoek is aangetoond. Ik wil hier in het midden laten of het zo belangrijk is voor een behandeling God om toestemming te vragen bepaalde manipulaties door te voeren, of ervan uit te gaan dat de ene hand energie toevoert en de andere energie afvoert. Overigens erger ik me eraan dat sommige handopleggers menen zich met een heiligenbeeldje te moeten beschermen tegen de 'boosaardige energieën' die zij van op deze manier behandelde patiënten verwachten. Per slot van rekening heeft een ware christen geen duvel te duchten als hij iets uit naastenliefde doet.

Genezend magnetiseren zou veel vaker moeten worden toegepast

Aanraking leidt tot ontspanning en betere doorbloeding. Ook heeft het een kalmerende, geruststellende uitwerking

De genezende kracht van je eigen handen
Het lijkt mij fascinerend om in het kader van zelfbehandeling eens met de genezende kracht van je eigen
handen te experimenteren. Leg daartoe je hand op je
buik en stel je daarbij voor dat je met deze hand, waarmee je zo ontzaglijk veel dingen kunt doen, warmte
laat binnenstromen in je buik. Probeer diverse plaatsen
uit, ook daar waar je eventueel pijn voelt. Probeer echter niets af te dwingen: wacht een paar minuten af en
blijf je erop concentreren hoe de warmte uit je hand je
lichaam in stroomt. Dit is een effectieve vorm van au-
tosuggestie. Het is hierbij niet van belang te willen
vaststellen of je nu de energiekanaaltjes van het desbetreffende chakra kunt openen, of jezelf te zien als een
kanaal voor kosmische energie, of dat je eenvoudigweg
jezelf hypnotiseert. Je eigen handen genezend gebruiken is over het algemeen een belangrijke bijdrage aan
effectieve zelftherapie.

Fascinerend: in het kader van zelfbehandeling experimenteren met de genezende kracht van je eigen handen

Elektrotherapie
Bekend is dat vooral pijnpatiënten onweer voelen aankomen. Pas als er – in de vorm van een bliksem – een
geweldige elektrische ontlading heeft plaatsgevonden,
neemt de pijn weer af. Deze observatie heeft ertoe geleid dat er werd geëxperimenteerd met elektrische ap-
paraten en hun uitwerking op pijnlijke lichaamsgebieden. Per slot van rekening hadden de Romeinen hun
pijnlijke gewrichten of gezwollen voeten al in een wa-
terbekken met een sidderrog of sidderaal gehouden
omdat de elektrische ontladingen van deze dieren blijkbaar een genezende uitwerking hadden. Zo oud is elektrotherapie al; en dat pijn bij de mens op effectieve manier ermee kan worden bestreden, is een onomstotelijk
feit. Elektrotherapie maakt om die reden dan ook deel
uit van het standaardrepertoire van de reguliere geneeskunde op het gebied van pijnbehandeling.

Elektrotherapie is een eeuwenoude geneeswijze en de successen ervan zijn onmiskenbaar

191

In het begin was galvanisatie – een methode waarbij gelijkstroom door de pijnlijke gewrichten werd geleid – populair. Ook het onderdompelen van de voeten in een zogeheten 'Stangerbad', waarbij gelijkstroom door het water werd geleid, werd toen veel toegepast. *Lontoforese*, waarbij de gelijkstroom rechtstreeks vanuit de ene elektrode via de huid naar de andere elektrode wordt geleid, is een methode die inmiddels met behulp van een pijnstillend werkzame stof doeltreffender is gemaakt.

Tegenwoordig behoren prikkelstroomtherapie, *transcutane electric nerve stimulation* (TENS) en de therapie met 'interferentiestroom' tot de meest toegepaste methoden. Daarnaast zijn er therapievormen waarbij gebruik wordt gemaakt van microgolven tegen pijn. Magneetveldtherapie en bioresonantie hebben al een uitgesproken esoterisch karakter. Toch hebben zoveel patiënten er baat bij dat dit mij aanleiding geeft op deze methoden te wijzen. De magneetveldmat en het TENS-apparaat zijn verkrijgbaar bij de gezondheidswinkel. Als deze hulpmiddelen inderdaad bruikbaar zijn om pijn te verlichten, zou het jammer zijn om deze eenvoudige methoden, die nauwelijks bijwerkingen hebben, links te laten liggen.

Mensen reageren verschillend op elektriciteit

Overigens moet ik erop wijzen dat de elektromagnetische vervuiling in ons tijdsgewricht zo sterk is toegenomen, dat ieder van ons – of we het willen of niet – is blootgesteld aan een hoge mate van elektromagnetische straling, zodat we van *elektrosmog* kunnen spreken. Er zijn milieubewuste artsen die hun pijnpatiënten dringend aanraden om hun slaapkamer zoveel mogelijk vrij te maken van elektromagnetische invloeden. Met behulp van een zogenaamde net-vrijschakelaar is het mogelijk om zelfs de 'kruipstroom' die na het uitschakelen van elektrische en elektronische apparatuur in de muur achterblijft, af te laten vloeien. Ook is er de observatie van natuurgenezers dat een pijnpatiënt vaak in een geopathologische stoorzone slaapt, zodat zij hem of haar dan de raad geven de slaapkamer ook in dit opzicht te laten controleren.

Persoonlijk heb ik de indruk dat stroom en elektromagnetische straling ons ziek kunnen maken. Wie zijn mobieltje al eens in zijn linkerborstzak bij zich heeft gedragen en toen werd gebeld, weet uit eigen ervaring dat de erbij optredende straling voelbaar is. Trouwens, wetenschappelijk is vastgesteld dat de hersengolven veranderen als er met een mobieltje wordt gebeld. Hoe schadelijk dit alles op de langere termijn is en of het ziekte kan veroorzaken, is echter nog niet aangetoond. Ik vermoed dat je ten aanzien van elektriciteit niet alle mensen over één kam kunt scheren. Ook in dit opzicht is het zo dat sommigen affiniteit met elektriciteit hebben en het nodig lijken te hebben, terwijl andere mensen het juist verafschuwen en er ziek van kunnen worden. Eenieder zal zelf moeten uitdokteren welke richting voor hem of haar geschikt is om pijn te bestrijden. Het is goed om daarbij na te gaan of men van onweer houdt en dat als aangenaam ervaart, of er juist onder lijdt. Wie als gevolg van een elektromagnetische lading in de lucht pijn in oude verwondingen krijgt, reageert op elektriciteit en zou met een gerust hart de verschillende elektrotherapeutische methoden voor zichzelf kunnen proberen. Het kan gebeuren dat door interferentie-effecten de pijn vermindert. Het tegenovergestelde effect kan echter ook optreden, zodat de pijn juist heviger wordt; deze patiënten kunnen voortaan beter elektrotherapie vermijden.

Wie overgevoelig op elektrische spanning reageert, maar zijn pijn hoopt te verlichten met behulp van warmtetoevoer, doet er verstandig aan om een elek-

Persoonlijk heb ik de indruk dat stroom en elektro-magnetische straling ons ziek kunnen maken

Ook ten aanzien van elektriciteit kun je niet alle mensen over één kam scheren

Een goed alternatief is de Heilwärmer

trisch verwarmingskussen links te laten liggen. Een goed alternatief is de *Heilwärmer*®. Dit is een met vermalen ijzererts gevuld papieren kussen dat in een plastic omhulsel verkrijgbaar is in de gezondheidswinkel. Als het plastic omhulsel wordt geopend en er lucht bijkomt, ontstaat er ijzeroxide, waarbij warmte vrijkomt. Deze weldadige warmte houdt maximaal 24 uur aan. Na gebruik moet het kussen overigens worden afgedankt. Aangezien het kussen nu slechts ijzeroxide – een natuurlijk bestanddeel van de aardkost – bevat en het in papier is verpakt, kan het zonder verdere maatregelen met het vuilnis mee.

Zelfmassage van de buik

De heilzame uitwerking van zelfmassage van de buik

Wie de geneeskracht van de eigen handen al eens heeft bespeurd, zal naar alle waarschijnlijkheid zeer goed op zelfmassage van de buik reageren. De manipulaties die daarbij in praktijk worden gebracht, zijn oorspronkelijk afkomstig uit de therapierichting van de arts Franz Xaver Mayr, grondlegger van de darmreinigingskuur en de kuur ter reiniging van het bloed en de lichaamsvochten. Mayr ging uit van het principe dat de darm de wortel van onze gezondheid is.

Darm en wervelkolom hangen nauw met elkaar samen

Er bestaat een hechte samenhang tussen de wervelkolom en de darm. De segmentale zenuwen van de lendenwervels verzorgen onder meer ook de darm. Wie rugpijn heeft, klaagt vaak ook over darmtraagheid of vice versa. Omdat diarree en winderigheid invloed hebben op de ruggengraat doordat ze druk- of trekspanningen in de bindweefsels in de buikholte veroorzaken, kunnen ze daar pijn veroorzaken.

Veel mannen van boven de veertig hebben een naar voren uitpuilende buik. Als we naar hun wervelkolom

194

kijken, zien we dat deze sterk naar voren is gebogen (holle rug). Deze verkromming moet worden uitgericht, aangezien de borstwervels erdoor in tegengestelde richting worden gedrukt, zodat er een ronde rug ontstaat en de nekwervels weer naar voren worden gebogen, waardoor de nek vaak korter wordt. Al deze veranderingen dienen er slechts toe om de kogelronde buik te dragen. In de loop der jaren treedt er dan ook nog een achterwaartse kanteling van het heiligbeen op, hetgeen het gevaar met zich meebrengt dat er een glijdende wervel op de overgang van het heiligbeen naar de lendenwervels ontstaat. Het gevolg is vaak een vooral in de onderste lendenwervels optredende rugpijn (zie blz. 181 onder de kop *De holle onderrug*).

De Mayer-kuur is mede bedoeld om de buikomvang te verkleinen. Het positieve neveneffect is dat hierdoor de overmatige kromming van de lendenwervels naar voren afneemt. Deze gang van zaken wordt bevorderd door zelfmassage van de buik, mede omdat de kromming van de onderrug al wordt tegengegaan doordat je bij zelfmassage je rug enigszins rond moet maken om je buik te kunnen masseren. Bovendien worden de rugspieren door de massagebewegingen van de armen versterkt.

De Mayer-kuur

Franz Xaver Mayr was een Oostenrijkse arts (1875-1965) die in de eerste helft van de 20e eeuw een gezondheidsconcept ontwikkelde dat op drie pijlers steunde: genezend vasten, ontgiften en ontslakken. Hierbij werd er vooral naar gestreefd het lichaam niet te overbelasten met het werk dat de spijsverteringsorganen moeten verrichten. Belangrijke elementen in de kuur zijn buikmassages en eenzijdige voeding, bijvoorbeeld harde (oudbakken) broodjes, waarbij iede-

---

re hap een groot aantal keren moet worden gekauwd om de speekselklieren te activeren. Ze worden verdeeld over de dag gegeten en er wordt voornamelijk lauwwarme melk bij gedronken, totdat de ontlasting een lichte kleur krijgt. In Zuid-Duitsland en Oostenrijk zijn er momenteel talrijke kuuroorden waar de Mayr-kuur onder begeleiding van artsen wordt aangeboden.

De positieve effecten van zelfmassage van de buik

De positieve effecten van zelfmassage van de buik reiken echter veel verder. In feite is de buik het lichaamsgebied waar je met je handen invloed kunt uitoefenen op het centrum van het lichaam. De organen die in de buikholte liggen zijn weliswaar kwetsbaar, maar lang niet zo erg als de hersenen, die door een schier ondoordringbare 'schaal' zijn omgeven, of zoals de longen en het hart, die zijn omgeven door het niet geheel dichte 'traliewerk' van de ribbenkast. Deze beschermt tot op zekere hoogte ook de lever, de alvleesklier en de milt, hoewel deze organen relatief gesproken toegankelijk blijven, net als de darm, de nieren, de blaas en de voortplantingsorganen van de vrouw.

Een verdere overweging geldt de omstandigheid dat **Veel zenuwvlechten en -knopen van het autonoom zenuwstelsel komen samen in de buikholte, en is door middel van buikmassage te stimuleren** veel zenuwvlechten en -knopen van het autonome zenuwstelsel samenkomen in de buikholte, waaronder de bekende *plexus solaris* of 'zonnevlecht'. Dit stelsel is door middel van buikmassage te stimuleren.

Misschien heb je zelf al eens geconstateerd dat er een nauwe samenhang bestaat tussen het centrale zenuwstelsel en het buikdeel van het autonome zenuwstelsel. Je kunt met een volle maag vaak moeilijk inslapen, en als het je toch lukt, heb je meestal heftige dromen. In de omgekeerde richting functioneert het net zo: psychische problemen en gemoedsbewegingen slaan vaak op de darm of de maag.

196

Aangezien je echter je hersenen en je ziel niet rechtstreeks kunt masseren is het een goed idee om door middel van een zorgzame behandeling van je darm ook rust in de hogere regionen te brengen. Dit heeft ook betrekking op de psychische verwerking van pijn. Massage van de buik is dus niet alleen gericht op bevordering van de spijsvertering in combinatie met het eventueel stimuleren van het immuunsysteem, waarvan het grootste deel zich in de darm bevindt, of op het gymnastisch waardevol corrigeren van verkeerde krommingen van de wervelkolom: het is ook bedoeld voor het rechtstreeks stimuleren van de as hersenen-darm. Wat de aard van deze buikmassage betreft, spreekt de volksmond graag van 'aai-eenheden'.

Jezelf een dosis 'aai-eenheden' toedienen

Hoe je zelf buikmassage kunt toepassen

Hoe wordt buikmassage gedaan? Je ligt met opgetrokken benen en met de voeten op de ondergrond op je rug en masseert met beide handen, die op de huid van de buik rusten, als een schip op zee. Met andere woorden, je 'duikt' weliswaar in de huid, maar zonder deze in te drukken. Eigenlijk laat je je handen aanvankelijk alleen over de darm glijden zonder hem samen te drukken. Deze stimulatie is in het begin al voldoende om het autonome zenuwstelsel te activeren – het zal de dan begonnen taak vanzelf uitvoeren.

In het begin maak je met beide handen op je onderbuik draaiende bewegingen die naar binnen gericht zijn. Hierbij beweegt de rechterhand zich tegen de wijzers van de klok in, en de linkerhand in tegengestelde richting. Houd deze zachte massage een minuut vol en verplaats de handen dan een handbreedte naar boven, tot ongeveer op de navel. Zet de massage daar voort, waarna je al draaiende je handen verder naar boven verschuift. De hele procedure duurt een minuut of tien en wordt 's avonds voor het slapengaan uitgevoerd, maar

197

Tien minuten
buikmassage per
dag

je kunt het natuurlijk ook meermalen per dag en/of langer doen.

Als je dit enkele dagen achtereen hebt gedaan, zul je merken wat het betekent om je darm met deze massage te 'zetten'. Je ontwikkelt in dit gebied een weldadig gevoel en je darm wordt kleiner. Winderigheid neemt sneller af en komt minder vaak voor.

Naarmate je ervaring toeneemt, kun je je massagetechniek uitbreiden. Er bestaan hierover meer dan genoeg handboeken. Het vervolmaken van de zelfmassage van de buik lukt overigens het beste als je alles zelfstandig uitprobeert. Hoe beter je je darm leert kennen, des te exacter weet je wat hij verdraagt en wat niet. De pijn is hiervoor een grove indicatie. Alles wat pijn doet, is schadelijk. Forceer niets, maar leer hoe je je darm kunt overreden. Als je eenmaal zover bent, kun je wel wat steviger drukken. Heel weldadig zijn ook zachte streelbewegingen boven de lever, die je onder de rechter

Waarschijnlijk
worden met
voorzichtige
buikmassage
ook de
stofwisseling en
het
immuunsysteem
gestimuleerd

zwevende rib kunt voelen, of boven de milt, die je links diep onder de linker zwevende rib aantreft. Waarschijnlijk kun je door middel van de betere doorbloeding die je met voorzichtige massage bereikt ook de stofwisseling in de lever stimuleren, terwijl het immuunsysteem door streelbewegingen boven de milt kan worden gestimuleerd. Of dat werkelijk het geval is, is echter nog niet bewezen. Het is in elk geval een aangename therapie, waarbij je de uitgeoefende kracht echter zorgvuldig moet doseren om geen schade aan te richten.

Vasten en joggen

Onder deze 'vette' kop dient nu ook te worden ingegaan op het onderwerp eetgewoonten en lichaamsbeweging, want de adviezen op dit gebied worden altijd over de patiënt uitgestort als de arts aan het eind van zijn Latijn is. 'Vermageren en meer drinken, maar vooral geen alcohol' – of woorden van gelijke strekking – krijg je in de spreekkamer te horen zodra je de eigenlijke oorzaak van ziekte probeert te ontdekken. Tot op zekere hoogte klopt dat. Er zijn echter te veel gelukkige, pijnvrije mensen die graag lekker tafelen en van gezelligheid houden om luieren en smullen in de christelijke traditie domweg af te doen als 'doodzonden' waarmee je je gerechte straf van God, de pijn, niet ontloopt.

Het onderwerp voeding en beweging

De 'juiste' manier van leven is al duizenden jaren bekend

Eigenlijk valt er over dit thema – de 'juiste manier van leven' – al duizenden jaren niets nieuws meer te melden. We hoeven maar een blik te slaan op de dieetopvattingen van artsen uit de oudheid. De voorschriften die ze hun patiënten gaven, zijn vrijwel gelijk aan die uit de oude Aziatische gezondheidsleringen en komen heel dicht bij wat wij tegenwoordig als 'een verstandige manier van leven' betitelen. Alleen al de aantallen mensen en de vele culturen die tot overeenkomstige conclusies kwamen maken verdere wetenschappelijke bewijzen overbodig.

De oude geneesheren adviseerden *aer* – frisse lucht – en juist ademen. Dat is ook geen wonder als je rekening houdt met de vuilnishopen en de stank in de straten van het oude Rome. Destijds werden de mensen daar ziek van, maar de luchtvervuiling van het industriële tijdperk doet er niet voor onder. Voorts moest de patiënt aandacht besteden aan *cibus et potus* (spijs en drank). Er moest op regelmatige tijdstippen worden gevast en bij eten en drinken moest matigheid worden betracht. Daarnaast adviseerden zij *motus et quies*, een evenwichtige verhouding tussen bewegen en rust nemen. Wat vroeger zo kenmerkend was voor de zondag of vrijdagavond, geldt wellicht niet meer; het is dan ook geen

Adviezen van de geneesheren uit de Oudheid

Letten op wat je eet en drinkt

199

wonder dat met stress samenhangende aandoeningen toenemen. Dit geldt ook voor *somnus et vigilia*, de harmonische verhouding tussen slapen en waken. Hiervan maken ook ontspanning en vervulling door seksualiteit deel uit. Meditatie behoort er eveneens toe, maar ook de gave om eens de bloemetjes buiten te zetten en duchtig de trom te roeren. Al deze dingen zijn – mits in de juiste mate – bevorderlijk voor onze gezondheid. Dit is een welhaast revolutionair concept, gezien de manier waarop 'gezondheidsbewuste' mensen zich met welhaast religieuze ijver allerlei beperkingen opleggen en zichzelf van hun levensvreugde beroven. Deze eenzijdigheid is vermoedelijk even schadelijk voor de gezondheid als de excessen van de levensgenieter. Het komt erop aan aandacht te schenken aan *excreta et secreta*, de ontlasting en het zuiver houden van de lichaamsvochten (bloed, lymfe, speeksel, buikspeeksel, gal, hersen- en ruggenmergvocht, zweet, tranen, urine, zaadvloeistof, menstruatiebloed, slijm enzovoort). In plaats van te wanhopen over het feit dat je elk jaar wel een keer verkouden wordt en daarbij rijkelijk slijm produceert, waarbij je de hoest of neusverkoudheid met alle mogelijke middelen bestrijdt, zou je er beter op kunnen vertrouwen dat je lichaam weet wat het doet. Als dit 'reinigingsritueel' telkens wordt verhinderd, gaat er op den duur helemaal niets meer goed en heb je naast een uitscheidingsstoornis in de ademwegen ook nog andere problemen met je gezondheid.

Verkoudheid en hoest zijn 'reinigingsrituelen' van het lichaam

Tot slot achtten de Ouden het raadzaam om op de *affectus animi*, de psychohygiëne te letten. Hiertoe behoren een gecultiveerde manier van leven en positief denken, religie en filosofie – kortom: het *savoir-vivre*, de kunst om te leven. Laat dit overzicht even op je inwerken, dan zul je zien dat er in duizenden jaren in de geneeskunde minder is ontdekt dan menigeen denkt of je wil laten geloven.

Aandacht schenken aan 'psychohygiëne'

200

Wat te doen als iemand al een mensenleven lang deze principes aan zijn laars heeft gelapt en vermoedelijk bovendien is beschadigd door allerlei overbodige ingrepen van de reguliere geneeskunde? Hoe kun je deze toestand aanpakken? Is het bijvoorbeeld voldoende een nieuw hoofdstuk te beginnen en voortaan gezond te leven? Tja, het maakt natuurlijk wel uit hoelang je al 'ongezond' hebt geleefd.

De risico's van overgewicht voor de gezondheid

Wie pijn lijdt en bovendien te zwaar is, dient zich te realiseren dat overgewicht een duidelijk zwaardere belasting van de gewrichten en botten tot gevolg heeft. Hierdoor kan een vervorming van het skelet ontstaan, het bottenstelsel dat tot taak heeft ons rechtop te houden bij lopen en staan. In dat geval spreekt de orthopeed van 'slijtage'. Een ondersteuningsapparaat dat voortdurend overbelast is, zal vroeg of laat kapotgaan – en dan wordt er pijn ervaren.

Wie te veel eet, wordt niet alleen dik. Hij belast ook de lichaamsweefsels zwaarder, waardoor er vaak eerder dan bij mensen met een normaal gewicht kapotte gewrichten moeten worden vervangen, of een lies- of navelbreuk chirurgisch dient te worden gecorrigeerd. De oorzaak van aambeien, obstipatie of incontinentie moet vaak worden gezocht in een te zware buik.

Wie te veel eet, wordt niet alleen dik. Hij belast ook de lichaamsweefsels zwaarder

In tal van boeken over het onderwerp 'pijn' wordt gesuggereerd dat de oorzaak ervan meestal een ernstige stofwisselingsstoornis is, die door middel van medicamenten of een dieet moet worden verholpen. Wanneer de 'stofwisselingspolitie' aan het woord komt, begint er bij mij een rode lamp branden, omdat de naar voren gebrachte concepten zelden overtuigen. Ook is het effect ervan meestal alleen dat de een de ander kan voorschrijven wat hij wel of niet moet of mag eten. Echter, naar mijn mening behoort juist de vrije keuze van voe-

201

dingsmiddelen tot de grondrechten van alle dieren, de mens inbegrepen.

Kan eten 'zondig' zijn?

Een stof die in alle soorten vlees voorkomt, *arachidonzuur*, wordt vaak als de veroorzaker van pijn genoemd. Hoe spelen roofdieren het dan klaar om pijnvrij te blijven? Ze eten tenslotte uiterst eenzijdig! Als je dan bedenkt dat sommige roofdieren uitsluitend rood vlees – waarvan een groot deel veel vet bevat – verslinden, vraag je je onwillekeurig af hoe het toch mogelijk is dat ze niet al op jeugdige leeftijd door deze veelvuldige opname van vetzuren met reumatische ledematen rondstrompelen en veel te vroeg het tijdelijke voor het eeuwige verwisselen. De dodelijke hoeveelheden arachidonzuur die deze arme dieren met al dat vlees binnen moeten krijgen, hadden dierenactivisten eigenlijk allang op de barricaden moeten brengen.

Is arachidonzuur werkelijk zo gevaarlijk?

Dat dit niet het geval is, houdt verband met het restje verstand dat zelfs de vurigste pleitbezorgers van een arachidonarm dieet hebben bewaard. We hebben het hier namelijk over een zogeheten 'essentieel vetzuur', d.w.z. een voor het leven onontbeerlijk vetzuur. De mens kan niet zonder dit vetzuur. Hoewel het inderdaad zo is dat arachidonzuur de grondstof is voor talrijke pijn veroorzakende stoffen, vooral ook prostaglandine, moet hierbij worden aangetekend dat we zonder arachidonzuur geen hormonen zouden hebben en het dus ook zouden moeten stellen zonder de weldadige endorfinen die onze pijnen stillen ...

Als je dus weer eens leest dat dierlijk eiwit pijn teweegbrengt omdat het arachidonzuur bevat, houd je dan liever aan de oude uitspraak van Paracelsus: 'Niet het gif is de boosdoener, maar de dosis'. Als je een kilo keukenzout naar binnen werkte, zou je daarna even dood zijn als na het drinken van twintig liter water.

202

De overbelaste stofwisseling

Uiteraard is er ook de zogeheten 'overbelasting van de stofwisseling'. Een goed voorbeeld hiervan zijn dikke oudere diabetici. Hun lichaam produceert te veel insuline, omdat hun insulineverbruik verminderd is. Omdat insuline talrijke taken in het lichaam heeft te vervullen, leidt dit verminderde insulineverbruik onder meer tot een gebrekkige verwerking van cholesterol en neutrale vetten, alsmede tot een overschot aan urinezuur. Het gevolg is een overmaat aan urinezuur in de gewrichten, een proces dat door overmatig alcoholgebruik nog wordt versterkt. Urinezuurkristallen veroorzaken stekende pijnen (alsof er met naalden in het gewricht wordt gestoken) en leiden tot heftige ontstekingen. Deze aandoening wordt ook jicht genoemd en is inderdaad een uitvloeisel van overbelasting van de stofwisseling.

Jicht is een uitvloeisel van overbelasting van de stofwisseling

Het feit dat urinezuurkristallen zich in de gewrichten kunnen afzetten, was aanleiding tot de conclusie dat zuren 'dus' slecht zijn voor het lichaam. Omdat al spoedig bleek dat deze conclusie onjuist was, aangezien de meeste 'zuren' die we met ons voedsel opnemen de vorm hebben van een zout en dus neutraal zijn, wordt er al enige tijd gesproken van zuurvormers. Hiertoe rekent men dan vooral dierlijke eiwitten, rood vlees op de eerste plaats. Wat we daarvan kunnen denken, zien we niet alleen aan oudere mensen die blaken van gezondheid en al hun leven lang een hekel hebben aan groene salades. Het is ook te zien aan de talloze onverbeterlijke worst- en vleesgenieters in Zuid-Duitsland, die weigeren hun 'zuurvormende' en aan urinezuur rijke voeding op te geven, zonder daardoor – althans, naar mijn ervaring – meer of vaker pijn te hebben dan de doorsnee-bevolking.

203

Casusvoorbeelden van ongezonde voeding

In de loop van je artsenleven verzamel je al doende een curiositeitenkabinet van leefwijzen die je een idee geven van de imposante belastingscapaciteit van de menselijke stofwisseling. Een vijfendertigjarige verpleegkundige die mij consulteerde als pijnpatiënt, had volgens haar eigen zeggen al een jaar of tien bijna niet meer gegeten om haar figuur in stand te houden. Ze klaagde over nachtelijke vreetbuien waarbij ze half slapend bergen chocola naar binnen werkte. Overdag, als andere mensen smakelijk en gezond zaten te eten, leed zij liever honger. Aan de hand van dergelijke indicaties is het niet te begrijpen hoe zij in haar minimale behoefte aan vitaminen voorzag. En als je er dan rekening mee houdt dat juist chocolade bekend is als een vormer van 'slechte zuren', zou je in elk geval hebben aangenomen dat haar pijnen er verband mee hielden. Na toediening van een homeopathisch middel van hoge potentie was haar pijn met circa 60 procent verminderd; en tijdens een vakantie die ze in de schoot van haar familie doorbracht, werd ze volledig vrij van pijn – zonder dat ze ook maar iets aan haar slechte eetgewoonten had veranderd!

Ongezonde voeding hoeft niet per se tot pijn te leiden

Ik was eens als afdelingsarts werkzaam op een geriatische afdeling, waar een vrouw van eenennegentig mij opbiechtte dat ze de laatste jaren bijna alleen nog boter had geconsumeerd. Als ze honger had, nam ze kwart pond boter uit de koelkast en 'kauwde' erop. Ze kon het verder zonder andere voedingsmiddelen stellen. Het gesprek was aangeknoopt omdat men haar hier in het ziekenhuis aan andere kost wilde wennen. Blijkbaar had zij al jaren uitsluitend dierlijk eiwit geconsumeerd, maar toch had ze nergens pijn. Ook was haar cholesterolspiegel eerder aan de lage kant.

Een ander voorbeeld is het geval van een vierenzeventigjarige hartpatiënt die vanwege hartfalen bij mij onder behandeling is. Hij eet 's morgens preskop (vlees van varkenskop), 's middags preskop en 's avonds ... preskop. Uiteraard in de regel met brood, maar soms ook met spek en worst. Hij drinkt er bier of most bij. Hij houdt niet van groenten en fruit, dus eet hij het eenvoudigweg niet. Blijkbaar heeft hij deze eetgewoonten al vanaf zijn vroegste jeugd aangeleerd. Op feestdagen eet hij graag een stuk gebraden varkensvlees met spek, knoedels en dergelijke. Afgezien van een lichtelijk verhoogde urinezuurspiegel waren er geen indicaties voor overbelasting van zijn stofwisseling te vinden, en pijn had hij evenmin.

Ik geef deze voorbeelden eigenlijk zonder de hoop te koesteren dat ik er de stofwisselings- of de vetzurenpolitie mee kan overtuigen. Het is mij er eerder om begonnen je aan te moedigen om meer naar je persoonlijke voorkeuren te luisteren en af en toe eens wat dieetvoorschriften aan je laars te lappen, als dat zo uitkomt.

Meer luisteren naar je persoonlijke voorkeuren

Geen overmaat, maar eten waar je trek in hebt
Naar mijn ervaring is zelf toebereide, evenwichtige voeding gezonder dan een teveel aan industrieel geproduceerde voedingsmiddelen. De essentie is echter: mijd overdaad! Wie vandaag te veel heeft gegeten, moet morgen vasten. Trouwens, het is altijd beter met eten te wachten totdat je maag zich roert; en ook is het beter op te houden met eten als je geen honger meer hebt.

Wanneer de stofwisseling toch eens wordt overbelast, zal een verstandig iemand een tijdje vasten om zijn stofwisseling de kans te geven zichzelf te reguleren. In meeste gevallen lukt dat ook. Wat heeft het dan voor nut om mensen de stuipen op het lijf te jagen met een hele theorie over een verstandig of onverstandig dieet? Sta er eens bij stil hoeveel mensen van een deel van hun levensvreugde zijn beroofd omdat zij zichzelf van-

Naar mijn ervaring is zelf toebereide, evenwichtige voeding gezonder dan een teveel aan industrieel geproduceerde voedingsmiddelen

205

wege dit vermeende belang van een dieet kwellen en alles wat ze lekker vinden als 'zondig' beschouwen, alleen omdat het hen smaakt! Hoe het ook zij, een hevige trek in het een of ander is soms een natuurlijke aandrang van het lichaam om iets te eten dat het lichaam nodig heeft. De 'lichaamstaal' verdient het om serieus te worden genomen, ook als het lichaam naar chocolade verlangt. Zoetigheid verzacht psychisch leed en is *soms* noodzakelijk om iets te boven te komen.

Minder belasting van de darm is soms heilzaam

Pijnpatiënten die baat hebben bij een basisch dieet

Er doen zich natuurlijk ook gevallen voor van pijnpatiënten die baat hebben bij een 'basisch' dieet. Dit betreft vooral mensen wier stofwisseling al jaren eenzijdig werd belast door te veel eten en te weinig beweging, zodat het lichaam moet worden 'omgepoold'. Dit is iets voor oudere mensen, wier reserves minder zijn geworden.

Op grond van mijn observaties zijn dit – ayurvedisch gesproken – vaak *pitta-typen* met een pitta-stoornis (zie blz. 144), die gemakkelijker last krijgen van galstenen of een gestoorde leverfunctie. Volgens de oude leer van de vier lichaamsvochten zijn dit mensen met 'gele gal', die gewoonlijk een cholerisch temperament hebben. Zij zijn geneigd tot overdrijving, tegen beter weten in, waarbij ze de protesten van het lichaam negeren. Dus eten en drinken ze jarenlang te veel en te eenzijdig. Als zulke mensen zichzelf dan dwingen tot een ommekeer, doen ze dat radicaal en ook nu ondanks de protesten van het lichaam. Het heeft een weldadige uitwerking op hen om zich eens 'duchtig' en 'grondig' te reinigen. Dit zijn de mensen die zich onderwerpen aan radicale gezondheidskuren, waarna ze op juichende toon zeggen erbij te 'zweren' en het iedereen te kunnen aanbevelen.

Hoe speel je dat eigenlijk klaar, je darm ontlasten? Je

kunt eenvoudigweg zelf thuis drie dagen inlassen waarop je uitsluitend thee, mineraalater, groentebouillon of groentesappen drinkt. Daarnaast kun je basenpoeder innemen, zoals dat in iedere apotheek van diverse fabrikanten te koop is. Ter suppletie van de voeding zijn vitamine E en vitamine C (elk 500 mg per dag) aan te bevelen.

Hoe speel je dat eigenlijk klaar, je darm ontlasten?

Op de vierde dag begin je dan weer te eten. Geef de voorkeur aan vers en volwaardig voedsel dat je zelf klaarmaakt. Je neemt dan geen dierlijke eiwitten, dus geen vlees, geen vis, geen eieren en geen melkproducten. Deze voedingswijze houd je drie maanden vol. Daarna kun je met kleine stapjes weer wat dierlijke eiwitten in je voeding opnemen, hoewel je er je leven lang spaarzaam mee moet omgaan.

Wie de darm minder wil belasten, zal ook meer dan vroeger rekening moeten houden met overgevoeligheid voor bepaalde dingen. Alles wat je slecht bekwam, wordt nu uitgebannen. Veel mensen kunnen slecht tarwe en rogge verdragen, als gevolg van een overgevoeligheid voor gluten (eiwitten in deze granen, in de vorm van in water zwellende kleefstoffen). Eet in dat geval gierst, maïs, rijst, amarant (klaroen) en boekweit. Voedingsmiddelen die de darm het vaakst irriteren, zijn citrusvruchten en suiker in overmaat. Als je niet weet wat je slecht bekomt, kun je deze voedingsmiddelen beter vermijden.

Wie de darm minder wil belasten, zal ook meer dan vroeger rekening moeten houden met overgevoeligheid voor bepaalde dingen

Darmsanering

Tot het 'ompolen' van de stofwisseling behoort ook samering van de darm. Het draait hier om het feit dat een overbelaste darm heel vaak overwoekerd is door schimmels, of waarin het evenwicht tussen de verschillende soorten darmbacteriën verloren is gegaan. Dergelijke verstoringen leiden tot allerlei immuunreacties en ontstekingsprocessen als gevolg van giftige substanties (ammoniak, fenol, methylalcohol, verteringsgassen). Deze stoffen kunnen de lever 'verzadigen' en overbelasten, waardoor er niet genoeg capaciteit voor de afbraak van slakken overblijft. Dit slakkensurplus, zo stelt men zich voor, wordt dan in de weefsels opgeslagen en veroorzaakt daar pijn.

Wie serieuze informatie over de toestand van zijn darm wil, kan het beste naar zijn huisarts gaan en hem vragen een analyse van zijn ontlasting te laten doen

Wie serieuze informatie over de toestand van zijn darm wil, kan het beste naar zijn huisarts gaan en hem vragen een analyse van zijn ontlasting te laten doen. Hierbij wordt niet alleen gelet op de aantallen darmbacteriën die er worden gevonden, maar ook op de verhoudingen tussen de soorten. Als er bovendien een schimmelwoekering wordt gevonden, kun je tevens je bloed laten onderzoeken op de desbetreffende antilichaampjes. Dit is nodig om onderscheid te kunnen maken tussen een eenvoudige kolonisatie en een systeeminfectie, een verschil dat van grote betekenis is voor de behandeling tegen schimmels.

Hoe wordt een dergelijke darm gesaneerd? Naargelang je portemonnee zijn er drie oplossingen. De goedkoopste versie is de consumptie van goed smakende yoghurtculturen die in de supermarkt als 'stimulerend voor het immuunsysteem' worden aangeboden. Overigens is goedkoop ook in dit opzicht duurkoop. De in dergelijke yoghurts aanwezige aantallen bacteriën zijn veel en veel geringer dan in bacteriënpreparaten van de farmaceutische industrie. Voor sommigen is het voldoende om zoiets enkele weken lang in te nemen. Wie echter gewetensvol te werk wil gaan, neemt deel aan een saneringsprogramma onder leiding van een arts, in het kader waarvan in het verloop van verscheidene maanden steeds hogere doses preparaten van verschillende typen bacteriën worden ingenomen.

Verschillende mogelijkheden voor darmsanering

Zoals gezegd, is het meest omvattende concept van darmsanering de darmreinigingskuur volgens dr. F.X. Mayer, die in de eerste helft van de 20e eeuw praktiseerde. Dit concept stoelt op oude denkbeelden – van Hippocrates tot Maimonides – en strookt met de overtuiging dat de meeste ouderdomsverschijnselen in feite een gevolg zijn van de zieke darm. Bij ontmoetingen met oudere mensen kunnen we over het algemeen ook aan hun buikvorm de geldigheid van Mayrs gezondheidsconcept vaststellen. Er zijn daarbij diverse buiktypen te bewonderen, van de 'slappe poepbuik' tot de 'ontstekingsgevoelige poepgasbuik', misvormingen die dankzij de voorgeschreven reinigingskuren inderdaad (althans tot op zekere hoogte) bewijsbaar verdwijnen. Een essentieel element in deze kuren is echter een eenzijdige, eenvoudige voeding, in combinatie met een fikse dosis vasten. Niet zelden ervaart de kuurgast gedurende een enkele weken voortgezette kuur de beroemde vasteneuforie die ook de Ouden al kenden. In die geestesgesteldheid ervaar je een gevoel van gelukzaligheid en geborgenheid, en voel je je tot in je vingertoppen verbonden met God en de natuur. Mijns inziens is deze emotionele toestand een onmiskenbaar teken dat vasten tot ontslakking en dus gezondheid leidt de kern van de Mayr-kuur en overeenkomstige gezondheidsdenkbeelden. De vasteneuforie maakt ook duidelijk dat de stofwisseling in geen geval door vasten sterker wordt belast of zelfs overbelast, maar dat het systeem de gelegenheid krijgt om zich op eigen kracht effectief te bevrijden van de gifstoffen waaronder het heeft geleden. Zoals velen uit eigen pijnlijke ervaring weten, maakt de vasteneuforie al spoedig plaats voor de dagelijkse werkelijkheid, waarin je te veel eet en vaak algauw weer je oorspronkelijke overgewicht hebt bereikt. Misschien is dat niet eens zo slecht. Tenslotte spraken de Ouden niet van duurzaam slank worden; zij adviseerden met regelmatige tussenpozen een ontslakkingskuur te doen, een gebruik dat zich tot op de huidige dag in het christendom (in de aanloop naar Pasen) heeft ge-

Darmreiniging volgens F.X. Mayer

Vasteneuforie, een onmiskenbaar teken dat vasten tot ontslakking en dus gezondheid leidt

handhaafd. Ik geloof dat ons gewicht ook een psychische functie heeft, waarvan het belang ver uitgaat boven het uiterlijk of de stofwisselingsprocessen. Denk hierbij aan het 'gewicht' dat iemand in de samenleving kan hebben, maar ook aan het beschermende 'pantser' dat ons tegen de rauwe invloeden van het dagelijks leven wapent. Het gewicht zegt vaak iets over de behoefte aan bescherming die iemand heeft en de mate waarin hij die geniet. Zo gezien is overgewicht vaak een expressievorm van het streven om zich in onze ellebogenmaatschappij te handhaven, en misschien is het soms zelfs een voorwaarde om te overleven. Daarom is het niet verwonderlijk dat de pondjes er na een hongerkuur weer zo snel aankomen, omdat betrokkene anders niet bestand zou zijn tegen de situatie in zijn of haar leven.

Hoeveel iemand weegt, zegt ook iets over zijn of haar behoefte aan bescherming

De levenskracht versterken; het hongergevoel temmen

Het begrip 'levenskracht' speelt in de natuurgeneeskunst een belangrijke rol. Als we ons goed voelen, is deze kracht voorhanden; voelen we ons slecht, dan is zij afwezig. De mate aan levenskracht geeft de doorslag bij het verloop van een ziekte. Wie genoeg levenskracht heeft wordt snel heel ziek, en zal ook weer snel volkomen gezond worden. Bij een griepinfectie krijgt zo iemand hoge koorts en voelt zich totaal slap, maar algauw merkt hij dat het weer bergopwaarts gaat totdat het niveau van volledig welzijn is bereikt. Wie te weinig levenskracht heeft, daalt tijdens een ziekte langzaam af in een waar tranendal, waaruit hij slechts met kleine stappen (en soms helemaal niet meer) kan ontsnappen. Van oudsher wordt vasten gezien als een probaat middel om de levenskracht te versterken. Wetenschappelijk staat vast dat vasten het immuunsysteem versterkt. Ook is bekend dat vasten na een fase van fol-

210

terende honger euforie teweegbrengt. Anders dan de kleine endorfinestoot van de jogger, die hem na een uur joggen nieuwe moed geeft en hem een gevoel van welzijn schenkt, is vasteneuforie eerder een episode van intensieve zintuiglijke gewaarwordingen en helderheid van geest. Er wordt dan gesproken van 'loutering', maar bedoeld wordt een toename van de levenskracht. Een soortgelijk effect kan in uiteenlopende gradaties ook teweeg worden gebracht door verliefdheid, een succes in het beroep of een gemeenschappelijke ervaring met vrienden. Het bijzondere van de vasteneuforie is dat deze geestestoestand bij vasten *altijd* optreedt; je hoeft er alleen maar op te wachten.

Van oudsher wordt vasten gezien als een probaat middel om de levenskracht te versterken

Het is mij een aantal jaren geleden opgevallen dat een relatief groot aantal pijnpatiënten het hongergevoel niet kan verdragen. Dat komt omdat honger een bijkomende kwelling is; een te sterke gevoeligheid voor honger wijst op overbelasting van het zenuwstelsel. Als dit de eigenlijke oorzaak van de pijn is, kan een geleidelijke vastentraining de pijn verlichten. Deze training bestaat eruit dat betrokkene leert tijdelijk het hongergevoel te verdragen. Hij leert dan de innerlijke krachten te bundelen. Deze oefening mag echter niet in het tegendeel omslaan en dan tot anorexia leiden. Wie zichzelf in de hand leert houden, leert de dingen de baas te worden. Tevens wordt hierbij de levenskracht versterkt, de kracht die pijnsyndromen kan overwinnen.

Hongertraining kan de pijn verlichten

Joggen is ideaal

De ervaring heeft mij geleerd dat joggen de ideale manier is om het lichaam in conditie te houden. Het is gemakkelijk te leren en kost – buiten de kleren waarin je het doet – nagenoeg niets. Het brengt je in de frisse lucht en is – na het leren verdragen van honger – de beste manier om met je levenskracht om te gaan. Het leert je om je eigen lichaam als een hulpbron te begrij-

211

pen – het is een gevoelig instrument dat een bepaald prestatievermogen bezit en niet te veel, noch te weinig mag worden belast. Door te joggen leer je je eigen bedrijfstoerental juist in te stellen, terwijl je ook gevoeliger wordt voor andere zaken. Je ervaart een andere manier van het waarnemen van jezelf en de tijd, je eigen **Joggen heeft** prestatievermogen en wil tot presteren, plus het samen-**veel voordelen** spel van de verschillende lichaamsbestanddelen. Zo leer je een pijnlijke kuit of steek in je zij 'weg te lopen'. Bij dit alles komt dat regelmatige bewegingen van armen en benen niet alleen bij het neerkomen van de benen 'de boel' losschudden, maar ook het beste middel zijn om spanningen in het gebied van de wervelkolom te elimineren.

Overigens komt joggen slechts in aanmerking voor mensen die nog geen te grote beschadigingen aan hun bewegingsapparaat hebben. Zelfs als het nog lichte beschadigingen betreft, moet er voorzichtig te werk worden gegaan om het niet door overbelasting erger te maken. Weliswaar laten ook pijnen in de kniegewrichten zich tot op zekere hoogte 'weglopen', maar als er niet voorzichtig genoeg mee wordt omgegaan, zullen al voorhanden zijnde kraakbeendefecten erger worden. Soms wordt er tijdens het lopen bij 'bedrijfstemperatuur' geen pijn gevoeld, waarna de pijn tijdens het rusten des te sterker optreedt. Over het algemeen dien je je bij overgewicht af te vragen of de zware tred van de voeten het bewegingsapparaat niet te zwaar zal belasten; dit zou namelijk eerder een schadelijke uitwerking hebben, vooral voor de heup- en kniegewrichten.

Om die reden is het verstandig je op het joggen voor te bereiden. Voor je ermee begint, kun je voor huiselijk gebruik een kleine trampoline kopen waarop je eerst dagelijks gedurende een paar minuten (niet meer!) kunt springen. Hierdoor wordt de totale lymfstroom door het lichaam verbeterd en de houdingsmusculatuur versterkt. Na een week kun je de trainingsduur tot een minuut of vijf verlengen; en na nog eens een week tot een kwartier. Doe dit totdat je merkt dat je been- en rugspieren sterker zijn geworden. De volgende fase is dagelijks een halfuur wandelen. In het begin stevig, daarna 'met gezwinde pas' en na enkele weken zo snel dat je bijna hardloopt. Als je dit punt hebt bereikt zonder dat je bewegingsapparaat protesteert, ben je zover dat je dagelijks een kwartier kunt joggen. Verleng dan de joggingstijd iedere maand met een kwartier, totdat je het een uur kunt volhouden. Verder moet je niet gaan. Je lichaam wordt sterk, je gewicht daalt en je hebt je geoefend in zelfdiscipline. Dit alles heeft intussen een positief effect op je pijn gehad. Als het hoofdpijn betrof die dreigde te ontaarden tot migraine, heb je de bloedvaten dusdanig getraind dat je een stabiele toestand hebt bereikt. Als je rugpijn had, hebben de regelmatige beweging, spiertraining en schudbewegingen niet alleen tot een betere doorbloeding van de weefsels geleid, maar bovendien de pijn verdreven. Soms leidt het consequent volgen van de weg van vasten en joggen tot bevrijding van pijn nadat alle andere middelen hebben gefaald.

Een zevenenveertigjarige collega die als orthopeed praktiseert, vertelde me dat hij jarenlang te kampen had gehad met rugpijn en zich diverse keren had moeten laten opereren omdat er een hernia in de nekwervels aan het licht was komen. Hij had lange tijd gewetensvol de rugoefeningen gedaan die worden geacht de 'zwakke spieren' te versterken. Het had hem allemaal weinig geholpen. Op een gegeven moment was hij begonnen te joggen, en pas daardoor was hij zijn pijn kwijtgeraakt. Hij verklaarde dit uit het feit dat de schokken waarmee de voeten de grond raken voor de wervelkolom in feite een vibrerende massage zijn die verkrampingen kan opheffen. Het was volgens hem

Trampoline-springen als voorbereiding op regelmatig joggen

Joggen heeft een positief effect bij pijn

213

ook bijzonder belangrijk de armen te laten meebewegen, omdat hun gewicht in een symmetrische pendelbeweging invloed heeft op de wervelkolom en daardoor bijdraagt tot versterking van de spieren, het losser maken van de bindweefsels en een betere doorbloeding. Bovendien had volgens hem joggen het grote voordeel dat het je vanuit je normale huiselijke of arbeidsomgeving overbrengt naar de natuur. Je voelt je eigen lichaam en doet iets voor jezelf. Hierdoor ervaar je volgens hem dat 'je het waard bent'. Sindsdien geeft hij veel van zijn patiënten de raad om bij wijze van pijntherapie te gaan joggen. Hij verzekerde mij dat hij veel positieve reacties krijgt.

Joggen alleen aanbevelen als de constitutie het toelaat

Overigens wil ik hier nog eens mijn waarschuwing herhalen dat joggen alleen mag worden aanbevolen als de constitutie van de patiënt het toelaat. De *atleticus* voelt zich opgelucht en zal er blij mee zijn als hij zijn spieren weer eens geregeld mag voelen. De *pycnicus* wordt, zoals de ervaring mij heeft geleerd, nooit een enthousiaste jogger, hoogstens een wandelaar. Met zijn beperkte musculatuur loopt hij gemakkelijk letsel op. Het *pitta-type* zal algauw overdrijven: hij holt dan al bij zijn eerste poging drie uur lang in het hoogste bewegingstempo door bos en veld en verbaast zich er dan nog over dat hij dagenlang spierpijn heeft of zelfs in een grindgroeve is gevallen.

Tegenwoordig zijn er genoeg mensen die door joggen letsel hebben opgelopen om *walking* – snellopen met een rechte lichaamshouding en het bewust meebewegen van de armen – populair te maken. Het voordeel van snellopen is onmiskenbaar voor mensen met een zware lichaamsbouw. Het trainingseffect ervan is vergelijkbaar met dat van joggen, maar de botten en gewrichten worden er minder door belast.

214

De liefde

Dat gebrek aan liefde en geborgenheid tot ziekte leidt en in de regel het genezingsproces belemmert, was al bekend aan Erich Kästner, toen hij in zijn *Lyrische Hausapotheke* vragen opwierp als: 'Wat moet iemand innemen die gekweld wordt door de troosteloze eenzaamheid van de gemeubileerde kamer? Waarmee kan iemand gorgelen die het leven zat is? Wat voor baat heeft hij wiens huwelijk schipbreuk lijdt bij warme omslagen? – Om de eenzaamheid, de teleurstelling en het gebruikelijke hartzeer te verlichten zijn er andere medicamenten nodig.' Als oplossing noemde hij eigen initiatieven op psychisch gebied: humor, woede, onverschilligheid, ironie, contemplatie en overdrijving.

Pijn ontstaat – in meerdere mate dan andere lichamelijke bezwaren – door liefdeloosheid. Is het dan zo vreemd om de liefde aan te wenden als eerste remedie? Een variant op een oud spreekwoord zegt: 'De liefde heelt alle wonden'. Kennelijk is dat ook in de praktijk het geval. Een tijdje geleden formuleerde een pijnpatiënte, die radicaal met haar leven gebroken had om een nieuw leven met een andere man te beginnen het zo: 'De laatste tijd voel ik hoe er zich telkens een nieuwe isoleerlaag om de pijnen vormt, waardoor ze steeds zwakker worden.'

Vaak wordt liefde een geschenk uit de hemel genoemd. Ook Kästner zag er vanaf om de liefde in zijn opsomming van psychische 'remedies' op te nemen. Liefde wordt je in de schoot geworpen en valt niet af te dwingen of bewust te 'gebruiken'. Vaak zouden we echter wel, als we dat wilden, aan de liefde haar zeer bijzondere plekje kunnen toekennen. We zouden alle eisen kunnen laten vallen, negatieve oordelen achterwege laten en door interesse en toegeeflijkheid liefde wekken.

> **Pijn ontstaat – in meerdere mate dan andere lichamelijke bezwaren – door liefdeloosheid**

> **De liefde haar zeer bijzondere plekje toekennen**

215

Een drieënzestigjarige patiënte consulteerde mij omdat ze zekerheid over haar hartklachten wilde hebben. Bij inspanning voelde ze stekende pijnen in de linkerhelft van haar borstkas en ze was bang voor een hartinfarct. Na een cardiologisch onderzoek, dat geen bijzonderheden opleverde, kwamen we in ons gesprek op de mogelijkheid dat de pijn zou ontstaan door blokkades in het gebied van de borstwervels. Bovendien had ze 's nachts hartritmestoornissen, die gepaard gingen met brandend maagzuur. 'Wat denkt u er zelf van?' vroeg ik. 'Wat is volgens uzelf de oorzaak die u ziek maakt?' 'Als ik eerlijk ben', antwoordde ze, 'heb ik alleen last van het feit dat mijn vriend, die in een andere stad woont, me niet meer bezoekt.'

Nu bleek dat ze al bijna twintig jaar een verhouding had gehad met een getrouwde man. Ze had slechte ervaringen opgedaan met andere mannen en had daarom de voorkeur gegeven aan een los-vaste relatie. En nu **Hartzeer** pas, nu haar vriend vanwege ziekte alleen nog aandacht had voor zijn vrouw, had ze gemerkt dat ze van hem hield en graag zelf voor hem had willen zorgen. Qua chronologie zag ik een duidelijk verband tussen enerzijds het innerlijke conflict waarmee ze worstelde (haar wens om haar leven te delen met haar vriend *versus* haar angst voor een confrontatie met de nietsvermoedende echtgenote) en anderzijds haar hartklachten. Organisch had dit nog niet tot een concrete verandering geleid, maar vanwege haar uitlatingen was er een duidelijke samenhang te herkennen. Haar hart dreigde te 'breken'. Ook het Engels kent hiervoor een rake uitdrukking: '*her heartstrings were pulled*': een touwtrekkerij die zich in de bindweefsels in de hartstreek afspeelde: aan de ene kant de liefde die niet kon worden vervuld, aan de andere kant haar wens om deze relatie te verbreken.

Een vijfenveertigjarige vrouw met migraine, wier aan-

216

doening plotseling een zo gunstige wending nam dat ik er versteld van stond, vroeg ik sinds wanneer ze eigenlijk te kampen had met migraine. De klacht was al op haar zestiende begonnen, kort na de eerste menstruatie, net als bij haar moeder. Ook haar grootmoeder was migrainepatiënte geweest, maar bij haar waren de hoofdpijnen pas rond haar vijfendertigste begonnen, toen ze bericht had gekregen dat haar man in de oorlog 'vermist' was. Ook voor haar dochter – de moeder van mijn patiënt – waren de afwezigheid van de vader en de angst om zijn lot een ernstig trauma. Toen het officiële bericht doorkwam dat hij dood was, had zij haar migraine ontwikkeld en was er niet meer van af gekomen. Nu echter mijn patiënte een nieuwe liefde ervoer, met een man die op haar overleden grootvader leek, verdween haar migraine als bij toverslag. De hoofdpijnen waren blijkbaar nodig geweest om het verdriet van het verlies van generatie op generatie door te geven. Daarom konden ze pas verdwijnen toen het basisconflict was opgelost: de 'vermiste man' keerde twee generaties later terug in de vorm van een andere man.

Van generatie op generatie doorgegeven pijn

Angst voor het verlies van een liefde: casusvoorbeeld artrose

Het loont dus de moeite om, als je de eigenlijke oorzaak van een pijn op het spoor wilt komen, te vragen of dezelfde pijn al eerdere generaties heeft gekweld. Als het een nieuw verschijnsel betreft, is het moment waarop de pijn voor het eerst optrad van groot belang. Een negenenzestigjarige vrouw met artrose in de gewrichten was al bijna op het eerste gezicht herkenbaar als een *calcium-type*. Ze was een beminnelijke zorgzame oma die bijna haar hele leven als huisvrouw voor haar familie had gezorgd en deze rol met overgave vervulde. Toen ik haar vroeg sinds wanneer ze last had van haar knieën, antwoordde ze: 'Sinds twee jaar.'

217

'Wat is er twee jaar geleden voor bijzonders in uw leven gebeurd? Wat was toen een zware last voor u?' Na enig nadenken kwam naar voren dat drie jaar eerder haar moeder was begonnen te dementeren; ze was inmiddels zo verward, dat ze weliswaar nog haar dochter herkende, maar haar kleinkinderen al niet meer. Voor mijn patiënte werd de hele samenhang van haar familie bedreigd. Ze had zich veel inspanningen getroost, juist uit liefde voor haar moeder. Vanwege de dementie van haar moeder vreesde ze nu dat ze zelf spoedig ook niet meer door haar zou worden herkend, waardoor ze het gevoel kreeg dat de grond onder haar voeten wegzonk. Deze 'pijn' kwam tot expressie in de knieën, uiteraard de gewrichten

Pijn in de knieën vanwege de angst voor het verlies van iemands liefde

die precies bij dit conflict passen, zodat zij met de toediening van *Calcium fluoratum* kon worden geholpen. Dit homeopathische middel kon echter alleen werken omdat zij had ingezien – en dat feit ook had geaccepteerd – dat ze de liefde en erkenning van haar moeder, die zij tot dusverre had ontvangen zolang deze gezond was, nu moest inruilen tegen de liefde en bewondering van haar kleinkinderen.

Het is voor iedere pijnpatiënt nuttig om na te denken over de vraag: 'Word ik emotioneel op de been gehouden door mijn liefde voor die en die, en door de liefde die zij mij schenken?' In vele gevallen ontbreekt het betrokkene aan iemand met wie hij of zij liefde kan 'uitwisselen'. Die leemte maakt ons ziek en veroorzaakt ook fysieke pijn.

Overige
behandelmethoden

Wie in alles wat er tot nu toe is besproken niet heeft gevonden wat hij zoekt, zou baat kunnen hebben bij een van de volgende geneeswijzen. Ik heb hiermee slechts een beperkte ervaring, maar doe graag verslag van de verhalen van patiënten die er goede ervaringen mee hebben opgedaan. Een van de gebruikte middelen is Indiase wierook, *Boswellia serrata*. Wierook, in onze **Indiase wierook** kerken een ritueel rekwisiet dat een aangename reuk afgeeft, was in de Oudheid een van de belangrijkste artsenijen, vooral ook tegen pijn. Al 2500 jaar voor Christus wordt er in Babylonië melding gemaakt van wierook als geneesmiddel. Ook door de Grieken en Romeinen werd het voor de meest uiteenlopende doeleinden gebruikt. In de ayurvedische geneeskunst wordt wierook tot de dag van vandaag op grond van het ontstekingsremmende effect toegepast. Bij de apotheek is het preparaat *Olibanum*® zonder recept verkrijgbaar. Hiervan wordt een- tot driemaal daags een dosis van 400 mg genomen. Bij een spreekbeurt voor een groep reumapatiënten vertelden diverse toehoorders mij dat zij met wierook een duidelijke verlichting van hun klachten hadden bewerkstelligd. Overigens was er niemand onder hen die volledig had afgezien van andere pijnstillers.

Ook de toepassing van *bijengif* maakt deel uit van een **Bijengif** lange traditie in de bestrijding van reumatische pijnen; het werd al in het oude Egypte gebruikt, door Indiërs, Babyloniërs en Slaven. In Oost-Europa worden bijen-

219

steken in pijnlijke lichaamsgebieden doelbewust uitgelokt: hierbij wordt begonnen met twee tot drie bijensteken op een dag, tot uiteindelijk maximaal twintig. Minder pijnlijk en veiliger zijn bijengifzalven als Apisar-
tron® of Forapin®. Ik ben enkele jaren werkzaam geweest in een kinderkliniek, waar een paar kinderen met
cerebrale verlammingen bij een arts in Rusland waren
geweest – deze had de therapie met bijensteken dagelijks toegepast totdat deze kinderen van hun pijn waren
bevrijd. Hierdoor werd ook hun ontwikkeling bevorderd. Een patiënt in mijn praktijk is imker: hij maakte
melding van een verminderde pijngevoeligheid, die hij
toeschreef aan de talrijke bijensteken die hij in de loop
der jaren had opgelopen. Naar mijn mening is het gevaar van allergie een nadeel van deze therapie.

Bach-
bloesemtherapie
De zogeheten *Bach-bloesemtherapie* – genoemd naar
de grondlegger, dr. Edward Bach (zie de literatuurlijst)
– gebruikt bepaalde bloesemessenties onder meer ter
stimulering van het waarnemingsvermogen. De patiënt
kan aan de desbetreffende bloesems ruiken of twee
druppels bloesemessentie in een glas water oplossen en
dat water opdrinken. Steeds weer bevestigen patiënten
de weldadige uitwerking van deze natuurlijke en zachte behandelmethode, die door middel van het verzachten van negatieve gevoelens en stemmingen ook in de
pijnbehandeling van grote betekenis is, hoewel aan
geen van de bloesemremedies een rechtstreeks pijnstillende werking wordt toegeschreven. Het betreft in feite
een vorm van psychotherapie. Hoe de werking optreedt, is tot nu toe nog niet onomstotelijk aangetoond.
De ervaring leert dat de bloesemtherapie bij voortgeschreden orgaanveranderingen geen effect sorteert.

Ook de *aderlating* mag hier niet onvermeld blijven. De
meest werkzame variant hiervan schijnt het zogeheten
Koppen zetten
koppen zetten te zijn. Hiertoe wordt er een omgekeerd
glas op de huid geplaatst en een vacuüm getrokken,

220

zodat de huid opbolt en een rode kleur aanneemt. Door op deze plek een incisie te maken wordt een bloeding uitgelokt, tot een hoeveelheid waarmee men een glas kan vullen. Echter, ook het koppen zetten zonder bloeding, waarbij hoogstens blauwe plekken ontstaan, kan helpen tegen pijn. Deze methode, ontstaan in een tijd dat men uitging van vergiftigde lichaamsvochten, is in feite een hulpmiddel om uitscheidingsproducten naar de huidoppervlakte te brengen, zodat het lichaam zich ervan kan ontdoen. Bij koppen zetten zijn er twee mogelijke doeleinden. Óf het segment, óf de reflexzone waarin de stoornis zetelt, wordt behandeld. Hierbij wordt niet de oorsprong van de pijn behandeld, maar de plaatsen waarnaar de pijn kan uitstralen. Van het hartinfarct is bekend dat de pijn vaak vanuit de linkerhelft van de borstkas uitstraalt naar de onderkaak en de linkerarm. Dit uitstralingsgebied behandelen, wil zeggen dat de pijnstillende werking ook in de hartstreek zelf optreedt.

Aandoeningen in de alvleesklier en galblaas kunnen uitstralingspijn in de rechterschouder of de rug bewerkstelligen. In elk geval worden dan koppen gezet in het gebied waarheen de pijn uitstraalt. Koppen zetten kan ook de bedoeling hebben om de dispositie van het lichaam te veranderen ('anders te stemmen'). De onderhuidse bloeduitstorting die hierbij ontstaat, is een prikkel om de genezende krachten van het lichaam te activeren. In het verleden heb ik deze bloedingsloze variant graag toegepast, vooral bij heetgebakerde mensen die overprikkeld zijn. De pijnstillende werking is indrukwekkend. Aan de andere kant is het een omslachtige methode, die lelijke sporen achterlaat welke aan zuigvlekken doen denken en pas na dagen verdwijnen. Naar mijn mening zijn er discretere therapieën.

Een andere *aderlatingsvariant* bij gewrichtsartrose met vochtuitstorting is de *cantharidinepleister*. De pleister

De pijnstillende werking is indrukwekkend

221

wordt op de pijnlijke plaats aangebracht, zodat daar blaren ontstaan die zich 's nachts met bindweefsel-vocht vullen; dit vocht wordt door middel van een punctie uitgeleid en weer geïnjecteerd, óf het wordt weggegooid. Ook dit kan leiden tot significante ver-mindering van de pijn, terwijl ook de eigen genezende krachten worden geactiveerd. De blaren genezen vaak traag en kunnen bruinachtige huidvlekken achterlaten die pas na jaren verdwijnen.

Reflexologie voor de verlichting van pijnen is feitelijk een combinatie van acupressuur- en massagemetho-den. Soms is deze benadering ook nuttig voor het diag-nosticeren van pijnoorzaken, want de reflexzones staan in verbinding met de organen en worden door de aan-doening van een bepaald orgaan sterk geprikkeld. Voor het masseren van de reflexzonen op de voeten is een partner nodig. Koop hiervoor een boek over dit onder-werp dat is geïllustreerd met schetsen van de reflexzo-nes, en begin te masseren. Als een bepaalde zone per-manent overgevoelig blijft, dient het betreffende or-gaan door de arts te worden onderzocht. In mijn prak-tijk stond ik eens versteld van een geval waarbij de pijn van een patiënt na een massage sterk was verminderd, maar bij wie een maagstoornis werd vastgesteld. De maagspiegeling toonde aan dat de slijmhuid van de maag ontstoken was. (Overigens zijn er ook patiënten bij mij geweest bij wie zulke 'diagnoses' onjuist ble-ken.)

De *Feldenkrais-therapie* is erop gericht om onjuiste li-chaamshoudingen die pijn veroorzaken te corrigeren door middel van bewust bewegen. Als gevolg van de herstelde bewegingssymmetrie wordt de lichaamsorde-ning versterkt. Een van de effecten daarvan is verlich-ting van de pijn. Zo ken ik een groep vrouwen die deze oefening doen en daardoor minder pijn hebben.

Met betrekking tot de toepassingsmogelijkheden van

Reflexologie is een combinatie van acupressuur- en massage-methoden

Feldenkrais-therapie

warm en koud water kun je te rade gaan bij Kneipp en
Prießnitz, wier therapeutische concepten verder gaan
dan alleen pijnbestrijding en de algemene gezondheid
willen bevorderen. Ook hier gaat het in essentie om
therapieën die de dispositie van het hele lichaam proberen te corrigeren teneinde het evenwicht te herstellen. Zelf woon ik in een Beierse plaats waar de Kneipp-
traditie in ere wordt gehouden, en ik heb nog geen enkele 'kneippiaan' als pijnpatiënt in mijn praktijk gezien. Daarentegen ken ik wel verscheidene kneippia-
nen die geen last hebben van pijn.

Bij *enzymentherapie* worden plantaardige en dierlijke
enzymen ingenomen die een ontstekingsremmende
werking hebben en daardoor ook pijnstillend werken.
In geval van reumatische aandoeningen wordt gebruikgemaakt van een combinatie van trypsine, bromelaïne
en papaïne, Mulsal®. Tegen alle vormen van ontsteking
gebruikt men gedurende vier weken driemaal daags
drie dragees van het populaire Wob-enzym®. Bij ernstige gevallen worden er tot maximaal dertig dragees per
dag ingenomen. Deze therapie dient ter aanvulling van
andere methoden van pijnbestrijding. Zelf heb ik met
veel succes bij recente kneuzingen en verstuikingen die
gepaard gingen met sterke zwellingen gebruikgemaakt
van Bromelaïne-POS®, in een dosering van driemaal
daags een tablet.

*Enzymen-
therapie*

Hoe behandel je jezelf? – Een overzicht van veelvoorkomende klachten en de therapiemogelijkheden

De meeste adviesboeken over het onderwerp pijn zijn
'receptenboeken' – d.w.z. verzamelingen van recepten
tegen pijn. Dit brengt vaak het risico met zich mee dat
belangrijke aspecten over het hoofd worden gezien en
er te veel wordt geëxperimenteerd. De eerste fout die je

*De meeste
adviesboeken
over het onder-
werp pijn zijn
'recepten-
boeken'*

op het pad naar zelfbehandeling kunt maken, is het verwaarlozen van een accurate diagnose van de aandoening of ziekte. Als je ergens pijn hebt, ben je al snel geneigd je af te vragen: 'Zou het kanker zijn?' Dan stap je naar je huisarts, en als hij dan zegt: 'Nee, het is slijtage', stel je je daarmee tevreden. De meeste aandoeningen houden echter het midden tussen het ergste en het natuurlijke.

Hoofdpijn

Holistisch behandelen behoort te impliceren dat er rekening wordt gehouden met alle diagnostische en therapeutische mogelijkheden. Als je bijvoorbeeld aan één kant een stekende of zelfs kloppende hoofdpijn hebt zou het tragisch zijn als je met natuurgeneeskundige methoden grote verlichting van het symptoom bereikt, om vervolgens blind te worden in het oog aan die kant, omdat de pijn in feite een symptoom was van het Horton-Magath-Brownsyndroom (*arteriitis temporalis*). Dit is een ontsteking van de slaapader, die daardoor verhardt en uiteindelijk wordt afgesloten. In zo'n geval zal men met het oog op het dreigende gevaar kiezen voor behandeling met het gedemoniseerde cortison omdat het ziekteproces inmiddels al zover voortgeschreden is dat er met zachte medicijnen, die minder snel werken, niet veel meer kan worden bereikt. Dit betekent: je ideologische oogkleppen afdoen, door de zure appel heen bijten en op zijn minst enkele weken lang cortison nemen, totdat het acute proces is ingedamd.

Het zou echter al even fataal zijn het alleen op cortison te houden. Het feit dat je een vaatontsteking hebt ontwikkeld, is immers een symptoom van een grotere stoornis, zodat het de moeite loont deze te diagnosticeren en te behandelen.

Al even tragisch als het zojuist beschreven geval zou

het zijn de hoofdpijn van je kind alleen met homeopathische middelen te behandelen, waarna blijkt dat het kind aan hersenvliesontsteking heeft geleden, een aandoening waarbij elk uur zonder antibioticum verschil maakt. In een dergelijk geval zullen de symptomen – constante, hevige hoofdpijn (die door lawaai, licht en beweging wordt versterkt), sterke vermoeidheid, koorts, braken en stijve nek – de arts de juiste richting wijzen. Een grondregel bij de behandeling van hoofdpijn zegt tenslotte dat iedere hoofdpijn die voor het eerst optreedt eerst grondig moet worden onderzocht. Er kan ook een spontane bloeding in de schedelholte of zelfs een tumor achter schuilgaan.

Iedere hoofdpijn die voor het eerst optreedt moet eerst grondig worden onderzocht.

Op dit gebied stuit je vaak op beoordelingsfouten, niet alleen van de patiënt zelf, maar ook van de arts. We zijn al zo gewend geraakt aan het idee dat hoofdpijnen van psychische oorsprong zijn, of op zijn minst ontstaan ten gevolge van spanningen in de levenssituatie, dat we er vaak niet eens meer nauwkeurig genoeg naar kijken om te kunnen zien of het niet toch een symptoom van een concreet probleem zou kunnen zijn. De moeilijkheid is dat ernstige oorzaken van hoofdpijn betrekkelijk zelden voorkomen – en je wilt nu eenmaal niet 'hysterisch' reageren. Aan de andere kant is het toch vaak noodzakelijk om bij een huisarts die het symptoom achteloos als 'een eenvoudige hoofdpijn' afdoet, aan te dringen op het laten maken van een CT-scan van de schedel. In elk geval moeten we de eenvoudige opties voor zelfbehandeling niet vergeten, ongeacht of het gaat om een functionele stoornis, waarbij de radioloog dan met enig leedvermaak verklaart dat er niets te vinden was, of om een gevaarlijke tumor.

Spanningshoofdpijn

Spanningshoofdpijn

Een spanningshoofdpijn die het gevolg is van overprikkeling in het beroep of het privé-leven, behoort niet te worden afgedaan met het slikken van een tabletje, ook al is dat in een noodgeval, als er beslist geen tijd is, zeker te rechtvaardigen. Het is echter beter jezelf serieus genoeg te nemen om de tijd te nemen voor het behandelen van de pijn. Spanningshoofdpijnen ontstaan vaak omdat betrokkene zichzelf niet ernstig genoeg neemt en alle andere dingen voor laat gaan. Daarom is het des te belangrijker om jezelf niet met chemicaliën 'te vervuilen' en op de eerste plaats je heil te zoeken bij natuurgeneeskundige therapiepogingen die het lichaam 'strelen'.

Zelfbehandeling bij hoofdpijn

Het kan bijvoorbeeld al helpen als je je ontspannen zittend of liggend installeert in een rustige, schemerige kamer. Ook afkoeling van het hoofd met een in koud water gedrenkte doek die je op je voorhoofd of nek legt, doet soms wonderen. Vergeet niet om extra pijnlijke plaatsen op het voorhoofd of aan de slapen in te wrijven met pepermuntolie en voldoende te drinken.

Neem vervolgens dit boek en controleer in de paragraaf over Schüssler-zouten aan de hand van je symptomen wat voor soort hoofdpijn je hebt. Kies dan uit de verzameling van Schüssler-zouten (die je bijvoorbeeld in de badkamer bewaart) het voor die hoofdpijn aanbevolen zout. Laat om de tien minuten een tablet ervan in je mond smelten.

Van de overige homeopathische geneesmiddelen komen de volgende voor zelfbehandeling in aanmerking (zie voor de dosering van homeopathische geneesmiddelen blz. 165):

Aconitum: bij acute, plotselinge pijn, rood gezicht, angst, onrust.

226

Belladonna: bij kloppende hoofdpijn, met tussenpozen optredende pijn, een hoogrood gezicht; beweging verergert, achterover buigen vermindert de pijn.

Gelsemium: bij doffe pijn in het achterhoofd die via de nek naar het voorhoofd en de ogen trekt, als gevolg van opwinding of onheilstijdingen; vochtafdrijving (meer plassen) verlicht de pijn.

Calcium carbonicum: bij hoofdpijn met opvliegers, duizelingen, ijzige kou in het hoofd, een verhit hoofd bij inspanning, nachtelijke zweetaanvallen.

Coffea: bij vlijmende of stekende hoofdpijn (met een warmtegevoel in het hoofd), slapeloosheid, nerveuze hartkloppingen, overgevoeligheid voor pijn.

Glonoinum: bij hevige pulserende hoofdpijn en een hoogrood hoofd; achterover buigen verhevigt de pijn.

Nux vomica: bij ochtendlijke hoofdpijn en misselijkheid, vaak na overmatig gebruik van alcohol of nicotine; bij jachtige mensen.

Bij acute pijn

Als het om een acute pijn gaat, masseer je de kraakbenige buitenrand van het oor met de wijzers van de klok mee. Als je dat niet durft, helpt het vaak ook om de oorlel aan de kant waar de pijn het hevigst is te masseren. Als je er in het verleden goed op hebt gereageerd, kun je op een andere plaats verdergaan met deze acupressuur. Buig je bijvoorbeeld voorover en masseer dan Maagpunt 36. Dit punt ligt drie vingerdikten onder de knieschijf en een vingerdikte aan de buitenkant van het onderbeen in het spierweefsel. Of je masseert het acupunctuurpunt Dikkedarm 4, het spierbobbeltje tussen duim en wijsvinger (in de hoek tussen de eerste twee middenhandsbeentjes), eerst aan de linker- en daarna de rechterhand.

Ter verdere ontspanning kun je op de grond of op een bed gaan liggen, om met de zogeheten progressieve spierontspanning te beginnen. Door het gelijkmatig spannen en ontspannen van de spieren (vanaf het hoofd naar de voeten) word je uiteindelijk rustig en niet zelden vrij van pijn.

Progressieve spierontspanning volgens Jacobson

De ontspanningsmethode volgens Jacobson is bijzonder geschikt voor pijnpatiënten, die het vaak ontbreekt aan innerlijke rust, en wier onwillekeurig gespannen spieren pijn teweegbrengen of versterken. De methode werd uitgewerkt door de Amerikaanse arts Edmund Jacobson en bestaat uit het doelgericht en systematisch spannen en ontspannen van spiergroepen. Neem hiervoor 's avonds een halfuur de tijd. Ga op een niet te zachte ondergrond op de rug liggen. Je balt je rechtervuist en spant de hele rechterarm. Na vijf seconden laat je los en rust tien seconden; dan doe je hetzelfde vijf seconden lang met de linkervuist en -arm. Wacht na het loslaten weer tien seconden. Op deze manier span en ontspan je alle afzonderlijke spiergroepen: de gelaatsspieren, de schouderspieren, de buikspieren, de bilspieren, de beenspieren enzovoort. Hierna rust je een paar minuten en geniet van de gewaarwording van ontspanning.

Migraine

Migraine is een vorm van hoofdpijn die serieus moet worden genomen; het hele lichaam wordt erdoor beïnvloed en vaak speelt een stofwisselingsaspect er een rol bij. Conserveermiddelen kunnen migraine veroorzaken, waaronder vooral glutamaat. Deze stof komt veel voor in Chinese gerechten. Ook de opwekkende stof tyramine kan migraine in de hand werken: deze stof komt voor in gemarineerde haring, roquefort en witte wijn. Schenk altijd aandacht aan mogelijke veroorzakers van migraine; het kunnen chemische stoffen zijn die je niet verdraagt.

Bij sommige vormen van migraine worden de symptomen nog versterkt door koele omslagen op het hoofd. Wie tot deze groep patiënten behoort, kan beter niet stoer doorgaan met deze behandeling; probeer het liever eens met warme compressen.

Je kunt ook eens proberen om vijf tot tien minuten lang in de onderste buitenrand van beide oorlellen te knijpen. Afgezien van de uitwerking van deze acupressuur wordt er ook een sterke vaatprikkeling door veroorzaakt, die juist een eind kan maken aan migraineaanvallen. Masseer ook het punt Lever 3, twee centimeter boven de verbinding tussen de grote teen en de tweede teen op de rugzijde van de voet. Een verdere tip: wie al geruime tijd te kampen heeft met periodiek terugkerende migraine, kan in de apotheek duizendbladthee en sleutelbloemthee kopen. Beide middelen hebben al veel mensen met soortgelijke klachten geholpen. Tegen de bij migraine meestal optredende misselijkheid helpt vaak pepermuntthee.

Zelfbehandeling bij migraine

Omdat migraine een aandoening is die zelden spontaan geneest en helaas dikwijls en op de meest ongunstige momenten terugkomt, is het verstandig een langetermijnbehandeling te beginnen, met het doel de migraine geheel te laten genezen. Dikwijls wordt een homeopathische constitutietherapie met succes bekroond. Vergeet niet dat achter het woord 'migraine' veelal een spanningshoofdpijn schuilgaat die heel goed met de onder chiropraxie en de Dorn-methode genoemde manipulaties verholpen kan worden.

Voor zelfbehandeling komen de volgende homeopathische middelen in aanmerking:
Cyclamen: bij van hormonen afhankelijke migraine, met misselijkheid, duizelingen, krachteloosheid, ge-

zichtsstoornissen (sterretjes zien) en hoofdpijn na het opstaan; de misselijkheid wordt steeds heviger en leidt tot braken.

Iris: bij hoofdpijn (vaak aan de rechterkant van het voorhoofd en de slapen) met brandend maagzuur, gezichtsstoornissen, misselijkheid, braken, diarree; de aanval komt vaak in de ontspanningsfase na geestelijke inspanning (weekendmigraine).

Cimicifuga: bij door spierspanningen met nekklachten uitgelokte migraine; de pijn wordt vaak aan de linkerkant gevoeld en wordt heviger door koude lucht en gaat gepaard met de neiging tot depressiviteit.

Sanguinaria: bij hoofdpijn (vaak aan de rechterkant) die 's morgens begint en in de middag heviger, maar 's avonds minder wordt; met duizelingen, misselijkheid, opvliegers, een brandend gevoel in het gezicht, oorsuizen.

Rugpijn

In geval van rugpijn waarbij – behalve 'slijtage' – geen specifieke oorzaak is gevonden, is progressieve spierontspanning een van de eerste therapieën die je kunt proberen. Per slot van rekening ontstaat rugpijn vaak door onwillekeurige verkrampingen van de rugspieren. Naast rapunzelpreparaten zijn er uit de inheemse bossen jeneverbesthee en brandnetelthee beschikbaar. Bedenk echter wel dat je deze thee enkele weken dagelijks zult moeten drinken om een goede werking te verkrijgen. Behalve met pepermuntolie kan rugpijn overigens ook met andere etherische oliën – zoals rozemarijn, gember, lavendel of eucalyptus – worden behandeld. Als er niemand beschikbaar is die je ermee kan inwrijven of masseren, druppel je deze etherische oliën in een warm bad waarin je je kunt ontspannen.

Kies in overeenstemming met de indicaties in dit boek een Schüssler-zout uit. Laat om de tien minuten een tablet in je mond smelten en ga na een poosje na of je er baat bij hebt.

Al naargelang de aard van de klacht zijn de volgende homeopathische middelen geschikt:

Homeopathische middelen tegen rugpijn

Rhus toxicodendron: bij trekkende pijn en stramme ledematen bij het opstaan; de klachten worden bij rust erger, gaan gepaard met innerlijke onrust en de drang tot bewegen; warmte verlicht de pijn.

Solanum dulcamara: bij verheviging van de klacht als het weer omslaat van warm naar koud, en bij kil en vochtig weer; beweging werkt verlichtend.

Bryonia dioica: bij iedere beweging pijn die bij koud weer verergert en minder wordt door warmte, gepaard gaande met veelvuldige dorst en behoefte aan rust.

Rhododendron chrysanthum: bij verheviging door natte en koude lucht, bij storm, bij verlichting door beweging.

Arnica montana: bij klachten die door vochtigheid en koude worden uitgelokt en bij iedere beweging heviger worden; wie daarbij ook aan migraine lijdt voelt zich alsof hij onder een wals heeft gelegen.

Nux vomica: pijn bij prikkelbare mensen welke al bij lichte afkoeling ontstaat, of door zich licht te vertillen. Het betreft een branderige pijn die in de tweede helft van de nacht heviger wordt. Omdraaien in bed is alleen verdraaglijk bij gelijktijdig overeind komen. Verheviging van de pijn bij beweging, verlichting door warmte.

Houd ook voor ogen dat de tussenwervelschijven – de 'schokdempers' van de wervelkolom – met het voortschrijden van de leeftijd geleidelijk indrogen en vlakker worden. Dit kan worden gecompenseerd door inlegzolen die de schokken van het lopen absorberen, of door de aanschaf van sportschoenen die geschikt zijn om op asfalt te joggen. Denk ook aan het gelijk maken van de beenlengte volgens de Dorn-methode, om de

Vergeet niet inwendige organen als mogelijke oorzaak van chronische pijn uit te sluiten

wervelkolom niet door ongelijke belasting onnodig te kwellen. Juist bij chronische rugpijn moet er rekening mee worden gehouden dat een inwendig orgaan de oorzaak kan zijn. Een echo-onderzoek door de huisarts kan deze mogelijkheden uitsluiten.

Ook kan het nuttig zijn de slaapplaats te laten onderzoeken door een gecertificeerde geopatholoog; probeer of de door hem aanbevolen maatregelen – een kurkmat onder de matras, het verplaatsen van spiegels, het verbannen van metaal en elektrische of elektronische apparatuur uit de slaapkamer – op de middellange termijn helpen.

Pijn in de heup- en kniegewrichten bij artrose

Als gewrichtsveranderingen en kraakbeenbeschadigingen (met botachtige randen) ten gevolge van artrose pijn in de heup- en/of kniegewrichten veroorzaken, zou ik allereerst denken aan de mogelijkheid om minder dierlijke vetten (uiteraard ook melk en melkproducten) en meer plantaardig voedsel te consumeren. Het schijnt dat vooral mensen met donkere ogen gepredisponeerd zijn voor deze vorm van overbelasting van de stofwisseling. Heupartrose leidt al spoedig tot verweking van de bilspieren, omdat de patiënt vaak bij voorkeur een houding aanneemt die deze gewrichten ontziet. Wie dit weer in beweging wil krijgen zal deze spieren doelgericht moeten trainen; hiervoor is wandelen het beste geschikt.

Meer plantaardig voedsel; minder dierlijke vetten

Gebruik gerust een wandelstok om de heupen minder te belasten. Het is veel beter om weer actief te zijn dan – uit vrees dat iemand je op straat met een wandelstok ziet lopen – helemaal niet meer te gaan wandelen. Gebruik zachte, verende schoenen en laat de benen op gelijke lengte controleren, om te zien of gelijk maken volgens de Dorn-methode nodig is.

232

Probeer de pijn te verlichten met de volgende home-opathische geneesmiddelen:

Arnica: bij artrose ten gevolge van stoten of kneuzen. De pijn wordt heviger bij beweging. Het gewricht is gezwollen en voelt aan alsof het is verstuikt of verrekt.

Belladonna: bij plotselinge zwelling van het gewricht, dat er glanzend en rood uitziet; de voeten zijn ijskoud.

Apis: in geval van een rood verkleurd, uiterst pijnlijk gewricht, gepaard gaande met een gevoel van branderigheid en spanning; de huid glanst en is overgevoelig voor aanraking; koude verlicht de pijn.

Rhus toxicodendron: bij pijn als gevolg van verrekking of verstuiking; de pijn wordt minder bij beweging en heviger in rusttoestand; een warm bad vermindert de pijn.

Bryonia: bij stekende, door kou uitgelokte pijn. Het gewricht voelt heet aan en is rood en gezwollen; een stevig verband vermindert de pijn, maar de pijn wordt bij warmte of beweging heviger.

Colchicum: in geval van grote tenen die branderig en heet aanvoelen en er rood uitzien; de klacht treedt vaak 's avonds op. Ook bij jicht.

Homeopathische middelen tegen pijn in de knie- en heupgewrichten

Buikpijn

In geval van buikpijn dient altijd eerst een arts te worden geconsulteerd, en eventueel de internist. Dit is noodzakelijk om vast te laten stellen of het een ontsteking van het maagslijmvlies betreft (pijn in het bovenste deel van de buik), of een uiterst zelden voorkomende ontsteking van maag en darm, of een andere aandoening.

Ontsteking van het maagslijmvlies
Als het een ontstoken maagslijmvlies betreft, leiden het plotseling optreden van de pijn, oprispingen, brandend maagzuur en een vol gevoel in de maag de aan-

Zelfbehandeling bij ontsteking van het maagslijmvlies

233

dacht al in de juiste richting. Vermijd om te beginnen sterk gekruide gerechten en koffie en leg een warme rubberen kruik op de buik. Probeer ook welke van de volgende soorten thee de meeste verlichting geeft: *melisse, kamille, moerasspirea (Filipendula ulmaria)* of *heemstwortel.* Als je dit enkele dagen hebt gedaan, zal de ontsteking in de regel verdwenen zijn. Voor wie in het chronische stadium verkeert, waarbij de aandoening zich al jarenlang herhaaldelijk heeft voorgedaan, moet aan een behandelcyclus worden gedacht, bijvoorbeeld een homeopathische constitutiebehandeling of ooracupunctuur.

Maag-darmontsteking
Deze aandoening gaat gepaard met bloederige, met slijm vermengde diarree, pijn in de linkerhelft van de buik en braken. Je voelt je zo beroerd dat je hoe dan ook naar de dokter stapt. Deze zal vaak een antibioticum voorschrijven, omdat hij een darminfectie vermoedt. Meestal zal een bacteriële ontsteking – vooral een door buitenshuis eten opgedane salmonellainfectie – echter met enig geduld vanzelf genezen. Er wordt zelfs gezegd dat toediening van een antibioticum dit genezingsproces kan belemmeren en de groei van deze bacterie juist kan bevorderen. In elk geval zou zelfbehandeling er in het begin zo uitzien: ga rusten, eet niets meer dat vet bevat, drink gezouten groentebouillon en drink dagelijks tenminste twee liter water. Bouw na twee dagen de dagelijkse voeding geleidelijk op met rijstepap, wortelsoep en gekookte aardappelen. Drink hierbij kamillethee, waarvan de heilzame, ontstekingsremmende werking al eeuwen bekend is.

Zelfbehandeling bij maag-darmontsteking

Bij wijze van pijntherapie bij maag-darmontsteking (dit geldt overigens ook voor *colitis ulcerosa* en de *ziekte van Crohn*) heeft de patiënt baat bij bepaalde homeopathische middelen, al naargelang de aard van de klachten.

234

Probeer het met de volgende homeopathische midde-len:

Homeopathische geneesmiddelen tegen maag-darmontsteking

Colocynthis: bij krampachtige pijn die minder wordt door zich dubbel te vouwen, of door warmte; bij diar-ree na het eten.

Cuprum metallicum: in geval van ongeregeld optreden-de, hevige pijnkrampen, met misselijkheid en braken, waarbij de pijn door koud water minder wordt.

Gelsemium: bij diarree ten gevolge van griep, gepaard gaande met koorts, vermoeidheid en pijnlijke ledema-ten.

Magnesium phosphoricum: bij pijnkrampen die plotse-ling optreden en even plotseling ophouden en verlicht worden door zich dubbel te vouwen; ook warmte en krachtig drukken werken verlichtend; bij diarree en grote winderigheid.

Nux vomica: bij veelvuldig optredende diarree in com-binatie met pijn in de ledematen die 's nachts heviger wordt.

Spierreuma (fibromyalgie)

Onder de noemer 'fibromyalgie' gaat tegenwoordig vaak een reumatische aandoening van de spierweefsels schuil. Het is een pijnaandoening die in vele delen van het lichaam optreedt en waarmee de reguliere diagnos-tici geen raad weten. De pijn ís er eenvoudigweg, zon-der ontstekingshaarden of andere zichtbare oorzaken. Het is ook bijna komisch als een arts dan vaststelt waar de pijn optreedt en op hoeveel plaatsen, om aan te geven dat het 'werkelijk' fibromyalgie moet zijn. Men weet niet wát het is, maar wil toch graag vastleggen waar het moet zijn alvorens te erkennen dat de aandoe-ning inderdaad bestaat. In mijn eigen praktijk kan ik over de behandeling van fibromyalgie geen opzienba-rende successen melden. Mijn verklaring van dat feit luidt dat er kennelijk soms 'behoefte' is aan deze aandoening. Dat klinkt hard, alsof ik ermee wil zeggen: 'Eigen schuld!' Inderdaad komt er wel enige 'schuld' aan te pas. De aandoening komt verreweg het meest voor bij vrouwen die meer presteren dan ze eigenlijk willen of kunnen. Ik heb nog geen enkele patiënt met fibromyalgie gezien die lui of onverschillig was. Integendeel, het betreft vrouwen die de boel bijeenhouden en zich over de kop werken, totdat ze vroeg of laat overal pijn krijgen. In hun leven doen zich weinig momenten voor waaruit zij vreugde kunnen putten, zoals vakanties, seks, plezier met vrienden. Al in de horrorfilm *The Shining* tikte Jack Nicholson één enkele zin duizenden keren uit: '*All work and no play make Jack a dull boy.*' Tja, en van een vrouw maakt het een fibromyalgiepatiënte. Zo'n vrouw leeft in de waan dat ze er niets aan kan veranderen, dat haar omgeving het haar niet toestaat. Er zijn te veel dingen die nog gedaan moeten worden, en als zij het niet doet, wie doet het dan? Juist die geesteshouding is voor mij aanleiding om te zeggen: 'Meisje, word toch wakker!' Ieder van ons is in staat deze vicieuze cirkel van dwangmatig bemoederen en de slachtofferrol te doorbreken door de dingen eenvoudigweg op hun beloop te laten. Kijk maar naar de mannen – zij kunnen het: rondhangen, onverschillig zijn, niet echt luisteren, de boel verwaarlozen. Als jij dat ook zou doen, zal er vroeg of laat iets spaak lopen, dat is duidelijk. Bedenk echter wel dat ook je pijnen erdoor verdwijnen!

Wil je werkelijk jezelf, je leven en je gezondheid opofferen? Sta er even bij stil: als je door de fibromyalgie op de knieën wordt gedwongen, kun je algauw zelf niets meer presteren!

Tot de aanbevelingen ter behandeling van fibromyalgie behoort vooral ook het radicaal wijzigen van de eetgewoonten – en de nieuwe consequent trouw blijven! – in combinatie met darmsanering. Hierbij heeft volwaardi-

ge voeding overigens vaak eerder een nadelige uitwerking. Daarnaast wordt fysiotherapie aanbevolen:
Kneipp-kuren, ziekengymnastiek, zachte massage met
oliën – bij voorkeur 's avonds door de partner. (Dat
laatste klinkt al vrij irreëel, vind je niet? Want wie zo'n
partner heeft, zal ook geen fibromyalgie hebben.)
Hardhandige massages kunnen beter worden vermeden. De meesten hebben daarna heviger pijnen dan ervoor. Voor ontspanning is autogene training nodig,
maar daarvoor ontbreekt het je aan de nodige fut. Je
kunt je niet goed genoeg concentreren en bent over je
toeren. Het beste helpt de progressieve spierontspan-
ningsoefening volgens Jacobsen. Denk ook aan een
eventuele analyse van je slaapplaats. Deze kan het
beste worden uitgevoerd door een gecertificeerde geopatholoog.

Aanbevelingen ter behandeling van fibromyalgie

Tegen fibromyalgie kunnen de volgende plantaardige
middelen helpen:
Wilgenbast (bijv. Assalix, maximaal tweemaal daags
twee dragees).
Brandnetel (bijv. Hox alpha®, twee- tot driemaal daags
een dragee).
Rapunzel (bijv. Flexiloges, driemaal daags twee dragees).
Muntolie, waarmee de pijnlijke plaatsen worden ingesmeerd.
Soms helpt ook bijengif, bijvoorbeeld Apisartronzalf,
waarmee de pijnlijke plaatsen worden ingesmeerd.
Voor zelfbehandeling komt ook acupressuur in aanmerking, maar nog beter is moxabranden boven de volgende belangrijke pijnpunten:
Lever 2: in de huidplooi tussen grote teen en tweede
teen
Galblaas 30: achterkant heupgewrichtkogel, in de bil-
aanzet.

Plantaardige middelen

Voorbeelden van manieren waarop natuurgenees- kundige pijn- behandelings- methoden kunnen worden gecombineerd

Dit waren slechts voorbeelden van manieren waarop natuurgeneeskundige pijnbehandelingsmethoden kunnen worden gecombineerd. Als je er niet verder mee komt, ga je naar de therapeut die door middel van verdergaande behandelmethoden – bijvoorbeeld neuraaltherapie of chiropraxie – kan helpen de pijn te verlichten. Over het algemeen geef ik mijn patiënten ook de raad ervoor te zorgen dat zij voor noodgevallen díe pijnstillende middelen voor het grijpen hebben die hun werkzaamheid al eens hebben bewezen. Daartoe behoren meestal ook de pijnstillers van de reguliere geneeskunde.

Ter aanvulling: pijnbehandeling bij kinderen

Homeopathie is in de pijnbehandeling bij kinderen zeer succesvol

Inmiddels wordt het als een waarheid als een koe beschouwd dat kinderen veel baat hebben bij een homeopathische pijnbehandeling. Om die reden vermeld ik in beknopte vorm hier de ervaringen van mijn echtgenote, dr. Heidrun Rieger, uit haar kinderartspraktijk.
Over het algemeen geldt de regel: 'Liefdevolle aandacht helpt het beste!'

Kinderen met oorpijn
Hierbij helpt vaak: een *uiwikkel* achter het oor. Snijd een ui klein en verwarm de snippers in een droge pan. Doe ze vervolgens in een zakdoek en leg deze achter het oor op het tepelvormige uitsteeksel (*mastoïd*) van het slaapbeen dat daar voelbaar is.
Neusdruppels van keukenzout: deze zijn verkrijgbaar bij de apotheek en worden bij kamertemperatuur gebruikt. Twee druppels in elk neusgat.

Bij oorpijn

Homeopathische middelen tegen oorpijn bij kinderen
Aconitum: bij plotseling optredende hevige pijn in het

oor na koude wind (treedt meestal 's nachts op); eventueel is de oorschelp rood verkleurd. Vaak in combinatie met lawaaigevoeligheid, het gevoel alsof er water in het oor zit. Soms met onrust of zelfs doodsangst. Koorts is vaak kenmerkend.

Belladonna: bij plotseling optredende pijnaanvallen, vaak met koorts, een hoogrood gezicht en hevige transpiratie; de handen en voeten zijn koud en warmte verzacht de pijn vaak.

Apis: symptomen als bij *Belladonna*, alleen zal koude de pijn verzachten.

Chamomilla: bij acute oorpijn die 's nachts en door warmte heviger wordt; meestal weinig koorts, waarbij de ene wang eventueel rood en de andere bleek is; het kind is onrustig en hangerig, zodat het gedragen wil worden.

Ferrum phosphoricum: bij langzaam heviger wordende, vaak met hoge koorts gepaard gaande pijn die 's nachts toeneemt. Koude verzacht de pijn, het gezicht is bleek en het pijnlijke oor en de wang aan die kant zijn rood.

Gewrichtspijnen bij kinderen

Hierbij helpt vaak: *omslagen met kwark, vochtige doeken* (naar behoefte koud of warm), *verwarmende gel(ei)*.

Gewrichtspijn bij kinderen

Homeopathische middelen tegen gewrichtspijn bij kinderen

Arnica: bij pijn na een stoot of slag, kneuzing met zwelling van het gewricht. Beweging verhevigt de pijn.

Belladonna: bij plotselinge gewrichtspijnen; het gewricht is gezwollen, rood en glanzend; vaak ook koude voeten.

Rhus toxicodendron: bij gewrichtspijnen als gevolg van verrekking of scheuring; de pijn wordt erger in rust en bij het begin van bewegen; als de beweging aanhoudt, wordt de pijn minder, zoals ook gebeurt tijdens een warm bad.

Buikpijn bij kinderen
Hierbij helpt vaak: *vochtige warme omslagen om de romp.*

Homeopathische middelen tegen buikpijn bij kinderen
Colocynthis: in geval van pijn die minder wordt door druk, vooroverbuigen of warmte; het kind is prikkelbaar.
Dioscorea: bij pijn die door rekkend achterover buigen minder wordt.
Magnesium phosphoricum: bij pijn die minder wordt door druk, vooroverbuigen of warmte; het kind is uitgeput.
Chamomilla: vaak bij pijn vanwege het doorkomen van de tanden; de pijn wordt minder als het kind wordt gedragen; de ene wang is rood en de andere bleek; het kind is prikkelbaar.

Hoofdpijn bij kinderen

Hoofdpijn bij kinderen
Hierbij helpt vaak: *koele compressen* op het voorhoofd. Rusten in een donkere kamer.

Homeopathische middelen tegen hoofdpijn bij kinderen
Belladonna: bij plotselinge, heftige, pulserende hoofdpijn. Het gezicht is rood en licht en lawaai verergeren de hoofdpijn.
Bryonia: bij drukkende hoofdpijn, met het gevoel alsof het hoofd open kan barsten, als gevolg van overmatige inspanning en woede; beweging van de voorhoofdshuid en de ogen verergert de pijn.
Gelsemium: bij pijn ten gevolge van opwinding. De pijn straalt vanuit de nek naar het voorhoofd en de

ogen; het kind is slaperig of versuft.

Calcium phosphoricum: bij hoofdpijn als gevolg van ingespannen leren of een andere geestelijke inspanning; bij geestelijk en lichamelijk snel uitgeputte kinderen.

De pijnlijder en de therapeut – een slotoverweging

Het bijbelse woord 'smart' (pijn) komt van het oude Hoogduitse woord *Schmerzo* en betekent zoveel als 'zich afmatten, slopen of uitputten'. In feite is het een stil knagen aan het gevoel van eigenwaarde en de wil tot leven, totdat we op een gegeven moment het stadium hebben bereikt dat in 1798 door de Duitse dichter Novalis als volgt werd beschreven: 'Op het toppunt van pijn treedt soms een verlamming van het vermogen tot gewaarworden op. De ziel ontbindt zichzelf. Vandaar de dodelijke kilte, de vrije kracht van denken, de verpletterende, onophoudelijke grap van deze vorm van wanhoop. Er is geen enkele neiging meer; de mens staat op zichzelf, als een verderfelijke macht. Afgezonderd van de rest van de wereld verteert hij geleidelijk zichzelf en is, in overeenstemming met zijn principe, een vijand van goden en mensen.'

Als de pijn op z'n ergst is en de patiënt zich geen raad meer weet, wendt hij zich tot een heelkundige – een huisarts, een natuurgenezer of 'een vriend die verstand heeft van pijn'. Echter, zelfs als hij Jezus Christus persoonlijk zou treffen, kan hij niet altijd worden geholpen, zoals de volgende mop duidelijk maakt:

Een Ier, een Deen en een Nederlander staan in de kroeg aan de tap. De deur gaat open en – Jezus stapt binnen. 'Ik genees mensen door handoplegging,' zegt hij.

De heelkundige kan een huisarts zijn, of een natuurgenezer of 'een vriend die verstand heeft van pijn'

Meteen zegt de Ier: 'Hier, mijn tennisarm!'
Jezus legt zijn hand op de arm en vraagt: 'En?'
'Geweldig,' roept de Ier, 'de pijn is weg!'
Nu stapt de Deen naar Jezus. 'Kun je mijn nek gene-
zen?'
Zo gezegd, zo gedaan: Jezus geneest ook de Deen en
draait zich dan om naar de Nederlander, die zegt:
'Raak me niet aan, mijn baas gaf me vandaag nog zes
weken de tijd om uit te zieken ...'

Deze mop vertolkt de zienswijze van de buitenwacht
en zal vermoedelijk alleen door mensen worden verteld
die zelf geen pijn lijden. Toch bevat de mop ook een
kern van waarheid. Wie alleen nog wacht op een genezende aanraking van iemand anders om weer gezond te
worden, dus in feite op iets dat zijn eigen genezende
krachten activeert, is de perfecte patiënt. Hij heeft het
voorbereidende werk al gedaan en zijn bezoek aan de
dokter is slechts de laatste schakel van de keten naar
genezing. Hoe anders is het met de persoon die van zijn
of haar arts alleen de bevestiging verwacht dat hij of zij
ziek is en dat 'mag blijven'! De pijn van zo iemand zal
ongeneeslijk zijn.
Uit deze mop blijkt ook dat pijn een veelvoorkomend
verschijnsel is en dat je ermee kunt leven. Per slot van
rekening staan deze drie heren in een kroeg, en niet in
de wachtkamer van een arts. Dit feit is eigenlijk een
motie van wantrouwen. Als zij hadden geweten dat
Jezus een artsenpraktijk had, zouden ze misschien daar
hun heil hebben gezocht. Hun ervaring vertelt echter
iets anders, dus geven ze de voorkeur aan een koel mid-
dagbiertje.
Niettemin is dezelfde mop ook een bewijs van het nog
altijd aanwezige oervertrouwen in de genezende krachten van genezers. Als zo iemand jou genezing belooft,
laat je je bereidwillig door hem aanraken, zodat hij je

Iemand die van zijn arts alleen de bevestiging verwacht dat hij ziek is en dat 'mag blijven', valt niet te helpen

Nog altijd aanwezig: het oervertrouwen in de genezende krachten van genezers

243

kan helpen. Tenzij je – om andere beweegredenen – zijn hulp van de hand wijst. Als de Nederlander in de mop niet vreesde dat hij werkelijk kon worden genezen, zou het verhaal niet geestig zijn.

Datzelfde oervertrouwen in de kunde van de arts komt ook tot expressie in de volgende mop:

Een blonde vrouw brengt zorgelijk een bezoek aan haar huisarts, omdat ze over haar hele lichaam pijn heeft.
Hij kijkt haar bezorgd aan en zegt: 'Wijst u me eens waar de pijn zit.'
Ze raakt haar arm aan en schreeuwt: 'Au!'
Dan raakt ze haar been aan en schreeuwt: 'Au!'
En als ze met haar wijsvinger haar neus aanraakt, roept ze weer 'Au!'
'U ziet, dokter, alles doet pijn.'
Dan begint de arts te lachen en zegt: 'Niets aan de hand, mevrouwtje. U hebt alleen een gebroken wijsvinger …'

De 'grap' hier is dat de arts alwetend, en de blonde vrouw oliedom is. De neutrale waarnemer zal zich overigens afvragen of de arts de situatie wel juist beoordeelt. Zelfs als de pijn alleen in de wijsvinger zou zetelen, zou dat ook een gevolg kunnen zijn van artrose, reuma of een tumor. Op die manier getuigt deze mop van een belangrijke waarheid, namelijk dat in de dagelijkse artsenpraktijk veel klachten over één kam worden geschoren en zonder een zorgvuldige diagnose in een hokje worden gestopt – totdat het te laat is.

In de dagelijkse artsenpraktijk worden veel klachten over één kam geschoren

Moppen stroken echter niet altijd met de geest van de tijd. Zo vraag ik me af of deze moppen nu nog zouden kunnen ontstaan, want momenteel is de situatie grondig gewijzigd: veel mensen lijken de mening toegedaan dat ze van artsen geen hulp meer hoeven te verwachten. Dit geldt vooral ook voor veel pijnpatiënten. Mij zijn genoeg gevallen bekend waarin een lange lijdensweg pas is begonnen door het trouw opvolgen van de adviezen van een arts, in combinatie met talrijke ingrepen, met steeds ernstiger schade als gevolg. Terecht vindt de patiënt dan de weg naar de natuurgenezer, die niet aan de leiband van een artsengenootschap of een medische tuchtcommissie loopt en zichzelf nog een zekere behandelingsvrijheid toestaat. Echter, ook hier is het contact vaak van korte duur, heeft de geboden hulp een eenzijdig karakter en is deze niet voldoende onderbouwd, zodat veel mensen er met hun pijn uiteindelijk weer alleen voor staan.

Dit boek is geschreven met het oog op dit soort situaties. Het is bedoeld om de eenzaamheid van de pijnpatiënt te verlichten en hem of haar bekend te maken met een breed gamma aan geneeswijzen die zich goed lenen voor zelfbehandeling. Dit kan echter slechts een begin zijn: er zullen nog andere boeken met praktijkervaringen volgen. In *Torquato Tasso* zegt Goethe's Leonore: *Wer sich entschließen kann, besiegt den Schmerz.* Wie eenmaal de eerste stappen op de lange weg naar pijnbevrijding heeft gezet, heeft al heel veel gewonnen. Ik wens je dan ook veel succes.

Hierna vermeld ik nog boeken waarin de hier beschreven geneeswijzen uitvoeriger uiteen zijn gezet en die geschikt zijn voor zelfbehandeling.

Literatuur

Bailey, Philip M., *Psychologische Homöopathie. Persönlichkeitsprofile von großen homöopathische Mitteln*. Knaur Mens Sana, München 1998.

Bingen, Hildegard von, *Ursachen und Behandlung der Krankheiten*. Haug Verlag, Ulm 1985.

Böhm, dr. Werner, *De lotusenergie: chakra's*. De Driehoek, Amsterdam 1982.

Chaitov, Leon, *Pijnbehandeling door acupunctuur*. De Driehoek, Amsterdam 1982.

Chang, David, *Mit Händen heilen. Schmerzfrei, gesund und fit durch Berührung und Fingerdruck*. Südwest, München 1999.

Emmrich, Peter, *Anlitzdiagnostik*. Jungjohann, Neckarsulm 2003.

Fischer, Lorenz, *Neuraltherapie nach Huneke*. Hippokrates, Stuttgart 2002.

Flemming, Gerda, *Die Methode Dorn. Eine sanfte Wirbel- und Gelenktherapie*. Aurum, Braunschweig 1999.

Gillanders, Ann, *Voetreflexologie voor het hele gezin*. Ankh-Hermes, Deventer 1998.

Hahnemann, Christian Friedrich Samuel, *Organon der rationellen Heilkunde*. 1819. Vanaf de 2e druk heeft dit boek de titel *Organon der Heilkunst*, in de Nederlandse vertaling van O.E.A. Goetze verschenen onder de titel *Organon der geneeskunst*. Homeovisie, Alkmaar 1987. (Vert.)

Hartenbach prof. dr. W., *De cholesterolleugen*. Ankh-Hermes, Deventer 2006.

Heepen, Günther H., *Schüssler-Salze – typgerecht*. Gräfe und Unzer, München 2003.

Hong Chon Tan, Linda, *Acupunktur & Co. Tradionelle Chi-*

nesische Medizin schnell erklärt. Haug, Stuttgart 2003.

Köhler, Peter, *Klostergartenmedizin. Das uralte Heilwissen der Mönche und Nonnen wiederentdeckt. Rezepte und Ratschläge für ein gesundes Leben.* Weltbild, Augsburg 2003.

Krämer, Dietmar, *Nieuwe therapieën met Backbloesems I en II.* Ankh-Hermes, Deventer.

Doré Kunz / Krieger, Dolores, *Therapeutic Touch. De spirituele dimensie.* Ankh-Hermes, Deventer 2006.

Lad, Vasant, *Das große Ayurveda-Heilbuch. Die umfassende Einführung in das Ayurveda. Mit praktischen Anleitungen zur Selbstdiagnose, Therapie und Heilung.* Windpferd, Aitrang 2003.

Rauch, dr. Erich, *Die Darmreinigung nach dr. med. F.X. Mayer.* Haug, Heidelberg 1964, in de Nederlandse vertaling verschenen onder de titel *De Darmreiniging volgens dr. F.X. Mayer.* De Driehoek, Amsterdam 1977.

Rauch, dr. Erich: *Blut- und Säftereinigung.* Haug, Heidelberg 1965, in de Nederlandse vertaling verschenen onder de titel *Bloed- en lichaamsvochtreiniging.* De Driehoek, Amsterdam 1980.

Rieger, Berndt, *Psychologische Schüssler-Salz-Therapie.* Jungjohann, Neckarsulm 2004.

Roy, Ravi en Carola, *Selbstheilung durch Homöopathie.* Droemer Knaur, München 2000.

Schulte-Uebbing, Claus, *Hildegard-Medizin für Frauen, Wie Sie altes Wissen für Krankheiten von heute anwenden. So behandeln Sie ganzheitlich Körper und Seele. Über 100 Rezepte und Tipps für alle Beschwerden von A-Z.* Haug, Stuttgart 2002.

Sommer, Sven, *Homöopathie.* Gräfe und Unzer, München 2001.

Stumpf, Werner, *Homöopathie. Selbstbehandlung. Zuverlässige Mittelwahl. Hilfe im Notfall.* Gräfe und Unzer, München 2003.

Uhlemayr, Ursula, *Wickel & Co. Bärenstärke Hausmittel für Kinder.* Urs-Verlag, Kempten 2001.

Vithoulkas, Georgos, *Medizin der Zukunft*. Wenderoth, Kassel 2002.

Weinmann, Marlene, *Schmerzfrei durch Fingerdruck. 200 Akupressurpunkte gegen die häufigsten Beschwerden*. Weltbild, Augsburg 2003.

Wenkel, Petra, *Hausapotheke. Die häufigsten Beschwerden selbst behandeln. Hausmittel, sanfte Heilmethoden und Homöopathie. Die richtigen Wirkstoffe anwenden. Erste Hilfe bei Notfällen*. Gräfe und Unzer, München 2000.

Register

Prof. Dr. Walter Hartenbach
DE CHOLESTEROL-LEUGEN
2e dr., pb, 152 blz., ISBN: 90 202 4394 2

Het streven naar cholesterolverlaging is voor de farmaceutische industrie, artsen en de margarinefabrikanten een miljardenbusiness geworden, maar volgens de inzichten van professor Hartenbach en enkele andere belangrijke wetenschappers volstrekt overbodig, schadelijk en vaak zelfs levensgevaarlijk.

Het medicijn Lipobay heeft met een aantal dodelijke slachtoffers het publiek weliswaar opgeschrikt, maar slechts weinigen weten hoe groot de misleiding door de 'cholesterolmaffia' werkelijk is. In dit voor het grote publiek geschreven boek veegt Hartenbach de vloer aan met de heersende opvattingen over cholesterolverlaging en benadrukt hij juist de grote betekenis en de positieve invloed van cholesterol op onze stofwisseling. Hij levert het bewijs dat arteriosclerose en hartinfarcten niets met cholesterolniveaus te maken hebben en geeft aan hoe we deze ziekten kunnen voorkomen.

 Verkrijgbaar in de boekhandel of bij:
Uitgeverij Ankh-Hermes bv Deventer
www.ankh-hermes.nl